UMA VISÃO AYURVÉDICA DA MENTE

A CURA DA CONSCIÊNCIA

Dr. David Frawley

UMA VISÃO AYURVÉDICA DA MENTE

A CURA DA CONSCIÊNCIA

Tradução
ALÍPIO CORREIA DE FRANCA NETO

Ilustrações
MARGO GAL
ANGELA WERNEKE

Editora
Pensamento
SÃO PAULO

Título original: Ayurveda and the Mind – The Healing of Consciousness.

Copyright © 1996 David Frawley.

Copyright da edição brasileira © 1999 Editora Pensamento-Cultrix Ltda.

1ª edição 1999.

13ª reimpressão 2022.

Este livro não pretende diagnosticar doenças nem prescrever tratamentos. A informação nele contida não deve, em nenhuma hipótese, ser considerada como um substituto para consulta com um profissional qualificado.

Todos os direitos reservados. Nenhuma parte deste livro pode ser reproduzida ou usada de qualquer forma ou por qualquer meio, eletrônico ou mecânico, inclusive fotocópias, gravações ou sistema de armazenamento em banco de dados, sem permissão por escrito, exceto nos casos de trechos curtos citados em resenhas críticas ou artigos de revistas.

A Editora Pensamento não se responsabiliza por eventuais mudanças ocorridas nos endereços convencionais ou eletrônicos citados neste livro.

Direitos de tradução para a língua portuguesa adquiridos com exclusividade pela
EDITORA PENSAMENTO-CULTRIX LTDA.
Rua Dr. Mário Vicente, 368 – 04270-000 – São Paulo, SP – Fone: (11) 2066-9000
E-mail: atendimento@editorapensamento.com.br
http://www.editorapensamento.com.br
que se reserva a propriedade literária desta tradução.
Foi feito o depósito legal.

Agradecimentos

Eu gostaria de agradecer a vários mestres pelo seu trabalho e por terem inspirado este livro. Dentre eles estão Swami Yogeshwaranda, Ganapati Muni, Rishi Daivarata, Sri Aurobindo, Sri Anirvan, Ram Swarup e a tradição yogue e védica, perenes, que eles representam. Devo também agradecer a todos os grandes yogues e doutores ayurvédicos que desenvolveram, preservaram e transmitiram essa ciência em todo o milênio.

Quero agradecer especialmente a Lenny Blank por organizar a produção do livro com tanta eficiência, e ao Dr. David Simon, não apenas pela sua Introdução, mas pelo seu estímulo contínuo e pelo especial interesse nesse aspecto do meu trabalho.

Sumário

Introdução 9
Prefácio 11

Parte I — Psicologia Ayurvédica: A Medicina Yogue da Mente e do Corpo 15

1. Uma Nova Jornada Rumo à Consciência 17
2. Tipos Ayurvédicos Constitutivos: Os Humores Biológicos de Vata, Pitta e Kapha 23
3. Os Três Gunas: Como Equilibrar a sua Consciência 36
4. A Natureza da Mente 46
5. Os Cinco Elementos e a Mente 56

Parte II — A Energética da Consciência 67

6. A Consciência Condicionada: O Campo Mental Superior ... 69
7. A Inteligência: O Poder da Percepção 81
8. A Mente Exterior: O Campo dos Sentidos 91
9. O Ego e o Eu Inferior: A Busca da Identidade 102

Parte III — Terapias Ayurvédicas para a Mente 119

10. Aconselhamento Ayurvédico e Mudança Comportamental ... 121
11. O Ciclo da Nutrição para a Mente: O Papel das Impressões ... 135
12. Modalidades Exteriores do Tratamento: Regime Alimentar, Ervas, Massagem e Pancha Karma 148
13. Terapias Sutis: Cores, Pedras Preciosas e Aromas 161
14. O Poder de Cura do Mantra 173

Parte IV — Aplicações Espirituais da Psicologia Ayurvédica: Os Caminhos da Yoga 185

15. Terapias Espirituais 187
16. O Método Óctuplo da Yoga I: Práticas Interiores 198
17. As Práticas Interiores do Método Óctuplo da Yoga II 211

Apêndice 1: Tabelas 229
  A. Os Três Corpos 229
  B. Os Cinco Invólucros e a Mente 231
  C. Os Sete Níveis do Universo 232
  D. Os Sete Chakras 233
  E. Os Cinco Pranas e a Mente 234
  F. Funções da Mente 236

Apêndice 2 239
  Notas 239
  Glossário sânscrito 244
  Glossários de Ervas 246
  Bibliografia 248
  Fontes 249

Introdução

Os seres humanos deparam com desafios sem precedentes à medida que se aproxima o novo milênio. Estamos buscando novos caminhos para atender às exigências da vida moderna à proporção que seu fluxo contínuo de informações nos solicita a atenção. Embora de muitas formas tenhamos oportunidades maiores do que antes de chegar a uma vida proveitosa e de realizações, é evidente que precisamos desenvolver novas estratégias, se quisermos sobreviver e progredir como pessoas e como espécie.

Nossa cultura ocidental é dinâmica, vibrante, e acolhe avidamente as mudanças. Nosso entusiasmo pelo novo nos faculta ultrapassar os limites tecnológicos e filosóficos, inimagináveis um século atrás; contudo, esse fascínio pela mudança cobrou um tributo de nossa sociedade. Muitas pessoas se sentem desarraigadas, desvinculadas das grandes tradições que propiciaram orientação e sabedoria a seres humanos durante milhares de anos.

A antiga tradição védica, conhecida dos grandes videntes da Índia, de bom grado nos oferece um tesouro de conhecimentos práticos sobre como ter uma vida saudável e significativa. A sabedoria védica é atemporal, ilimitada e, portanto, de grande importância nesta época. Felizmente, temos o Dr. David Frawley para traduzir e interpretar esses conhecimentos profundos de modo a serem transformados em vivo saber para todos os que bebem de sua fonte.

No seu livro mais recente, *Uma visão ayurvédica da mente*, o Dr. Frawley uma vez mais lança luzes de modo perspicaz sobre as aplicações práticas do Ayurveda e da Yoga no que diz respeito à mente. Por meio da exposição clara que ele faz dos princípios védicos da consciência e de sua expressão, é elucidada uma abordagem simples mas profunda da cura psicológica e emocional. Este livro nos lembra que a mente é um órgão sutil, cuja saúde depende de sua capacidade de extrair o alimento do ambiente. Se acumulamos toxinas na forma de sofrimento, frustração, desapontamento ou de falsas crenças, eliminar essas impurezas de nossas camadas mentais e emocionais é essencial para termos liberdade no que concerne às emoções e ao espírito.

Diferentemente da moderna ciência psicológica, que até muito recentemente conservou a dicotomia da mente e do corpo, a psicologia ayurvédica reconhece notadamente que mente e corpo são uma coisa só. A mente é um campo de idéias, o corpo, um campo de moléculas, mas os dois são expressões da consciência, em ação mútua com ela mesma.

Este livro é uma valorosa fonte para os estudantes de Ayurveda, Yoga, Tantra e psicologia. O Dr. Frawley uma vez mais demonstrou seu talento único de assimilar o antigo conhecimento védico e de nos levar a beber dessa fonte, que nos alimenta o corpo, a mente e a alma. Ele foi verdadeiramente um mestre querido para mim, e muito estimo a sabedoria amável que ele tão prontamente partilha comigo e com o mundo.

David Simon, M. D.
Diretor Clínico, The Chopra Center for Well-Being
La Jolla, Califórnia

Prefácio

Ayurveda é a extraordinária medicina da mente e do corpo na Índia, uma grande fonte para levar a completude a todos os níveis da nossa existência. Trata-se de um dos sistemas mais antigos e completos do mundo no que respeita à cura natural, expressão de uma grande sabedoria que todos nós deveríamos conhecer.

Este livro examina o aspecto psicológico do Ayurveda, provavelmente a parte mais importante do sistema e a menos conhecida. Ele aborda a visão ayurvédica da mente e sua relação com o corpo e o espírito — uma relação profunda e complexa. O leitor terá aqui o esboço de um tratamento ayurvédico abrangente para a mente, com o intuito de promover a saúde e lidar com a doença, usando métodos diversos que vão do regime alimentar à meditação.

Esses ensinamentos derivam dos textos clássicos ayurvédicos, que não raro apresentam seções sobre a mente e seu tratamento. Eles também se ligam à doutrina da Yoga, da qual o Ayurveda, por sua vez, deriva a visão que tem da consciência e muitas de suas modalidades para tratar a mente; entretanto, não só examinei os ensinamentos psicológicos tradicionais do Ayurveda, mas também tentei torná-los relevantes para o mundo moderno. O Ayurveda, como a ciência da vida, não é uma ciência estática, mas se desenvolve com o movimento da vida em si, do qual essa ciência partilha.

O Projeto do Livro

Este livro não requer que o leitor tenha um conhecimento prévio do Ayurveda, conquanto esse conhecimento certamente seja útil. O livro introduz os fatores básicos do Ayurveda, como os humores biológicos (doshas), especialmente do modo como se relacionam com a psicologia. Com base nisso, todavia, o livro aprofunda o objeto de sua análise, visando propiciar ao leitor conhecimento o bastante para que esse leitor use as informações e as técnicas do Ayurveda com vistas a melhorar sua vida e sua consciência em todos os níveis. Ele não é, por natureza, uma simples introdução, e está destinado a ser importante aos psicólogos e aos terapeutas.

Não pedirei desculpa por escrever um livro mais técnico sobre Ayurveda, como o leitor poderia entender. Já existe um grande número de livros que servem de introdução ao Ayurveda, e eles podem ser consultados pelos que disso necessitam. No momento, vemos que faltam livros mais avançados para desenvolver esse tema importante. Um pouco da profundidade do Ayurveda precisa ser revelada para complementar as introduções gerais atualmente disponíveis.

Este livro foi dividido em quatro seções, seguidas de um apêndice:
Parte I: Psicologia Ayurvédica: A Medicina yogue da Mente e do Corpo
Parte II: A Energética da Consciência
Parte III: Terapias Ayurvédicas para a Mente
Parte IV: Aplicações Espirituais da Psicologia Ayurvédica: Os Caminhos da Yoga
Apêndices

A primeira seção explica a visão ayurvédica da mente e do corpo, e de que modo ambos funcionam. Ela principia com o material fundamental dos três gunas (Sattva, Rajas e Tamas), os três humores biológicos (Vata, Pitta e Kapha), e os cinco elementos (terra, água, fogo, ar e éter), mostrando sua relação com a mente. A seção também explora a natureza e as funções da mente de um modo geral, a partir de uma perspectiva ayurvédica.

A segunda seção continua com um exame em profundidade das variadas funções da percepção por meio da consciência, da inteligência, da mente, do ego e do eu inferior. Ao examinar todas as camadas da mente, do subconsciente ao superconsciente, essa abordagem apresenta uma compreensão mais profunda e pormenorizada da mente do que a fornecida pela moderna psicologia.

Na terceira seção do livro, ocupamo-nos de várias terapias ayurvédicas para a mente. Estas começam com os métodos de aconselhamento ayurvédico e com a visão ayurvédica de como tratar a mente. As terapias apresentam dois aspectos: um exterior e outro interior. As exteriores se ligam a modalidades físicas, como regime alimentar, ervas e massagem. As terapias interiores trabalham por via de impressões e consistem sobretudo em terapias da cor, dos aromas e dos mantras.

A quarta seção do livro ocupa-se das práticas espirituais e yogues de uma visão ayurvédica e psicológica, resumindo e integrando todas as terapias dadas na seção anterior. Isso nos permite usar a sabedoria do Ayurveda não apenas para a saúde física e mental, mas também para o desenvolvimento espiritual. O apêndice apresenta diversas tabelas sobre as funções da mente e sobre suas correspondências. Seguem-se, no final, notas, glossários e uma bibliografia.

O material *Uma visão ayuvérdica da mente* reflete as pesquisas apresentadas em meus livros anteriores. Há um capítulo sobre o Ayurveda e a mente no meu livro *Ayurvedic Healing: A Comprehensive Guide*. A natureza da consciência, de uma perspectiva mais espiritual e de meditação, é examinada em *Beyond the Mind*. O presente volume se posta entre esses dois livros. Ele apresenta aspectos em comum com *Tantric Yoga and the Wisdom Goddesses: Spiritual Secrets of Ayurveda*, o qual lida com os chakras e com a energética do corpo sutil. O leitor pode valer-se desses livros para mais informações acerca de um sistema maior, do qual este livro é apenas uma parte.

Eu gostaria que este livro estimulasse mais pesquisas sobre o aspecto psicológico do Ayurveda e sobre os pontos que essa ciência tem em comum com a Yoga. Nessa vontade está implícita uma nova dimensão importante no campo da saúde e da compreensão humana, no que tange ao século que se aproxima.

Possa a mente de todos os seres encontrar a paz!
Possam os mundos encontrar a paz!

Dr. David Frawley
(Vamadeva Shastri)
Outubro de 1996

A Origem da Consciência no Coração

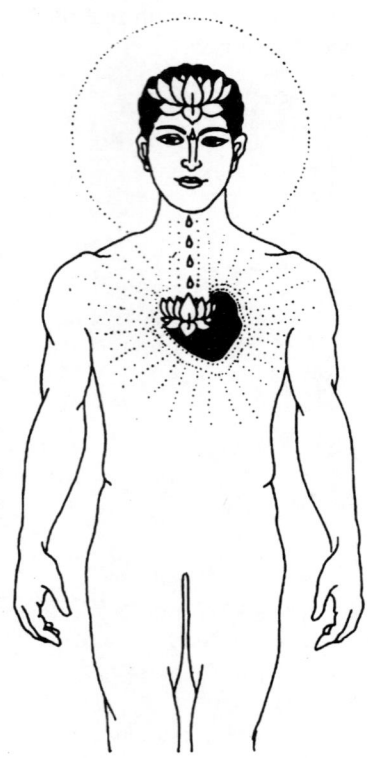

PARTE I

PSICOLOGIA AYURVÉDICA: A MEDICINA YOGUE DA MENTE E DO CORPO

Nesta seção inicial, apresentaremos os principais conceitos da psicologia ayurvédica para a fácil compreensão do que se seguirá adiante neste livro. Começamos com os humores biológicos de Vata (ar), Pitta (fogo) e Kapha (água). Estes compõem a base para determinar a constituição física e psicológica. Então, segue-se uma análise das três qualidades (Gunas) de Sattva, Rajas e Tamas, que determinam a natureza mental e espiritual. Esta seção apresenta dois testes práticos para o exame de si mesmo. Um teste para a constituição ayurvédica encerra o capítulo sobre esse assunto, e um teste para a natureza mental conclui o capítulo sobre os gunas. Os leitores deverão fazer esses testes a fim de usar as informações do livro de um modo pessoal.

Então, passamos à natureza e às funções da mente por meio dos cinco elementos — terra, água, fogo, ar e éter. Isso apresenta uma abordagem energética da mente, segundo um modelo semelhante de Vata, Pitta e Kapha para o corpo. Esses capítulos apresentam diversos exercícios práticos para que o leitor examine de que modo a sua mente está trabalhando; mas começamos com uma introdução e uma visão geral do nosso assunto.

1. Uma Nova Jornada Rumo à Consciência

Neste livro, embarcaremos numa grande aventura interior. Viajaremos a diversas dimensões de nossa consciência, individual e cósmica, conhecida e desconhecida; no entanto, nossa abordagem não se processará por meio da simples imaginação nem por conjecturas; tampouco alçaremos vôo do solo sob nossos pés. Exploraremos uma visão total da mente — uma visão que inclui o corpo físico, de um lado, e nosso Eu Superior imortal, de outro. Abordaremos todos os aspectos da nossa natureza e o modo como nos afetam a maneira de pensar, de sentir, de perceber as coisas e de estar conscientes.

Para essa jornada, usaremos a sabedoria dos grandes yogues e rishis dos Himalaias. Essa sabedoria yogue não é apenas *know-how* técnico, profundidade filosófica, nem revelação religiosa. Trata-se da sabedoria da própria Vida, além de quaisquer opiniões e dogmas. Por isso, você, leitor, deve participar. Você mesmo deve tornar-se o observador e o observado a um só tempo. Sondar a mente em profundidade é aventurar-se no próprio Ser da pessoa. É explorar não apenas o nosso ego superficial, limitado pelo tempo, mas o nosso Eu Superior real, do qual tudo o que vemos, interna ou externamente, é tão-só um reflexo. Você descobrirá dentro de si todas as forças vivas da Natureza, e saberá que você mesmo é uma réplica do cosmo, com a sua consciência interior una com Deus.

Ayurveda

Ayurveda é a antiga "Ciência da Vida" dos vedas; data de cinco mil anos e é o sistema de cura natural e tradicional da Índia. Trata-se do lado medicinal dos sistemas yogues do subcontinente indiano, que incluíam a Yoga, o Vedanta, o Tantra e o Budismo. Hoje em dia, o Ayurveda destaca-se na medicina da mente e do corpo. Foi além de sua base tradicional e é alvo de atenção em todo o mundo. O antigo Ayurveda, com sua compreensão da vida e da consciência, não parece arcaico nem obsoleto, mas é uma chave para a medicina do futuro. Isso ocorre por causa do modo único e espiritual pelo qual o Ayurveda vê nosso lugar no universo.

O Ayurveda considera o corpo físico como uma cristalização de inclinações mentais profundamente arraigadas, trazidas de vidas anteriores. Ele explica a mente como o reflexo do corpo e o repositório das impressões a que temos acesso por meio dos sentidos. Reconhece nosso verdadeiro Eu Superior e nossa natureza além do complexo da mente e do corpo, em que podemos transcender todas as dificuldades físicas e mentais. O Ayurveda compreende o corpo, a mente e o espírito numa única visão, e tem métodos específicos para trabalhar com cada um deles.

O Ayurveda não considera o ser humano como um grupo limitado de processos bioquímicos. Não acredita que a mente seja apenas uma função do cérebro. Não vê a pessoa como um produto das circunstâncias sociais, embora todos esses fatores possam ser importantes. O Ayurveda encara a alma do homem como pura percepção, ligada ao complexo da mente e do corpo, mas sem se limitar a ele, de vez que esse complexo é o instrumento pelo qual se manifesta.

O próprio corpo é um organismo mental, um veículo de percepção projetado para conservar as funções dos sentidos e para facilitar a experiência por meio da mente. Qualquer colapso na função corporal tem suas raízes no processo da percepção e é conseqüência do mau uso dos sentidos. A utilização excessiva, insatisfatória ou errônea dos sentidos resulta em ações equivocadas, que nos fazem sentir dor de vez em quando. A fim de entender de que modo nosso corpo funciona, devemos também ver como usamos nossa mente.

Yoga, Ayurveda e Tantra

Ayurveda é o ramo da cura da ciência yogue. A Yoga é o aspecto espiritual do Ayurveda, ao passo que este é o ramo terapêutico da Yoga. Esta é muito mais do que a Asana ou o aspecto de exercício da Yoga mais visível no Ocidente hoje em dia. A Yoga tem como seu objetivo principal o desenvolvimento espiritual visando a auto-realização, a descoberta de nossa verdadeira natureza além do tempo e do espaço. Esse processo é facilitado pela mente e pelo corpo livres da doença.

A Yoga como terapia médica[1] tradicionalmente faz parte do Ayurveda, que, por sua vez, envolve o tratamento das doenças físicas e mentais. O Ayurveda vale-se de métodos yogues, como as posturas da Yoga e os exercícios de respiração, para tratar as doenças físicas.[2] Os métodos de tratamento ayurvédico para a mente incluem práticas yogues com vistas ao desenvolvimento espiritual, como mantra e meditação. A visão ayurvédica da mente deriva da filosofia da Yoga e de sua compreensão dos diversos níveis de consciência.[3] Assim, originariamente, a psicologia ayurvédica e a da Yoga foram as mesmas, e só recentemente começaram a apresentar divergências. Isso se deve ao fato de que as pessoas, em especial no Ocidente, incluindo os mestres da Yoga, nem sempre têm consciência das relações entre Yoga e Ayurveda.

Atualmente, há um grande número de abordagens com o nome de psicologia da Yoga no mundo. Algumas dessas combinam as posturas da Yoga com os métodos da psicanálise. Outras combinam os métodos de meditação yogue com as abordagens médicas ou psiquiátricas do Ocidente. Outras ainda lançam mão de métodos yogues para curar de maneira direta a mente, mas sem referência ao Ayurveda. Essas abordagens podem ser úteis, porém funcionam mais quando combinadas com o Ayurveda, que é a abordagem da cura yogue original e que fornece a linguagem médica apropriada para usar plenamente a Yoga como ciência da cura.

O Ayurveda e a Yoga relacionam-se ambos com o sistema do Tantra, que fornece técnicas diversas para mudar a natureza da consciência; contudo, o verdadeiro Tantra é muito mais do que uma idéia popular, na forma de um sistema de práticas sexuais que reflete apenas um aspecto menor e não raro inferior do Tantra. Este é um sistema completo do desenvolvimento humano, sistema que pode nos ajudar a melhorar todos os aspectos de nossa vida.

Os instrumentos do Tantra incluem terapias sensoriais das cores, das pedras preciosas, dos sons e dos mantras, a par do uso de várias divindades. Estas, como Shiva ou a Mãe Divina, são arquétipos que realizam mudanças na consciência, numa profundidade a que a mente da pessoa não pode chegar. As terapias sensoriais alteram o que introjetamos na mente, o que pode mudar o condicionamento negativo sem a necessidade da análise. Os métodos ayurvédicos para curar a mente incluem o Tantra. A compreensão tântrica das forças sutis da mente e do corpo também se relaciona com o Ayurveda. Abordagens yogues mais profundas também usam esses métodos tântricos superiores.

A Medicina da Mente e do Corpo

Os médicos ayurvédicos não precisam ser chamados de psicólogos. A psicologia já faz parte de sua prática comum, que considera a doença física e mental. De acordo com o Ayurveda, as doenças físicas ocorrem sobretudo devido a fatores externos como regime alimentar errado ou exposição a agentes patogênicos. As doenças mentais afloram sobretudo em função de fatores internos, como o uso equivocado dos sentidos e o acúmulo de emoções negativas. Estas seguem o nosso karma — as conseqüências de nossas ações passadas — o qual advém de vidas anteriores; todavia, tanto as doenças físicas como as psicológicas comumente se combinam, e uma coisa raramente ocorre sem a outra.

Algumas doenças, como as infecções agudas, apresentam causas quase inteiramente físicas, e podem ser tratadas exclusivamente num nível físico; no entanto, a maior parte das doenças apresenta causas psicológicas, e todas as doenças crônicas têm efeitos psicológicos. A doença física perturba as emoções e embota os sentidos, e isso pode acarretar perturbações psicológicas. Os desequilíbrios psicológicos têm conseqüências físicas. Eles levam a certas imprudências no que diz respeito ao regime alimentar, causam tensão ao coração e aos nervos, e enfraquecem o corpo físico.

No mundo desenvolvido de hoje, nossos problemas são sobretudo psicológicos. Temos alimentos, roupas e abrigo apropriados, o que nos impede de ter doenças sobretudo de ordem física; no entanto, ainda que a maioria de nós não tenha problemas físicos mais graves, ainda padecemos de inquietações psicológicas. Estas podem manifestar-se na forma do sentimento da solidão, do de não sermos amados nem admirados, na forma de raiva, de tensão ou de ansiedade. Essas inquietações podem levar ao enfraquecimento da nossa energia física e impedir-nos de fazer o que de fato queremos fazer.

A própria maneira de viver que nos é peculiar gera a infelicidade. Temos uma cultura que preza a atividade e que, por isso, é agitada; temos poucos momentos de paz e de satisfação. Molestamos as raízes orgânicas da vida, que são a boa comida, a água e o ar puro, além de uma vida familiar feliz. Vivemos num mundo artificial em que predominam a paisagem urbana e os meios de comunicação de massa, em que não existem muitas oportunidades para desenvolver nosso espírito. Sempre queremos coisas novas e raramente estamos satisfeitos com o que temos. Passamos de um estímulo a outro, raramente observando o processo de nossa vida que, na verdade, não nos leva a lugar nenhum. Nossa vida é um modelo do acúmulo em que nunca podemos ficar parados ou descansando. Nossa medicina é mais um estímulo para que continuemos fiéis a nosso estilo de vida equivocado, e raramente se ocupa da raiz comportamental de nossos problemas. Tomamos uma pílula esperando que nossos problemas se vão, sem reconhecer que eles talvez sejam apenas um sintoma de uma vida desequilibrada, como uma advertência a que deveríamos dar ouvidos.

O Ayurveda, por outro lado, professa a harmonia com a Natureza, a simplicidade e o contentamento como chaves para o bem-estar. Ele nos mostra como viver num estado de equilíbrio em que a satisfação envolve ser, e não vir a ser. Ele nos liga às fontes da criatividade e da felicidade na nossa própria consciência, para que possamos superar continuamente nossos problemas psicológicos. O Ayurveda fornece uma solução real a nossos problemas de saúde, e isso implica voltar à união com o universo e com o Divino dentro de nós. Isso requer mudar nossa vida, nossa maneira de pensar e de sentir.

Os Níveis da Cura Ayurvédica

O Ayurveda reconhece quatro níveis principais de cura:

1. O tratamento da doença.
2. A prevenção da doença.
3. O aumento da vida.
4. O desenvolvimento da percepção.

Para a maioria de nós, o tratamento médico tem início quando ficamos doentes. Ele é uma forma de tratamento da doença, uma reação a uma condição que já ocorreu. Visa concentrar-se em algo que já sofreu algum tipo de avaria; entretanto, se a medicina começa com o tratamento da doença, isso já é um erro, pois que a doença está nos causando danos. Nesse estágio final, métodos radicais e drásticos podem ser necessários, como drogas ou a cirurgia, e isso é a causa de muitos efeitos colaterais.

Um nível superior de cura equivale a eliminar as doenças antes que elas se manifestem, para o que os métodos drásticos como os remédios fortes ou a cirurgia raramente sejam necessários. Para chegarmos a esse estágio, devemos considerar os efeitos do nosso estilo de vida, do nosso ambiente, do nosso trabalho e da nossa condição psicológica. Temos de eliminar os fatores negativos em nossa vida cotidiana, os quais nos tornam vulneráveis à doença.

Em certo grau, estamos sempre doentes, porque a vida em si mesma é efêmera e instável. Há sempre alguma doença a nos atacar, particularmente nas mudanças de estação ou no próprio processo de envelhecimento. Cada criatura que nasce deve morrer posteriormente. A saúde é uma questão de adaptação contínua, como navegar com um barco mar afora. Ela não pode ser permanentemente alcançada e então esquecida, mas envolve uma preocupação contínua.

O terceiro nível do tratamento é a terapia para aumentar o sentimento vital, terapia que visa melhorar nossa vitalidade e ajudar-nos a viver mais. Ela não só impede as doenças como também nos mostra de que modo aumentar nossa vitalidade; todavia, o Ayurveda visa algo que é mais do que criar condições para a saúde, evitando a doença e nos ajudando a viver mais tempo.

O quarto nível do Ayurveda é o desenvolvimento da percepção. Este requer uma abordagem espiritual da vida, incluindo a meditação. Ser saudável é importante, mas a saúde não é um fim em si mesmo. Não basta apenas prolongar nossa vida e ter mais energia para fazer o que se quer. Temos de considerar para que estamos usando a nossa energia, e também por quê. A qualidade de nossa percepção é a conseqüência real de tudo o que fazemos. Trata-se de nossa expressão máxima, a essência de quem realmente somos. Nossa percepção é a única coisa que podemos levar conosco ao morrermos. Ela pode continuar se desenvolvendo à proporção que o corpo e a mente decaem, e é o bem mais útil que temos enquanto vamos envelhecendo.

O objetivo da encarnação física é ajudar a desenvolver uma consciência superior. Isso não só nos eleva individualmente, mas também eleva o mundo e a humanidade. Todos os nossos problemas humanos decorrem da falta de percepção real, o que não é apenas falta de informação, mas certa incapacidade de compreender nosso lugar no universo. Na verdade, não temos um lugar no universo. Este repousa em nós. Todo o universo faz parte de nosso ser superior.

Os seres humanos fazem parte do nosso Eu Superior. Todas as criaturas são apenas formas diversas de quem somos. Elas se assemelham às variadas folhas e ramos da árvore da consciência. A verdadeira percepção é o reconhecimento da unidade por meio de que transcendemos os limites pessoais e compreendemos o Eu Superior como Tudo. Esse é o objetivo máximo do Ayurveda, que tem por escopo libertar-nos da dor e do sofrimento. A verdadeira percepção é a cura máxima para todas as doenças psicológicas; porém, para compreendê-la, primeiramente temos de examinar a mente e suas funções. Devemos começar de onde estamos. Nesse sentido, nossa jornada principia.

2. Tipos Ayurvédicos Constitutivos: Os Humores Biológicos de Vata, Pitta e Kapha

Se olharmos para diversas pessoas no mundo à nossa volta, observaremos que não somos apenas semelhantes. A pessoa comum, ou a que pode servir de "modelo", é uma abstração estatística, sem existência real. Cada um de nós se distingue de muitas maneiras, tanto física como mentalmente. Cada pessoa apresenta uma constituição única, diversa da de qualquer outra pessoa. A forma e o tamanho do corpo, o temperamento e o caráter das pessoas apresentam grandes variações, que devem afetar-nos a saúde e a felicidade.

Precisamos compreender a nossa natureza para ter felicidade e bem-estar na vida. De modo semelhante, devemos compreender a natureza dos outros, que pode ser diferente da nossa, para uma interação social harmoniosa. A alimentação adequada a uma pessoa talvez não seja boa para outra. Alguém pode usar muito condimento na comida, por exemplo, enquanto a outra pessoa talvez não os tolere. De modo parecido, as condições psicológicas favoráveis para uma pessoa podem não ser convenientes a uma outra. A competição pode estimular alguém a realizações maiores, mas intimidar os outros e fazê-los fracassar.

Sem compreender nossa constituição particular, nossa saúde se enfraquece e adoecemos. Nenhum tipo de medicina pode lidar adequadamente com todas as nossas variações individuais. Só um sistema capaz de discernir nossos tipos constitutivos tem essa capacidade. O Ayurveda apresenta essa ciência desenvolvida dos tipos individuais como sua sabedoria fundamental. Uma das grandes belezas do Ayurveda é que ele nos ajuda a entender claramente nossas diferenças individuais, nossas capacidades especiais e nossas idiossincrasias.

Não obstante, os modelos constitutivos do homem se enquadram em categorias gerais, e não ocorrem por acaso. Conquanto apresentem variações, ocorrem em grupos bem definidos, como um reflexo das grandes forças da Natureza. Há três tipos constitutivos principais, em conformidade com os três humores biológicos, que são as forças fundamentais da nossa vida física. Esses humores são chamados de Vata, Pitta e Kapha em sânscrito, e correspondem aos três grandes elementos do ar, do fogo e da água, do modo como atuam no complexo da mente e do corpo. Os livros ayurvédicos enfatizam os aspectos físicos desses três tipos. Aqui, daremos mais atenção às suas ramificações psicológicas. Primeiramente, façamos uma introdução ao que seja Vata, Pitta e Kapha, e sobre como eles funcionam.

Vata — o Ar

O humor biológico relacionado com o ar é chamado de Vata, que significa literalmente "o que sopra", com referência ao vento. Ele apresenta um aspecto secundário do éter como o campo em que se move. Os interstícios da cabeça, das juntas e dos ossos servem como seu *container*.

Vata rege o movimento e é responsável pela descarga de todos os impulsos voluntários e involuntários. Ele trabalha principalmente através do cérebro e do sistema nervoso. No sistema digestivo, ele se relaciona com o baixo abdômen, particularmente com o intestino grosso onde o gás (o ar) se acumula. Os sentidos do tato e da audição, que correspondem aos elementos do ar e do éter, fazem parte dele. Vata é a força que guia os outros humores, porque a própria vida deriva do ar. Vata leva em conta a agilidade, a adaptação e a facilidade na ação. Seu poder nos anima e nos dá a sensação de vitalidade e entusiasmo.

Vata regula a sensibilidade fundamental e a mobilidade do campo mental. Ele energiza todas as funções mentais desde os sentidos até o subconsciente. Permite-nos reagir mentalmente a impulsos externos e internos. O medo e a angústia são seus principais desequilíbrios emocionais, que ocorrem quando sentimos que nossa energia vital de alguma forma está ameaçada ou comprometida.

Pitta — o Fogo

O humor biológico relacionado com o fogo se denomina Pitta, que significa "o que cozinha". O fogo não pode existir diretamente no corpo, mas é encontrado em líqüidos quentes como o sangue e os líqüidos digestivos. Por essa razão, Pitta apresenta um aspecto secundário da água.

Pitta rege a transformação no corpo e na mente, na forma de digestão e assimilação em todos os níveis, desde a alimentação até as idéias. Ele tem preponderância no sistema digestivo, particularmente no intestino delgado e no fígado, onde o "fogo" da digestão está em atividade. Além disso, é encontrado no sangue e no sentido da visão, que corresponde ao elemento fogo. Pitta é responsável por todo calor e luz, desde a percepção sensorial até o metabolismo das células.

No que diz respeito à mente, Pitta rege a razão, a inteligência e o entendi-

Tipos Ayurvédicos Constitutivos

mento — a capacidade iluminadora da mente. Ele faz com que a mente perceba, julgue e discrimine. A raiva é seu principal distúrbio emocional, pois ela é impetuosa, nos enche de calor e ajuda a nos defendermos dos golpes que nos assestam de fora.

Kapha — a Água

O humor biológico relacionado com a água é chamado de Kapha, literalmente, "o que se molda". Ele apresenta um aspecto secundário da terra na forma do limite em que se encontra — a pele e as membranas mucosas.
Kapha rege a forma e a substância, e é responsável pelo peso, pela coesão e pela estabilidade. Kapha é a solução fluida, o oceano interior, em que se movem os outros dois humores. E constitui a principal substância do corpo. Fornece a lubrificação necessária e a eliminação de secreções, além de acalmar os nervos, a mente e os sentidos. O Kapha predomina nos tecidos do corpo e na parte superior do corpo — o estômago, os pulmões e a cabeça, onde o muco se acumula. Relaciona-se com os sentidos do paladar e do olfato, que correspondem à água e à terra.
Kapha rege o sentimento, a emoção e a capacidade que a mente tem de se apegar à forma. Transmite serenidade e estabilidade, mas pode impedir o crescimento e a expansão. O desejo e o apego são seus desequilíbrios emocionais mais comuns, o apego às coisas na mente, e isso pode sobrecarregar a psique.

Sentir Vata, Pitta e Kapha

O exercício seguinte mostra como Vata, Pitta e Kapha funcionam por meio das condições da natureza. Atente para essas características, e tente encará-las nas condições variáveis e no clima do seu ambiente.

VATA: fora de casa, sente-se num lugar tranqüilo, num dia frio, de ventania, seco e claro, como costuma acontecer no outono, quando as árvores desfolham e a temperatura já caiu muito. De preferência, descubra uma área numa colina ou numa montanha, de onde você tenha uma bela paisagem à frente. Atente para a sua reação ao ambiente e às qualidades dele. A princípio, você se sentirá leve, lúcido, "frio" e expansivo. Se você continuar sob céu aberto, ao vento por algum tempo, posteriormente acabará por sentir-se inadaptado, sem raízes, vulnerável e exposto.

PITTA: sente-se ao ar livre, durante um dia quente de verão, abafado e com o céu coberto de nuvens. Uma vez mais, atente para suas reações ao ambiente. Você se sentirá "quente", "úmido" e envolvido — talvez uma sensação agradável no início. Em pouco tempo, começará a ficar com calor ou a se sentir sufocado, e quererá entrar em casa ou fazer alguma coisa para se refrescar. Pode ser que, aos poucos, fique irritado ou nervoso.

KAPHA: sente-se ao ar livre, num lugar protegido, se necessário, num dia frio e chuvoso, de vento calmo, de preferência na primavera, quando a vegetação nova está brotando. Atente para as suas reações ao ambiente. Em primeiro lugar, você se sentirá "frio" e "úmido", calmo e contente, e talvez queira descansar ou dormir. Depois de algum tempo, começará a se sentir paralisado, pesado e relutante, incapaz de andar. Os seus sentidos podem vir a se tornar pouco aguçados ou lentos.

Tipos Constitutivos

O que se segue são perfis físicos e psicológicos característicos para três tipos. Eles não precisam ser considerados de maneira inflexível; o que importa é a predominância das características.

VATA (Tipos do Ar)

Características Físicas

As pessoas em quem Vata, o humor biológico relacionado com o ar, predomina, são mais altas ou mais baixas do que a maioria; são magras e têm dificuldade para ganhar peso. Seu tipo físico é ósseo, sem músculos desenvolvidos e com veias proeminentes. Sua pele é ressecada e facilmente torna-se grossa, apresentando rachaduras ou rugas. A pele não é bonita, ou inspira certa melancolia, apresentando uma descoloração tirante a marrom ou negro. Seus olhos costumam ser pequenos, ressequidos, e podem parecer diminuir de tamanho ou estremecer. Seu cabelo e o couro cabeludo são secos, e facilmente apresentam caspa ou calvície.

Os tipos do elemento ar possuem uma capacidade variável para a digestão. Seu apetite algumas vezes pode ser grande, pode ser reduzido em outras, ou pode até não existir. As perturbações, a tensão ou a hostilidade de pronto causam nessas pessoas indigestão em virtude do nervosismo. Elas têm sono leve e sofrem de insônia, que pode vir a tornar-se crônica. Quando perturbadas, não voltam mais a dormir com facilidade. Têm sonhos intranquilos e, provavelmente, pesadelos.

Com relação aos elementos do corpo que são eliminados, a urina dessas pessoas é reduzida, e elas raramente transpiram muito. Suas fezes tendem a ser ressequidas e em pouca quantidade. Elas amiúde têm o intestino preso, dilatação do estômago e flatulência. Com mais frequência, sofrem doenças que causam dor, desde dores de cabeça comuns até doenças crônicas, como artrite. O frio, o vento e o clima seco são os principais fatores ambientais que as molestam; no entanto, quaisquer extremos lhes causam aborrecimentos, incluindo o calor excessivo ou a luz do sol. Não gostam de nada que seja agressivo. Em geral, se dão

Tipos Ayurvédicos Constitutivos

melhor com um ambiente quente e úmido e com um regime alimentar rico e nutritivo. Uma atmosfera de boa alimentação e de apoio é o que se exige para que fiquem em paz.

Os tipos Vata são dados a atividades físicas e têm muita energia. Gostam da velocidade, do movimento e da atividade aeróbica; entretanto, cansam-se facilmente e são faltos de estamina e resistência. Por vezes, são atléticos na juventude, mas falta-lhes o físico para exercícios pesados ou esportes de contato. Esses tipos comumente sofrem espasmos musculares ou ancilose. Dão a impressão de estarem sempre longe, e podem ser pessoas desajeitadas. No que diz respeito aos ossos, são mais propensas a fraturas do que os outros tipos, e não raro se machucam.

Características Psicológicas

Os tipos de Vata são velozes e ágeis no pensamento, e apresentam interesses e inclinações instáveis. São falantes, informados e intelectualizados; além disso, são capazes de compreender pontos de vista diferentes; podem ser superficiais em suas idéias e pôr-se a falar sem objetivo definido. A mente dessas pessoas por vezes divaga e escapa-lhes ao controle. Enquanto podem ser um tanto informados sobre muitas coisas diferentes, falta-lhes profundidade de conhecimento no que diz respeito a um tema particular. Não raro são indecisos e inconstantes. Não têm determinação, coerência e confiança em si mesmos, chegando a ter por vezes uma imagem negativa de sua pessoa.

As pessoas do tipo Vata sofrem sobretudo com o medo, que é sua primeira reação a qualquer coisa nova ou estranha. São propensos a se aborrecer, angustiam-se facilmente e comumente não têm equilíbrio. Vivem no "mundo da lua" e dão a impressão de estar alheias ao que se passa. Sua memória é apenas de fatos recentes, ou erradia. Essas pessoas sofrem vivamente com o excesso de trabalho ou esforço, e tendem a se exceder em tudo o que fazem.

Os tipos do ar são bons professores, bons programadores de computador e excelem na comunicação, bem como nos meios de comunicação de massa. Têm o pensamento claro, precisos na escrita e na organização de dados. São bons músicos, porém, podem ser por demais sensíveis a todo tipo de barulho. Em geral, são criativos, e a maioria dos artistas é desse tipo.

Essas pessoas podem ser muito sociáveis, e gostam de se misturar a pessoas de todos os tipos; no entanto, quando o elemento ar é demasiado, elas ficam sozinhas, tornando-se hipersensíveis ao contato humano. Isso é porque têm muito a dizer e ignoram de que modo relatar tantas coisas, e não porque são realmente de natureza solitária. Comumente, são rebeldes e não gostam de ser líderes nem seguidores; entretanto, são também os mais flexíveis, adaptáveis e aptos à mudança dos três tipos, quando compreendem o que precisam fazer.

PITTA (Tipos do Fogo)

Características Físicas

Os tipos Pitta comumente são de altura e compleição medianas, com músculos desenvolvidos. Sua pele é oleosa e tem boa cor, mas está propensa a acnes, brotoejas e outras inflamações. De modo semelhante, essas pessoas ficam facilmente com os olhos vermelhos. São sensíveis à luz do sol e por vezes têm de usar óculos. Seu cabelo é fino, e comumente ficam grisalhas ou calvas muito cedo.

Os tipos do fogo amiúde têm um apetite bom, voraz ou excessivo. Podem comer muito e não ganhar peso (enquanto não passam dos quarenta); contudo, estão propensos à hiperacidez e à azia, e podem ter úlceras ou hipertensão. Seu sono é moderado em duração, mas pode ser perturbado, particularmente pelo conflito emocional. Seus sonhos são comuns, e podem ser cheios de vida e emoção, não raro violentos.

Os elementos corporais que são excretados do corpo dessas pessoas — fezes, urina ou muco — em geral são amarelados na cor e ocorrem em grande quantidade porque sua bile excessiva (Pitta) lhes dá cor. Essas pessoas costumam ter intestino solto ou diarréia. Transpiram com facilidade, e o suor, bem como os elementos excretados do corpo, podem ser malcheirosos. O sangue dessas pessoas é quente, e elas se ferem e sangram com facilidade. Os tipos do fogo mais comumente sofrem de febre, de infecções, de condições tóxicas do sangue e inflamações. São avessas ao calor, ao sol, ao fogo e aos elementos químicos, e preferem o frio, a água e a sombra.

Os tipos Pitta são competitivos e têm facilidade para fazer exercícios ou praticar esportes. Gostam de ganhar, detestam perder e se comprazem em jogos de todos os tipos. Sua resistência é moderada, mas se cansam muito facilmente à luz do sol e ao calor. Essas pessoas tendem a ser ágeis. Como dissemos, sua energia e resistência são moderadas, mas os tipos Pitta podem facilmente se estimular por meio de uma firme determinação, a qual pode levar ao esgotamento.

Características Psicológicas

Os tipos Pitta são inteligentes, perspicazes e têm discernimento. Têm um raciocínio agudo e vêem o mundo de modo claro e sistemático; no entanto, pelo fato de suas idéias serem brilhantes, podem ser dogmáticos, críticos ou hipócritas. São propensos à raiva, que lhes constitui a principal reação a acontecimentos novos e inesperados, e tendem a ser agressivos e dominadores. Têm uma vontade férrea e podem ser impulsivos e obstinados. Essas pessoas dão bons líderes, mas podem ser fanáticas ou insensíveis. Apreciam o uso da energia e da força, e se inclinam à discussão e à violência.

Os tipos Pitta são bons cientistas e amiúde têm uma boa compreensão de mecânica e de matemática. Gostam de trabalhar com ferramentas, com armas ou com a química. Têm um raciocínio inquiridor e são bons em pesquisa e nas invenções em geral. Podem ser bons psicólogos e têm introvisões. A maioria dos militares ou dos oficiais da polícia é do tipo fogo. Gostam da lei e da ordem e vêem o valor da punição. A maioria dos advogados, com sua mente aguda e com seus talentos para o debate, é desse tipo, que inclui também a maioria dos políticos.

Os tipos Pitta são bons oradores ou pregadores e são convincentes na apresentação de seus argumentos; todavia, podem ser faltos de compaixão e ficam bastante intranqüilos ao ter de ouvir a opinião alheia. Preferem a hierarquia e a autoridade acima do consenso e da democracia. O executivo enérgico que subitamente tem um ataque do coração comumente é um rematado tipo Pitta. A mesma determinação pode ser útil a esses tipos quando voltada para um objetivo adequado.

KAPHA (Tipos da Água)

Características Físicas

Os tipos Kapha comumente são baixos e atarracados, com a caixa torácica bem desenvolvida. Por vezes, são altos, mas sempre apresentam uma compleição avantajada. Tendem à corpulência ou obesidade, adquirem peso excessivo e retêm muito líqüido, a menos que trabalhem duro para evitar isso. Sua pele é espessa, e tende a ser úmida e oleosa. Essas pessoas têm olhos grandes, brancos e atraentes, com cílios grandes. Têm cabelo farto, oleoso e espesso. Seus dentes também são grandes, brancos e bonitos.

Os tipos Kapha têm pouco apetite, mas constante, e apresentam um metabolismo lento. Essas pessoas gostam mais de se ver cercadas de alimento do que propriamente de comer muito. Por vezes, é-lhes difícil perder peso, ainda que não comam em demasia. Gostam de doces e podem ter diabete num estágio posterior da vida. Elas caem no sono com facilidade, amiúde dormem em excesso, e sofrem se têm de ficar acordadas até tarde da noite.

Sua urina, suor e fezes são comuns. Essas pessoas podem transpirar bastante se seu corpo se aquece, mas isso se dá lentamente. Elas acumulam e eliminam grandes quantidades de muco, particularmente de manhã. Os tipos Kapha na maioria das vezes sofrem de doenças relacionadas com o excesso de peso ou de água no corpo. Dentre essas doenças estão a obesidade, a congestão, o inchaço das glândulas, a asma, os edemas e tumores (em geral benignos). Esses tipos sofrem com o frio, com a umidade e com o ar "viciado". Preferem o calor, a luz, o clima seco e os ventos.

Os tipos Kapha gostam de ser sedentários, mas têm muita resistência e, uma vez em atividade, podem prosseguir em frente e realizar muitas coisas. Triunfam mais pela coerência e perseverança do que pela pressa, pela perícia e pela argúcia. Sofrem fisicamente sobretudo pela falta de ação e de disciplina.

Características Psicológicas

Os tipos Kapha são de temperamento emotivo e, de um modo positivo, são muito amorosos, dedicados e leais. De um modo negativo, têm muito desejo, apego e podem ser possessivos ou gananciosos. Essas pessoas são românticas, sentimentais e choram com facilidade.

No que concerne à inteligência, são mais lentos na aprendizagem do que os outros tipos, mas retêm na memória o que aprendem. É preciso que repitam muitas vezes a mesma coisa para apreender. Não são criativos nem engenhosos, mas realizam coisas e as tornam úteis. São melhores em terminar as coisas em vez de as começar. Gostam de dar forma às coisas e criam instituições e estabelecimentos.

Os tipos da água são tradicionais ou convencionais em seu comportamento e em suas crenças. Gostam de pertencer a alguma coisa, de fazer parte de um grupo, e raramente se revoltam. São bons discípulos, e preferem trabalhar em grupo. São pessoas felizes e aceitam as coisas do modo como são. São estáveis, mas por vezes ficam estagnadas. Não gostam de mudar e acham difícil a mudança, mesmo quando a desejam. São amigáveis, em particular com pessoas que conhecem, e se apegam à família; entretanto, têm dificuldade para se relacionar com estranhos ou com forasteiros. Conquanto não gostem de magoar os outros, podem ser insensíveis às necessidades dos que não fazem parte do seu círculo. Vez por outra, deixam de lado o seu fardo para abrandar ou carregar o fardo dos outros.

Os tipos Kapha comumente são bons pais e provedores. Quando são mulheres, dão boas mães e esposas, e gostam de assar coisas no forno e de cuidar da casa. Quando são homens, estes podem ser mestres-cucas ou trabalhar em restaurantes. Com sua grande caixa torácica, pulmões fortes e voz possante, dão bons cantores. Essas pessoas gostam de acumular riquezas e se apegam muito ao que adquirem. São excelentes na administração de bens e dão bons banqueiros. Uma vez motivados, podem ser coerentes e muito empenhados, apegando-se a tudo o que adquirem.

Exame da Constituição

Como Determinar a sua Natureza Psicofísica Única

Cada um de nós possui os três humores biológicos; contudo, a proporção deles varia de acordo com o indivíduo. Comumente, um tipo de humor predomina, e deixa sua marca característica na nossa personalidade.

Algumas pessoas apresentam sobretudo um tipo. Essas pessoas são chamadas de Vata puro (ar puro), Pitta puro (fogo puro) e Kapha puro (água pura). Ocorrem tipos combinados, como quando dois humores ou mais se encontram em igual proporção. Existem três tipos duais na forma de Vata-Pitta (ar-fogo), Vata-Kapha (ar-água) e Pitta-Kapha (fogo-água). Há também um tipo que apresenta equilíbrio, no qual são encontrados os três humores — o tipo VPK — criando sete tipos principais no conjunto.

Atente para qual humor você se volta mais; isso comumente indica a sua constituição (embora seja útil consultar um praticante do Ayurveda para se certificar). Lembre-se também de que até mesmo quando se enquadrar numa única categoria, você terá suas características únicas. Esses tipos são uma base para o tratamento mais específico, e não devem ser convertidos em estereótipos.

Carta de Constituição

	VATA (AR)	PITTA (FOGO)	KAPHA (ÁGUA)
ESTATURA	alta ou bem baixa	mediana	comumente baixa mas pode ser alta e grande
ESTRUTURA	magra, óssea	moderada, músculos fortes	grande, desenvolvida
PESO	leve, a pessoa tendo dificuldade em ganhar peso	equilibrado	pesado, a pessoa tendo dificuldade em perder peso
BRILHO DA PELE	sem brilho, pele escura	pele de cor rosada, lustrosa	pele de cor branca ou pálida
TEXTURA DA PELE	seca, áspera, fina	quente, oleosa	fria, úmida, grossa
OLHOS	pequenos, nervosos	penetrantes, ficando vermelhos com facilidade	grandes, brancos
CABELO	seco, fino	fino, oleoso	grosso, oleoso, ondulado, com brilho
DENTES	assimétricos, de aparência frágil	de tamanho médio, com sangramento nas gengivas	grandes, aparentando ser fortes
UNHAS	rudes, quebradiças	delicadas, róseas	delicadas, brancas
JUNTAS	rígidas, "estalando" com facilidade	flexíveis	fortes, grandes
CIRCULAÇÃO	fraca, variável	boa	moderada
APETITE	variável, dependendo do estado de espírito	grande, excessivo	moderado mas constante
SEDE	a pessoa tem pouca sede, quase nenhuma sede	a pessoa tem muita sede	a pessoa tem sede moderadamente

Tipos Ayurvédicos Constitutivos

TRANSPIRAÇÃO	a pessoa transpira muito pouco	a pessoa transpira muito, mas não continuamente	a pessoa demora para transpirar, mas quando sua é em abundância
FEZES	duras ou secas	moles, com desarranjo intestinal	normais
URINA	escassa	em abundância, amarela	moderada, clara
SENSIBILIDADE	ao frio, ao clima seco, ao vento	ao calor, ao sol, ao fogo	ao frio, à umidade
FUNÇÕES IMUNOLÓGICAS	fracas, variáveis	moderadas, sensíveis ao calor	acentuadas
INCLINAÇÃO A DOENÇAS	dores	febre, inflamação	congestão, edema
TIPO DE DOENÇA	nervosa	do sangue, do fígado	da mucosa, dos pulmões
ATIVIDADE	alta, contínua	moderada	baixa, dando-se lentamente
RESISTÊNCIA	baixa, com a pessoa cansando-se facilmente	moderada, mas concentrada	alta
SONO	a pessoa tem pouco sono, ou um sono agitado	variável	excessivo
SONHOS	freqüentes, agitados	moderados, cheios de vida	raros, românticos
MEMÓRIA	imediata, com a pessoa dispersiva	penetrante, clara	lenta, mas constante
FALA	rápida, freqüente	alta, penetrante	baixa melodiosa
TEMPERAMENTO	nervoso, volúvel	motivado	alegre, conservador
EMOÇÕES POSITIVAS	capacidade de adaptação	coragem	amor
EMOÇÕES NEGATIVAS	medo	raiva	apego
FÉ	variável, vacilante	inabalável, determinada	constante, demorando para mudar
TOTAL	Vata _____	Pitta_____	Kapha _____

Prana, Tejas e Ojas

As Formas Principais de Vata, Pitta e Kapha

Vata, Pitta e Kapha apresentam contrapartidas sutis no nível da energia vital. Essas são Prana, Tejas e Ojas, que chamaremos de "três essências vitais". Prana, Tejas e Ojas são as formas principais de Vita, Pitta e Kapha. Elas controlam as funções comuns da mente e do corpo e nos conservam saudáveis e livres da doença. Quando reorientadas com propriedade, desenvolvem igualmente potenciais de evolução superiores. São as essências positivas dos três humores biológicos que conservam a boa saúde. Enquanto o aumento de humores biológicos gera a doença, o aumento das essências vitais gera a boa saúde (a não ser que uma dessas essências aumente sem que as outras se desenvolvam com propriedade). Essas três forças são a chave para a vitalidade, a lucidez e a resistência, necessárias para realmente nos sentirmos saudáveis, sem medo e confiantes.

PRANA: força vital básica — a energia sutil do ar como força fundamental por trás de todas as funções da mente e do corpo. O Prana é responsável pela coordenação do ar, dos sentidos e da mente. Num nível interior, rege o desenvolvimento dos estados superiores da consciência.

TEJAS: a luz interior — a energia sutil do fogo por meio da qual temos impressões e pensamentos. Num nível interior, Tejas rege o desenvolvimento das capacidades superiores da percepção.

OJAS: vigor fundamental — a energia sutil da água como nossa reserva vital de energia, a essência do alimento digerido, as impressões e o pensamento. Num nível interior, Ojas transmite a calma, ajuda e propicia todos os estados superiores da consciência.

Funções Psicológicas das Três Essências Vitais

Prana na mente de uma pessoa permite a ela agir e reagir aos desafios da vida. Tejas possibilita a ela perceber e julgar com correção. Ojas transmite paciência e resistência, o que confere à pessoa estabilidade psicológica. Prana na nossa consciência mais profunda nos energiza durante todo o processo de reencarnação, dando vida a todos os aspectos da nossa natureza. Tejas na consciência conserva a introvisão acumulada da nossa vontade e de nossas aspirações espirituais. Ojas na consciência é o poder material a partir do qual a alma gera todos os seus diferentes corpos.

Cada um desses fatores apresenta um efeito emocional. Prana conserva a harmonia, o equilíbrio e a criatividade nas emoções. Tejas transmite coragem, tranqüilidade e vigor, o que nos permite empreender tarefas extraordinárias. Ojas transmite a paz, a calma e a satisfação. Sem essas forças emocionais de preservação, a mente não consegue realizar nada que seja importante.

Tipos Ayurvédicos Constitutivos

De que Modo São Constituídos Prana, Tejas e Ojas

Prana, Tejas e Ojas são constituídos de duas formas. *Grosso modo*, derivam da essência dos nutrientes que ingerimos na forma de alimento, calor e ar. Num nível sutil, são alimentados pelas impressões que temos por meio dos sentidos. A chave para o funcionamento de Prana, Tejas e Ojas é o líqüido seminal, que funciona como o *container* dessas essências vitais no corpo físico. É o produto máximo do alimento que ingerimos que preserva as nossas energias mais fortes.

O Prana é a capacidade de criar a vida inerente ao líqüido seminal. Este, no ato sexual, gera crianças mas pode ser dirigido interiormente para rejuvenescer o corpo e a mente. Tejas é a capacidade que o líqüido seminal tem de dar coragem e ousadia. Por exemplo, Tejas permite que os animais machos lutem a fim de se acasalarem. Interiormente, pode dar-nos vigor e determinação para qualquer ação importante. Ojas é o poder que o líqüido seminal tem de promover a resistência, o que fornece a capacidade de nos apoiar não apenas sexualmente mas através de todas as formas de ação vigorosa, física ou mentalmente. Sem a reserva apropriada de líqüido seminal, seremos deficientes em Prana, Tejas e Ojas, que podem exercer um impacto negativo sobre nossa saúde física e psicológica. O Ayurveda enfatiza a preservação satisfatória do nosso líqüido seminal a fim de conservar essas três essências vitais. Ele também nos mostra meios de desenvolver essas três forças no caso de serem insatisfatórias.

Num nível sutil, Ojas é alimentado por meio das impressões sensoriais do paladar e do olfato. Tejas é a essência do calor que absorvemos, não apenas por meio da alimentação, mas também através da pele, por onde absorvemos a luz do sol. Tejas é alimentado por via das impressões visuais. Prana é a energia vital que absorvemos, não apenas por meio da comida mas através dos líqüidos e, evidentemente, da respiração. O Prana é levado pelos líqüidos do nosso corpo, o sangue e o plasma, que lhe servem de veículo. Nossos líqüidos corporais são energizados pelo Prana que absorvemos. O Prana também é absorvido através dos sentidos da audição e do tato.[4]

Prana, Tejas, Ojas e o Desequilíbrio da Saúde

Os desequilíbrios psicológicos estão estritamente relacionados com as condições do Prana, do Tejas e do Ojas. Prana é responsável pelo entusiasmo e pela expressão na psique, sem o que sofremos de depressão e de estagnação mental. Tejas rege a assimilação e a absorção da mente, e sem ele falta-nos lucidez e determinação. Ojas fornece estabilidade psicológica e resistência; sem ele, temos angústia e fadiga mental. Sem as energias vitais apropriadas, a mente não pode funcionar de modo satisfatório. Não a podemos curar sem melhorar e harmonizar suas energias.[5]

Em todo este livro, vamos nos referir a Prana, Tejas e Ojas como conceitos fundamentais. Ainda que não sejam tão importantes quanto Vata, Pitta e Kapha, esses conceitos não devem ser desprezados. É necessário que eles sejam relacionados com Vata, Pitta e Kapha como suas formas positivas, ou ligados aos elementos do ar, do fogo e da água para uma compreensão fácil.

3. Os Três Gunas: Como Equilibrar a sua Consciência

Vivemos num universo mágico, cheio de grandes forças ligadas à vida e à morte, à criação e à destruição. Os poderes divinos são encontrados em toda parte, e isso alça-nos a uma paz e compreensão maiores; mas forças "não-divinas" também sempre estão presentes, trabalhando para nos induzir à confusão e ao apego. A verdade e a falsidade, a ignorância e o conhecimento formam a luz e a sombra, a iluminação e as trevas do mundo. Nessa dualidade fundamental da criação, lutamos não apenas para sobreviver mas também para encontrar um sentido em nossa vida. Temos de aprender a navegar através dessas correntes contrárias para que possamos nos beneficiar da força espiritual ascendente e evitar a inércia não-espiritual descendente.

A própria natureza é a Mãe Divina em manifestação, enquanto o universo é a sua atividade consciente. Ela fornece não apenas crescimento e expansão material, que se movem exteriormente, mas também favorece nosso desenvolvimento espiritual e nosso crescimento, que se movem interiormente. A natureza possui uma energia qualitativa por meio da qual podemos nos expandir na sabedoria ou nos contrair na ignorância. A natureza funciona por intermédio das forças conscientes — espíritos, se preferir — que podem iluminar ou tornar obscuro, curar ou causar danos. A maior parte desses poderes nos são desconhecidos, e não sabemos como usá-los. Experientes que somos em nosso modo racional e científico de abordar o mundo exterior, falta-nos a capacidade de perceber as forças sutis ocultas no mundo que nos cerca; todavia, para que toda cura real da mente seja possível, devemos entender essas forças e aprender de que modo trabalhar com elas enquanto elas existirem, não apenas no mundo mas também em nossa própria psique.

O Ayurveda fornece uma linguagem especial para a compreensão das forças fundamentais da Natureza e nos mostra como trabalhar com elas em todos os níveis. Em conformidade com a Yoga e o Ayurveda, a Natureza consiste em três qualidades básicas, que são as principais forças da Inteligência Cósmica que determinam o nosso desenvolvimento espiritual. Essas forças são chamadas de gunas em sânscrito, significando "o que ata", porque, malcompreendidas, elas nos agrilhoam ao mundo exterior.

1) Sattva — a inteligência, partilha o equilíbrio
2) Rajas — a energia, causa o desequilíbrio
3) Tamas — a substância, cria a inércia

Os três gunas são as qualidades mais sutis da Natureza, e fundamentam a matéria, a vida e a mente. Eles são as energias por meio das quais não apenas a mente superficial, mas também nossa consciência mais profunda funcionam. São as forças da alma que detêm o karma e os desejos que nos impelem de um nascimento a outro. Os gunas pertencem à própria Natureza na forma de seu potencial para a diversificação.

Todos os objetos do universo consistem em várias combinações dos três gunas. A evolução cósmica consiste em sua ação recíproca e transformação. Os três gunas são um dos temas fundamentais do pensamento ayurvédico e a eles nos referiremos em todo o livro. Eles constituem um nível mais profundo do que o dos humores biológicos e nos ajudam a entender nossa natureza mental e espiritual, e o modo como ela funciona.

SATTVA é a qualidade da inteligência, da virtude e da bondade, e cria a harmonia, o equilíbrio e a estabilidade. É leve (não-pesada) e luminosa em sua natureza. Possui um movimento para dentro e para cima, e realiza o despertar da alma. Sattva fornece a felicidade e o contentamento de uma natureza duradoura. É o princípio da lucidez, da amplidão e da paz, a força do amor que une todas as coisas.

RAJAS é a qualidade da mudança, da atividade e da agitação. Acrescenta um desequilíbrio que perturba um equilíbrio já existente. Rajas é motivado em sua ação, e sempre busca uma meta ou um fim que lhe dá poder. Apresenta um movimento para fora e causa a ação egoísta que leva à fragmentação e à desintegração. Conquanto, a curto prazo, Rajas esteja estimulando e proporcionando prazer, devido à sua natureza desequilibrada, rapidamente resulta em dor e sofrimento. É a força da emoção que causa o sofrimento e o conflito.

TAMAS é a qualidade da inércia, da escuridão e do embotamento; é pesada, obscura ou difícil em sua ação. Funciona como a força da gravidade que retarda as coisas e as prende em formas específicas e limitadas. Tamas apresenta um movimento para baixo, sendo a causa da decadência e da desintegração. Tamas traz à tona a ignorância e a ilusão, e favorece a insensibilidade, o sono e a perda de consciência. Trata-se do princípio da materialidade ou inconsciência, que acaba por velar a consciência.

Correspondências dos Três Gunas

	Sattva	Rajas	Tamas
Cor	Branco pureza e harmonia	Vermelho ação e emoção	Preto escuridão e ilusão
Tempo	Dia, claridade	Nascer do sol e pôr-do-sol, crepúsculo, transição	Noite, escuridão
Energia	Neutra ou equilibrada	Positiva, põe as coisas em movimento	Negativa, retarda o movimento
Mundos	Céu ou espaço, a região da paz	Atmosfera, a região das tormentas	Terra, o domínio o domínio da gravidade e da inércia
Níveis do Cosmo	Causal ou ideal	Sutil ou astral, forma pura	Grosseiro ou físico
Reinos da Natureza	Seres espirituais: deuses, deusas e sábios	Domínio humano	Reinos mi- ral, vegetal e animal
Estados da Consciência	Vigília	Sonho	Sonho profundo

Sattva e a Mente

A mente, ou consciência em geral, é naturalmente o domínio de Sattva. Em sânscrito, a própria consciência é chamada de Sattva. A não ser que a mente esteja calma e lúcida, não podemos perceber nada com propriedade. Sattva cria a lucidez, por meio da qual percebemos a verdade das coisas; Sattva proporciona luz, concentração e devoção. Rajas e Tamas são fatores de desarmonia mental e causam a agitação e a ilusão. Têm como conseqüência a imaginação deturpada e a percepção equívoca.

De Rajas advém a falsa idéia do mundo exterior como sendo real em si mesmo, o que nos faz buscar a felicidade fora de nós mesmos e nos desviar de nossa paz interior. Rajas cria o desejo, a ilusão, a perturbação e o aborrecimento; predomina no aspecto sensorial da mente porque os sentidos sempre estão em movimento, à procura de diversos objetos. Enquanto permanecemos imersos na busca do prazer dos sentidos, caímos na instabilidade de Rajas.

De Tamas advém a ignorância, que obscurece nossa verdadeira natureza e que nos enfraquece a percepção. Por meio de Tamas aflora a idéia de um ego ou de um eu separado, pelo que nos sentimos sozinhos e isolados. Tamas prevalece na consciência identificada com o corpo físico, que é tola e limitada. Enquanto nossa identidade e nosso sentido de bem-estar são sobretudo físicos, continuamos no domínio obscuro de Tamas.

Sattva é o equilíbrio de Rajas e de Tamas, combinando a energia de Rajas com a estabilidade de Tamas. Aumentando Sattva, a pessoa consegue a paz e a harmonia, e volta à Natureza Primordial e ao Espírito Puro no qual é liberação; entretanto, o apego a Sattva, bem como o apego à virtude, pode limitar a mente. Por essa razão, devemos nos empenhar em desenvolver o Sattva puro, que é a sua forma destacada, ou Sattva não apegado às suas próprias qualidades. O Sattva puro não condena Rajas nem Tamas, mas compreende o lugar deles na harmonia cósmica, que é como os fatores externos da vida e do corpo, cujo lugar apropriado é longe de nossa verdadeira natureza.

Quando o Sattva puro prevalece na nossa consciência, transcendemos o tempo e o espaço e descobrimos nosso Eu eterno. A alma recupera a sua pureza fundamental e se une a Deus. Quando desequilibrados, os três gunas realizam o processo da evolução cósmica através do qual a alma se desenvolve por meio dos reinos da Natureza, passando pelo nascimento e pela morte, pela felicidade e pela tristeza em diversos corpos. O movimento dos três gunas é contérmino no que respeita à criação.

Como a condição do equilíbrio, Sattva é responsável por toda saúde e cura verdadeira. A saúde é conservada pelo viver sáttvico, que implica viver em harmonia com a Natureza e com nosso Eu interior, cultivando a pureza, a lucidez e a paz. Rajas e Tamas são os fatores que causam a doença. Rajas causa o sofrimento, a agitação, a dissipação da energia. Tamas causa a estagnação, a decadência e a morte. Rajas e Tamas comumente trabalham juntos. Rajas acarreta a expressão exgerada da energia, o que posteriormente leva ao esgotamento, condição em que prevalece Tamas.

Por exemplo, comida muito condimentada, álcool e o prazer sexual de início são rajásicos ou estimulantes. Posteriormente, levam a condições tamásicas tais como fadiga e falta de energia. Num nível psicológico, Rajas demais, ou emoção agitada, leva a Tamas ou ao embotamento mental e à depressão.

Os Tipos Mentais de Acordo com os Gunas

Ter Sattva predominantemente na nossa natureza é a chave para a saúde, a criatividade e a espiritualidade. As pessoas sáttvicas têm uma natureza harmoniosa e adaptável, que confere maior imunidade em relação às doenças, tanto físicas como mentais. Essas pessoas adquirem cada vez mais equilíbrio e paz de espírito, o que corta as raízes psicológicas da doença. Elas são ponderadas com os outros e cuidam de si mesmas. Encaram a vida como uma experiência de aprendizagem e procuram o bem em todas as coisas, até mesmo na doença, que procuram entender, não apenas curar.

As pessoas de Rajas têm boa energia, porém se enfraquecem por causa de atividade excessiva. A mente dessas pessoas não raro é agitada e quase nunca está em paz. Essas pessoas têm opiniões fortes e tendem a passar por cima dos outros, por vezes lançando mão de quaisquer meios. São impacientes e incoerentes no tratamento de problemas; tampouco se empenham em conseguir tempo para ficar bem ou em desenvolver sua capacidade para tanto. Culpam os outros pelos seus problemas, incluindo seus terapeutas.

As pessoas de Rajas podem realizar suas metas e geralmente estão no comando de sua vida; contudo, não estão alertas a seu objetivo espiritual, e são dominadas pelo seu ego na procura da felicidade. A vida reserva-lhes alguns abalos, o que pode fazer com que sofram muito, sobretudo quando essas pessoas perdem o controle. Mesmo quando realizam seus objetivos, elas acham que ainda não são felizes.

Os tipos tamásicos têm bloqueios psicológicos profundamente arraigados. Sua energia e emoção tendem a ser estagnadas e reprimidas, e essas pessoas ignoram quais são seus verdadeiros problemas. Não procuram tratamento adequado e amiúde descuidam da higiene ou de aspectos essenciais à saúde. Aceitam sua condição como destino e não tiram proveito dos métodos que podem minorar-lhes os problemas. Deixam que outras pessoas e influências negativas as dominem, e não gostam de ser responsáveis pela própria vida. Preferem não lidar com seus problemas ou não gostam que os outros saibam desses problemas, o que é suficiente para agravá-los ainda mais.[6]

A Constituição Mental de Acordo com os Três Gunas

Os gunas revelam nosso estado mental e espiritual, por meio de que podemos medir nossa propensão para os problemas psicológicos. O teste seguinte é um bom índice dessas qualidades e do modo como elas operam em nossa vida e em nossa personalidade.

As respostas à esquerda indicam Sattva; no meio, Rajas, e à direita, Tamas. Que o leitor preencha esse formulário com atenção e honestidade. Depois de responder ao questionário, ele deverá fazer com que alguém que o conheça bastante, como o marido, a esposa ou um amigo íntimo, responda a outro questionário igual, também sobre esse leitor. Depois, deverá atentar para as diferenças entre o seu ponto de vista e o ponto de vista do outro sobre ele.

Para a maioria de nós, nossas respostas em geral caem na área mediana, ou em Rajas, que atualmente é o principal estado espiritual em nossa cultura de atividade e desenvolvimento. Poderemos ter vários problemas psicológicos, mas podemos lidar com eles. Uma natureza sáttvica demonstra ter uma disposição espiritual com poucos problemas psicológicos. Uma natureza altamente sáttvica é rara em qualquer época, e revela um santo ou um sábio. Uma pessoa tamásica corre o risco de ter sérios problemas psicológicos, mas é pouco provável que ela preenchesse este quadro ou até mesmo lesse um livro deste tipo. As áreas que podemos melhorar de Tamas para Rajas e deste para Sattva ajudarão na nossa paz de espírito e no nosso desenvolvimento espiritual. Deveremos fazer tudo o que estiver ao nosso alcance para realizar essas mudanças.

Quadro de Constituição da Mente

REGIME ALIMENTAR	Vegetariano	Um pouco de carne	Regime alimentar à base de carne
DROGAS, ÁLCOOL E ESTIMULANTES	Nunca	De vez em quando	Com freqüência
IMPRESSÕES SENSORIAIS	Calmas, puras	Misturadas	Perturbadas
NECESSIDADE DE SONO	Pouca	Moderada	Muita
ATIVIDADE SEXUAL	Pouca	Moderada	Muita
CONTROLE DOS SENTIDOS	Bom	Moderado	Fraco
FALA	Calma e tranqüila	Agitada	Tediosa
LIMPEZA	Muita	Moderada	Pouca
TRABALHO	Altruísta	Para objetivos pessoais	A pessoa tem preguiça de trabalhar
RAIVA	Raramente	Às vezes	Com freqüência
MEDO	Raramente	Às vezes	Com freqüência
DESEJO	Pouco	Considerável	Muito
ORGULHO	A pessoa é modesta	A pessoa é um tanto egocêntrica	Vão
DEPRESSÃO	Nunca	Às vezes	Com freqüência

COMPORTAMENTO VIOLENTO	Nunca	Às vezes	Com freqüência
APEGO AO DINHEIRO	Pouco	Considerável	Muito
ALEGRIA	Comumente	Parcialmente	Nunca
CAPACIDADE DE PERDOAR	A pessoa perdoa sem dificuldade	A pessoa tem dificuldade para perdoar	A pessoa tem longos períodos de rancor
CONCENTRAÇÃO	Boa	Moderada	Pouca
MEMÓRIA	Boa	Moderada	Pouca
FORÇA DE VONTADE	Intensa	Variável	Pouca
SINCERIDADE	Constantemente	Na maior parte das vezes	Raramente
HONESTIDADE	Constantemente	Na maior parte das vezes	Raramente
PAZ DE ESPÍRITO	Geralmente	Parcialmente	Raramente
CRIATIVIDADE	Muita	Moderada	Pouca
ESTUDOS DE CARÁTER ESPIRITUAL	Diariamente	Às vezes	Nunca
MANTRA, ORAÇÃO	Diariamente	Às vezes	Nunca
MEDITAÇÃO	Diariamente	Às vezes	Nunca
SERVIÇOS	Muitos	Consideráveis	Nenhuns
TOTAL	Sattva ____	Rajas ____	Ojas ____

Os Três Gunas e a Terapia

Há muitos tipos de terapia médica e de cura para a mente. Para nos beneficiarmos deles de um modo que satisfaça e para evitar seus possíveis efeitos colaterais, precisamos entender sua abordagem e perceber o momento em que são úteis. Aqui, o Ayurveda nos ajuda muito, mostrando de que modo as terapias de cura se relacionam com os três gunas. Isso nos fornece uma compreensão profunda do processo de cura e de seus prováveis resultados. As terapias sáttvicas trabalham usando as qualidades sáttvicas do amor, da paz e da não-violência. As terapias rajásicas operam por via das qualidades rajásicas do estímulo, da energia e da agitação. As terapias tamásicas funcionam por meio das qualidades ta-

Os Três Gunas: Como Equilibrar a sua Consciência

másicas da tranqüilização, do sono e do embasamento. As terapias ayurvédicas são sobretudo sáttvicas e só se valem de modalidades rajásicas e tamásicas em circunstâncias especiais.

A cura sáttvica usa a Natureza, a energia vital e o poder da mente cósmica, por meio de métodos de tratamento tais como as ervas, o regime vegetariano, os mantras e a meditação. Por vezes, Rajas ajuda no processo de cura. Pode ser útil para abrandar Tamas, ao passo que Sattva, por ser uma condição da harmonia, nem sempre tem capacidade para tanto. Freqüentemente é necessário passar de Tamas a Rajas a fim de voltar para Sattva, a exemplo da necessidade de estimular uma pessoa a despertar para a sua dor reprimida. Tamas raramente é útil no processo de cura, exceto quando é necessário para abrandar uma grande quantidade de energia de Rajas. Por exemplo, uma pessoa que esteja passando por uma crise de histeria — um excesso da condição de Rajas — pode precisar de calmantes muito fortes à base de ervas ou de um remédio forte, o que é uma terapia tamásica. Nesse caso, Sattva será suave demais para acalmar Rajas.[7]

A psicologia ayurvédica visa deslocar a mente de Tamas para Rajas e, num estágio posterior, para Sattva. Isso significa passar de uma vida de ignorância e voltada para o corpo (Tamas) para uma vida de vitalidade e de auto-expressão (Rajas) e, por fim, para uma existência de paz e de iluminação (Sattva).[8]

Os Três Estágios da Cura Mental

1) Abrandar Tamas/desenvolver Rajas — passar da inércia mental para a ação motivada pela própria pessoa.
2) Acalmar Rajas/desenvolver Sattva — passar da ação motivada pela própria pessoa para o serviço altruísta.
3) Aperfeiçoar Sattva — passar do serviço altruísta para a meditação.

Naturalmente, é importante saber qual estágio é apropriado para uma pessoa. Numa condição tamásica, ela necessita de atividade exterior para diminuir sua inércia; não se pode pedir simplesmente a essa pessoa que se sente e medite. Em situações como essa, os métodos rajásicos (ativos) são necessários e os métodos sáttvicos (passivos) podem não ser suficientes. A pessoa precisa de comunicação e de trabalho em companhia de outras pessoas. Alguém que esteja numa condição rajásica, contudo, precisa diminuir as atividades e interiorizar a consciência (para desenvolver Sattva); no entanto, isso deve ser feito aos poucos, porque Rajas não se amaina de uma vez só. A pessoa precisa ser levada à meditação por meio de terapias práticas das posturas yogues, dos mantras ou da visualização. Uma pessoa em condição sáttvica precisa das práticas espirituais e não do tratamento psicológico comum; assim, poderá com facilidade passar a meditar sem muito estímulo exterior.

Esses estágios, contudo, não são apenas níveis diferentes. Todos temos fatores tamásicos, rajásicos e sáttvicos em nossa mente. Todos necessitamos de cada um desses três processos em certo grau. Vezes há em que nossa mente é tamásica, como logo depois de despertarmos pela manhã, ou durante momentos de devaneio à tarde. Sempre que nos é difícil pensar com clareza, ou quando estamos tristes, Tamas predomina. Rajas prevalece quando estamos agitados, perturbados, em atividade ou expansivos, como quando estamos muito ocupados, às voltas com várias pessoas ou projetos. Sattva predomina quando estamos em paz, tranqüilos e felizes, ou quando começamos naturalmente a meditar.

De modo semelhante, não deveríamos julgar os outros pelo modo como se mostram quando neles predomina apenas uma qualidade. Até uma pessoa avançada espiritualmente apresenta momentos ou períodos tamásicos em que talvez faça algo que depois venha a lamentar. Da mesma forma, pessoas sem desenvolvimento espiritual têm momentos sáttvicos em que podem fazer algo inspirado, nobre ou gentil. Ao olhar para nós, deveríamos tentar perceber esse três fatores na nossa natureza e em nosso comportamento, e tentar desenvolver nosso lado sáttvico.

ESTÁGIO 1 — CURA PESSOAL

Abrandar Tamas/Passar de Tamas a Rajas

Para essa transição, o fogo é necessário; devemos acordar, agir e começar a mudar. Tipos profundamente arraigados de apego, de inércia e depressão devem ser postos de parte. Temos de reconhecer nosso sofrimento e aprender com ele, enfrentando nossa dor, inclusive o que reprimimos ou ignoramos durante anos. Um novo sentido de quem somos e do que precisamos fazer torna-se necessário. A ação (Rajas) é indicada, não apenas na mente, mas envolvendo aspectos exteriores da nossa vida. Precisamos romper com o passado, acrescentar novas energias a nossa vida, talvez mudar de emprego ou modificar nossos relacionamentos, ou até nos mudarmos para um outro lugar.[9]

ESTÁGIO 2 — CURA DA HUMANIDADE

Acalmar Rajas/Passar de Rajas a Sattva

Para essa transição, é necessário um intervalo. Precisamos renunciar a nossa dor e desistir de nossa busca pessoal, esquecendo mágoas e tristezas individuais. Os impulsos e as motivações egocêntricas devem ser substituídos pelo bem maior. Temos de deixar de lado o caráter pessoal de nossos problemas e procurar entender a condição humana e o sofrimento alheio. Ao esquecer nossos problemas pessoais, precisamos assumir os problemas da humanidade, tornando-nos abertos ao sofrimento alheio como se fosse nosso. Temos de aprender que a vida cria o sofrimento para que possamos nos desenvolver espiritualmente. Esse é o estágio do serviço e da caridade.[10]

ESTÁGIO 3 — PAZ UNIVERSAL

Desenvolver Sattva Puro

Para realizar essa transição, temos de desenvolver o amor e a percepção como forças universais. Precisamos aprender a transcender as limitações da condição humana para nossa natureza espiritual superior. A paz interior deve tornar-se nossa força predominante. Não deveríamos mais procurar superar nosso sofrimento, mas desenvolver nossa alegria. Não deveríamos mais nos concentrar em nossos problemas pessoais ou coletivos, mas desenvolver a comunhão com o universo superior e com os poderes divinos que nele atuam. Nesse estágio, passamos do aspecto humano de nossa condição ao aspecto universal, e nos tornamos abertos a toda a vida. Esse é o estágio da prática espiritual. Está além de toda cura comum e trabalha para curar nosso relacionamento com Deus ou com o nosso Eu interior.

À proporção que for lendo este livro, lembre-se dos três gunas. Examinaremos de que modo eles funcionam de acordo com as diversas camadas e funções da mente. Passe ao núcleo sáttvico do seu ser para compreender essa sabedoria do Ayurveda.

4. A Natureza da Mente

É surpreendente notar que existam tantas idéias sobre a natureza da mente e acerca do modo como ela funciona. Variados sistemas de psicologia, filosofia e religião definem a mente de maneiras que podem ser radicalmente diversas ou até contraditórias. Todos concordamos sobre os fatos básicos do corpo físico — sua forma, estrutura e função. Ninguém afirma que o corpo tem três pernas ou que o estômago pensa enquanto o cérebro digere o alimento. A razão para isso é que é fácil observar o corpo; no entanto, enquanto podemos sem dificuldade arrolar os principais sistemas do corpo físico, achamos difícil fazer isso no que concerne à mente. Esta aparece como uma entidade amorfa ou desprovida de estrutura em vez de um instrumento exato como o corpo.

Embora todos tenhamos uma mente e a usemos ininterruptamente, ignoramos o que ela de fato é. Estamos tão presos às atividades mentais, que não reservamos tempo para tentar descobrir o que a mente é. No domínio da psicologia, ainda tateamos na sombra, procurando tratar de uma entidade cujo caráter nos escapa. Sem conhecer a natureza da mente e de suas funções, de que modo podemos abordá-la verdadeiramente? No entanto, o modo como percebemos a mente constitui a base de qualquer diagnóstico e tratamento psicológico. O problema é que, para conhecer a mente, precisamos em primeiro lugar conhecer a nós mesmos. Precisamos entender quem somos na realidade. O pensamento, como o conhecemos habitualmente, é uma função do ego ou de um eu separado. Uma inclinação pessoal subjetiva dá a tônica do modo como vemos a mente, tornando quase impossível uma afirmação objetiva de suas capacidades.

O primeiro passo em toda psicologia verdadeira, portanto, é entender a mente e o modo como ela funciona. Qual é a natureza desse instrumento magnífico a que chamamos mente? Qual a sua relação com quem somos? Qual a sua relação com o corpo? Qual a correta função da mente? Será que podemos aprender a ver a mente de modo tão objetivo quanto a maneira com que vemos nossas mãos e pés? Com relação a essas questões, o Ayurveda e a Yoga oferecem introvisões extraordinariamente agudas.

Como Chegar a Conhecer a Mente

É possível imaginar alguém sendo colocado no banco do motorista, com o automóvel em movimento e a pessoa não sabendo dirigir, nem frear, nem manobrar o volante, e ignorando quando pisar na embreagem? Naturalmente, essa pessoa sofreria um acidente e, se sobrevivesse, ficaria com um medo permanente de dirigir.

No que tange a nossa mente, não estamos em situação muito diversa. A percepção é posta na nossa mente quando nascemos, porém não nos ensinam como usar a mente, sua sensibilidade e emoção. Não nos ensinam o sentido de seu estado de vigília, de sonho e de sono profundo. Não nos apresentam as funções comparativas da razão, do sentimento, da vontade e da percepção sensorial. Ficamos nas trevas, porque nossos pais e a sociedade não entendem a mente, tampouco como ela funciona. A mente é o principal veículo que usamos para tudo o que fazemos; no entanto, poucos sabem como usá-la ou zelar por ela, se é que alguém sabe.

Todos sofremos com a ignorância da natureza da mente. Todos os problemas com que deparamos na vida baseiam-se, em última análise, no desconhecimento da mente e de suas funções. A partir desse problema fundamental, vêm à luz diversos problemas secundários — como a maneira de satisfazer nossos desejos ou de evitar aquilo de que temos medo — os quais, por importantes que possam parecer, são tão-somente a conseqüência natural dessa ignorância fundamental acerca da mente. Por exemplo, se não sabemos guiar um carro de um modo satisfatório, o problema de aonde ir com ele não é relevante; entretanto, consideramos esses problemas derivados como sendo fundamentais, ou colocamos a culpa nos outros por esses mesmos problemas, tornando-os questões sociais, morais ou políticas, sem compreender que eles são apenas um problema — o não entendimento da mente. A partir de uma compreensão equivocada da mente, desenvolvemos idéias falsas sobre o mundo e passamos por apuros em nossas relações sociais.

Valendo-me de uma outra analogia: se não entendemos como o fogo funciona, podemos nos queimar. Isso não significa que somos ruins, nem que o fogo é ruim, mas apenas que não entendemos o fogo e suas propriedades. A mente tem suas qualidades e, a exemplo do fogo, pode ser usada tanto para o bem como para o mal. Ela pode ser a causa de grande felicidade ou de catástrofes no mundo, como a história tem mostrado repetidas vezes. Todos os problemas psicológicos não passam de um uso equivocado da mente, em função da ignorância do modo como a mente funciona. A solução para todos os nossos problemas mentais é aprender a usar a mente de modo satisfatório. Isso é verdade independentemente do tipo de problema psicológico que possamos ter.

Educarmo-nos acerca da natureza da mente importa mais do que todo exame de nossos problemas pessoais ou sociais. Todos os problemas que se nos afiguram realmente urgentes e importantes — como o de saber se somos amados ou se nossos amigos e nossa família podem ser felizes — não são o verdadeiro problema e não podem ser resolvidos diretamente. O problema real é como usar o instrumento mais importante da nossa existência — a mente.

Aprender a usar de modo correto os recursos da mente não apenas resolve nossos problemas psicológicos, mas também nos leva à compreensão superior de nós mesmos. Leva-nos à vida espiritual, que é a nossa real ocupação como seres conscientes. Então, podemos transcender a mente — que por natureza é limitada — para a Percepção Pura, não tolhida pelo tempo, nem pelo espaço, tampouco pela causação. Para tudo na vida, temos de principiar com a compreensão da mente.

A Mente como Objeto

Embora sempre tenhamos tido uma mente, a maior parte de nós nunca reservou tempo para observá-la. Olhemos para a nossa mente. Para isso, precisamos nos recolher interiormente e assumir o papel do observador. Devemos começar a testemunhar a mente e suas funções.[11] Imagine que os seus pensamentos são um rio e que você está sentado à margem, vendo-o fluir. Aprenda a atentar para o conteúdo da mente fluindo, sem fazer julgamentos nem interferir, como você observaria exatamente a corrente de um rio ou detritos flutuando sobre ela.

Assumindo essa atitude de testemunha, podemos facilmente vir a conhecer a mente e a atividade dela. Temos condições de perceber flutuações várias nos pensamentos, nos sentimentos e nas impressões, e diversos estados de vigília, de sonho e de sono profundo. Deveríamos nos empenhar em conservar a nossa percepção assumindo a atitude de testemunhas da mente. Essa é a chave para aprender o que ela é. Enquanto estamos presos nas atividades da mente, não a podemos ver como ela é, assim como não nos é dado observar o que acontece num cinema quando a nossa atenção está absorta pelo filme.

Tudo o que podemos observar, como uma taça sobre a mesa, é um objeto que existe à parte da nossa percepção, que o percebe; no entanto, não só podemos observar os objetos exteriores, mas também os interiores. Podemos observar se nossos órgãos dos sentidos são aguçados ou deteriorados, como quando nossa visão começa a diminuir. De modo semelhante, podemos observar nossas emoções, nossos pensamentos, até o nosso próprio ego, que são fenômenos inteiramente flutuantes, se neles repararmos bem. Podemos observar as funções da mente, assim como podemos observar os movimentos do nosso corpo.

Assim como o olho não é prejudicado quando uma taça cai ao chão e se quebra, assim também a consciência não sofre danos quando os conteúdos da mente se alteram e sofrem danos. A consciência que testemunha está à parte dos objetos e das condições que ela observa. Portanto, a primeira coisa que observamos acerca da mente é que, como algo observável, ela é um objeto. É material e faz parte do mundo. Pertence-nos, mas não é quem de fato somos, assim como nossa casa pertence a nós mas não é nós. Essa consideração pode ser chocante, mas ela é algo intuitivamente conhecido de nós. Quando falamos em "a minha mente", nós a estamos definindo como um objeto que nos pertence e não como sendo nós mesmos.

A mente tem uma estrutura material, um grupo de energias e condições observáveis. Isso não é o mesmo que dizer que a mente é um objeto grosseiro como uma pedra, ou que é um órgão no corpo físico como o cérebro, ou que é tão-somente química em sua natureza. A mente não é matéria física, mas é matéria de natureza sutil, etérea e luminosa. Como uma entidade orgânica, a mente tem uma estrutura, um ciclo de nutrição, uma origem e um termo. A mente apresenta certo *quantum* de energia que enseja diversos efeitos palpáveis.

Assim como podemos ver e usar as mãos, assim também a percepção pode sondar e usar a mente; mas isso requer um profundo estado de atenção. Envolve o desapego da mente, o que implica desapego das atividades e interesses da mente.

A Mente Como Instrumento

O segundo fato importante sobre a mente, que deriva de sua natureza material, é que ela é um instrumento ou uma ferramenta. Os próprios órgãos do sentido são instrumentos — o olho é um instrumento para ver, o ouvido para ouvir e assim por diante. De modo semelhante, a mente, que trabalha para processar as informações sensoriais, é em si mesma um instrumento, um meio de adquirir informações do mundo exterior. É o principal instrumento que usamos para funcionar na vida. A mente é uma instrumentalidade do conhecimento projetado pela Inteligência Cósmica para permitir que a consciência tenha experiências. A mente é a máquina suprema, o computador dos computadores, a maior organização da matéria, aquilo que permite ao mundo material ser cognoscível.

Note-se que estamos falando da mente, não do cérebro. Este é o órgão físico por meio do qual a mente trabalha. Não estamos conscientes do cérebro em si, nem de sua estrutura. Só estamos conscientes de nosso processo real do pensamento. A mente não é o cérebro, é algo mais sutil. O cérebro é o veículo para a mente e reflete suas operações, mas a mente não se limita ao conjunto físico do cérebro, assim como uma pessoa não se limita a sua sombra.

Observe-se que dizemos a "minha" mente, indicando que a vemos como um instrumento. Podemos dirigir nossa atenção, usar nossa faculdade do raciocínio, desenvolver nossa vontade. Podemos cultivar nossos sentimentos; contudo, se a mente é um instrumento, não somos a mente, assim como não somos nenhum outro instrumento que usamos na vida. Como qualquer instrumento, somos nós que o utilizamos e devemos dominar sobre ele, e não deixar que ele nos diga o que fazer.

Esquecemos, no entanto, que a mente é nosso instrumento, embora dela falemos como sendo nossa e não de nós mesmos como sendo a mente. Deixamos que a mente nos diga quem somos e o que devemos fazer. Ao nos tornar escravos da mente, perdemos o controle do nosso destino e tornamo-nos cativos do desejo da mente, o qual não é nosso, mas advém do mundo exterior.

A Percepção e a Mente

Por trás das flutuações mentais, está uma percepção constante, um sentido ininterrupto do eu ou do ser, uma capacidade cada vez maior de observar, de testemunhar e perceber.[12] Embora o conteúdo da mente se altere repetidas vezes, como as nuvens no céu, há uma continuidade para a nossa consciência, como a pureza do espaço, por meio de que podemos observar com distanciamento. Portanto, a mente em si não é percepção. É o instrumento por meio do qual a percepção trabalha, a exemplo do computador com que alguém trabalha.

A percepção, diferentemente da mente, não tem forma, função nem movimento. Ela não está situada no tempo nem no espaço, mas fica à parte como testemunha dessas coisas. Não é afetada pela ação e continua livre das conseqüências positivas e negativas. Para conhecer essa percepção, temos de aprender a ir além da mente, e isso significa romper com seus envolvimentos. Essa é a nossa verdadeira tarefa como seres humanos, e a essência do caminho espiritual, independentemente da forma peculiar a esse caminho que escolhamos seguir. Enquanto estamos na esfera da mente, somos dominados pelo exterior, e não nos é dado conhecer a realidade interior.

A verdadeira percepção é a Pura Consciência além do campo mental. Nossa percepção comum é condicionada pelo campo mental. O simples fato de a luz da percepção pura se refletir no campo mental faz a mente parecer consciente. A própria mente, contudo, não percebe, não é inteligente nem tem luz própria. Ela funciona por meio do reflexo de uma luz superior, uma consciência superior em que só há entendimento e liberdade. Temos de aprender a buscar essa luz pura além da mente.

A Unidade da Mente e do Corpo

Organicamente, a mente se liga ao corpo físico. Podemos observar isso atentando para o modo como as funções da mente se alteram com flutuações físicas, como nosso comportamento muda juntamente com nosso regime alimentar, com tipos de exercício ou com impressões sensoriais. A mente é também um tipo de corpo ou de organismo. Ela tem o seu metabolismo, seus alimentos saudáveis, seus elementos a ser eliminados e seus desequilíbrios, que podem ocorrer em virtude de seu funcionamento insatisfatório. Examinaremos pormenorizadamente esses aspectos nos capítulos a seguir.

O corpo físico é sobretudo um órgão da percepção e da expressão. É estruturado principalmente por nossos órgãos do sentido que facultam a percepção, como os olhos e os ouvidos, e os órgãos motores, como a voz e as mãos, por meio dos quais nos expressamos. O corpo, poder-se-ia dizer, é a forma grosseira da mente. O corpo existe para possibilitar à mente que perceba e atue; todavia, embora o complexo da mente e do corpo seja uma unidade orgânica,

A Natureza da Mente

ambos não são a mesma coisa. A mente pode funcionar à parte da consciência corporal, como durante o sono, num transe ou nos estados posteriores da morte.

O corpo é um objeto de percepção para a mente, como quando observamos nossas mãos ou atentamos para nosso processo de respiração. Na maior parte do tempo, não temos muita consciência do nosso corpo, mas temos consciência de alguma ação em que ele está envolvido. Temos consciência do corpo principalmente quando sentimos dor ou então quando predomina em nós uma sensação física forte — como o prazer sexual. Quando estamos falando, lendo ou trabalhando, só temos uma ligeira consciência de nosso funcionamento físico. É raro termos consciência de nossos órgãos internos, como o fígado ou o coração, a não ser que estejamos doentes. Percebemos sobretudo a superfície do corpo através da pele e dos sentidos. Portanto, estamos no corpo, mas não somos o corpo.

Nossa verdadeira percepção ou consciência pura, no entanto, transcende a mente e o corpo. Ela é inerentemente livre dos problemas e limitações característicos de ambos; porém, chegar a ela requer que nos desapeguemos das funções do corpo e da mente.

A Localização da Mente

Não há nenhum local particular no corpo físico onde se possa dizer que a mente esteja situada. Toda vez que dirigimos nossa atenção, lá está a mente. Você pode constatar isso por si mesmo. Independentemente do que você olhe, interna ou externamente, a mente está com você. Ela não está no cérebro. Não se encontra nos olhos nem nas mãos. Ela se desloca com a sua percepção. Nem ao menos se limita ao corpo porque é capaz de observá-lo como um objeto e de utilizá-lo como um instrumento.

Em geral, julgamos que a mente se localiza na cabeça ou no coração. A cabeça é o centro para a mente exterior, que opera por meio dos sentidos. O coração é o centro da mente interior ou da natureza sensível, que transcende os sentidos. O cérebro é apenas uma tela em que as energias da consciência vindas do coração se refletem. O Ayurveda considera o coração como o centro da consciência.[13] Não se trata do coração físico, mas do âmago do conhecimento profundo em nós mesmos. Não deveríamos confundir esse centro com uma região do corpo. Ele perpassa a nossa atividade mental.

A Natureza Atômica da Mente

Depois de analisar a natureza fundamental da mente, agora podemos nos ocupar mais pormenorizadamente de sua estrutura. Atente o leitor para como sua atenção funciona e muda. A coisa mais importante que notamos acerca da estrutura da mente é que ela é atômica ou semelhante a um ponto em sua natureza. A mente consiste em diversos pontos do pensamento, do sentimento e da sensação, seguindo-se uns aos outros em sucessão veloz. Uma vez mais, o leitor pode observar isso por si mesmo. Que se sente tranqüilamente e repare em como os seus sentidos funcionam — como quando olha uma árvore. Que observe o movimento mutável de sua mente e o modo como ela tenta construir a realidade do objeto a partir de seus pontos mutáveis de atenção.

A mente não tem forma nem tamanho determinados. Ela assume a forma e o tamanho de todo objeto que examinamos; entretanto, ela sempre consiste numa série de pontos de atenção. A mente não é um átomo existindo no espaço, mas uma percepção do tamanho de um ponto, a qual precede e transcende todos os outros componentes e ações recíprocas materiais.

Embora a mente seja atômica em sua natureza, ela pode perpassar o corpo como um todo, assim como uma gota de óleo de sândalo pode perfumar o corpo inteiro em virtude de sua fragrância. Dessa forma, a mente não pode apenas se concentrar em várias partes do corpo, mas pode também motivá-lo como um todo. De modo semelhante, ela pode nos perpassar todo o campo da percepção. Conquanto isso dure apenas um instante, esses momentos se seguem uns aos outros, dando-nos certa sensação de todo um campo de percepção.

A natureza atômica da mente conduz a diversas limitações. Só podemos nos concentrar num objeto em um dado momento. Nossa percepção tem a natureza de um ponto mutável. Isso nos permite voltar nossa atenção para direções específicas. Concomitantemente, isso confere à mente a tendência para se tornar estreita e apegada apenas aos pontos de vista que já teve. Não vemos o todo, mas tentamos formá-lo juntando diversos pontos de vista. Esse processo nos limita a uma perspectiva e, por muitas que sejam as perspectivas que temos, sempre há algo que nos escapa.

A mente é como um pintor pontilhista: ela constrói a realidade com pontos. Essa realidade, não obstante, deve sempre se furtar a ela, de vez que não se pode chegar ao todo por meio de fragmentos. O conhecimento da mente é inerentemente limitado pela natureza que semelha um ponto e que é própria da mente. Esta dá uma série de instantâneos, que nos permitem formar uma visão da realidade; no entanto, seus instantâneos deturpam essa realidade, apresentando apenas um aspecto dela.

Porquanto a mente é tão-só um ponto da percepção, toda mente é única, tem sua perspectiva peculiar e tem potencialmente suas inclinações inatas. Cada um de nós é verdadeiro para a perspectiva de nossa mente. Amiúde esquecemos, contudo, que essa perspectiva não é universal, nem comum, mas a expressão da limitação.

A Natureza Móvel da Mente

Nosso conjunto sempre mutável de pensamentos, emoções e sensações, revela a natureza móvel da mente. Esta é extremamente volátil, e não há como

A Natureza da Mente

impedi-la de variar. Isso se deve ao fato de que a mente não é apenas um ponto mutável no espaço, mas é também um ponto mutável no tempo. A mente não está só em movimento, ela é o seu movimento. Sem movimento, ela não funciona.

Nosso fluxo de consciência é apenas uma seqüência rápida de clarões da atividade mental. De fato, a mente é o ponto fundamental a partir de que as idéias do tempo e do espaço são formadas. Ela é como o ponto do pincel do artista, que traça linhas para criar uma sensação de perspectiva.

A mente consiste numa série de atos mentais, que nunca são os mesmos, nem por um instante. Se olharmos detidamente, veremos que a mobilidade da mente não é contínua como o curso da água ou do óleo escorrendo. Ela é como uma seqüência de clarões de relâmpago, descontínuos e ocorrendo em sucessão veloz, o que nos permite compor uma imagem constante. É impossível, portanto, parar a mente, embora haja uma quietude além da mente.

A Natureza Sutil e Sensível da Mente

Você já tentou controlar a sua mente? Percebemos imediatamente que ela é sutil em sua natureza, imprevisível como o vento. Apresenta força, energia e movimento, mas é destituída de uma forma particular. Como o vento, podemos observá-la mais facilmente por meio do que ela move e afeta, em vez de vê-la diretamente. Também como o vento, a mente sopra as nuvens dos pensamentos e dos sentimentos; no entanto, ela não é apenas como o vento, é também como o espaço. Abrange e lhe perpassa os conteúdos, como uma tela que conserva as imagens em si. A mente é a forma mais sutil da matéria. Examinaremos isso com mais pormenores no capítulo seguinte, que versa sobre a mente e os elementos.

A mente é sensível, de fato. Ela é o próprio órgão da sensibilidade que fundamenta os sentidos. Todas as coisas exercem influência sobre a mente. Tudo o que vemos ou sentimos deixa alguma marca ou resíduo sobre ela. Daí a necessidade de se tratar a mente com cuidado, sobretudo no que concerne a crianças. A mente pode sofrer agravos muito facilmente, e, nesse caso, ela mesma ergue barreiras em torno de si e embota sua própria sensibilidade. A mente é facilmente afetada, perturbada, estimulada, frustrada ou desviada.

A mente assume a forma dos objetos que percebe. Daí ser assaz difícil ver a mente. Quando nossa percepção recuou dos sentidos, nossa mente continua repleta de pensamentos e sentimentos. Só quando esvaziamos a mente do pensamento podemos vê-la e reconhecer-lhe a insubstancialidade fundamental, como uma tela que não tem sentido nenhum à parte das imagens projetadas nela.

A Natureza Dualista da Mente

A mente, como toda matéria, é dualista na natureza. Consiste em forças opostas, em diversos graus de ação recíproca. Ela propende a reações dualistas de atração e repulsão, amor e ódio e assim por diante. Tudo o que pensamos cria o seu oposto. Para afirmar uma coisa, temos de sugerir o contrário.

Isso deve-se ao fato de que é importante não acostumar a mente à negatividade, ao pecado e à culpa. Por exemplo, se dizemos a alguém que não pense num macaco, esse alguém naturalmente pensará num macaco. Se dizemos a uma pessoa para não fazer algo, primeiramente lhe teremos pedido para pensar sobre fazer isso. Se afirmamos o pensamento de que somos felizes, isso sugere a idéia de que somos tristes. O pensamento sempre reforça o seu oposto.

A mente se desloca entre opostos e se inclina à ambivalência ou aos extremos. Ela pode facilmente cair presa dos opostos, ou vir a ser a vítima de sua própria tendência para mudar de idéia. Por essa razão, não deveríamos tentar obrigar a mente a se voltar a nenhuma direção determinada, mas deveríamos procurar conservá-la longe de quaisquer extremos.

A Dificuldade em Controlar a Mente

Em virtude de sua natureza mutável, semelhante a um ponto, sutil e dualista, é difícil apreender a mente e quase impossível controlá-la. Ela tem natureza e movimento peculiares, os quais tendem a causar impressões sobre nós ou a nos tornar vulneráveis a eles mesmos. Na verdade, não há nada mais difícil de controlar do que a mente. A vida humana é apenas uma luta para aprender a controlar a mente. Se conseguíssemos isso, teríamos conseguido tudo e teríamos feito a coisa mais difícil em todo o universo. A incapacidade de controlar a mente gera a tristeza e é o elemento responsável pelos processos da doença.

A Mente e o Pensamento

A mente é apenas o pensamento, que é o processo da mente. Esta é a entidade constituída pelos nossos pensamentos. Deixe de lado os pensamentos da mente e ela desaparecerá. Como se movem nossos pensamentos, move-se também a nossa mente e, assim, começamos a existir. As formas do pensamento também são materiais e nos afetam na forma de choques elétricos pequenos, quase imperceptíveis, semelhantes a pontos. Nossa mente está sempre dando a conhecer e absorvendo formas de pensamento, que a estimulam ou deprimem. À proporção que nos tornamos mais conscientes, aprendemos a projetar as formas de pensamento positivo e a evitar o pensamento negativo. Grande parte da cura consiste na mudança das formas de pensamento predominantes em nossa vida. Temos de aprender a projetar pensamentos de paz, amor e harmonia em oposição à idéia de conflito, infelicidade e intranqüilidade, que nos enfraquece a vitalidade física e mental.

Entretanto, o pensamento é de muitos tipos, e ocorre em muitas camadas. Só quando mudamos nossos pensamentos mais profundos é que podemos real-

A Natureza da Mente

mente mudar e ir além dos limites impostos pela mente. Isso é muito mais do que mudar nossas idéias sobre as coisas; implica alterar nossos sentimentos e instintos mais profundos. Requer profunda oração e meditação, formas de pensamento superiores, energizadas e concentradas, para se opor aos hábitos arraigados e aos vícios.

Uma Experiência Prática com a Mente

Examine você mesmo a natureza da sua mente. Escolha um objeto, de preferência algo pertencente ao mundo natural, como uma árvore. Volte a atenção para esse objeto. Observe como sua atenção muda de instante em instante, à proporção que você tenta reparar nela. Por meio de uma série de percepções mutáveis, atente para o modo como você constrói a idéia ou a forma total da árvore, a qual nunca consegue perceber de uma vez só. Tente concentrar a atenção em determinado ponto da árvore. Observe como sua atenção não pode ser mantida em um único lugar, porém sem parar se move ao seu talante.

Dando prosseguimento à experiência, atente para as suas emoções. Veja como a sua mente funciona, quando você está com raiva ou triste. Observe a natureza mutável das emoções, como as mais fortes tendem a durar menos tempo. Repare em como atração e repulsão, amor e ódio, estão próximos e em como as emoções flutuam à semelhança de ondas no mar.

A seguir, ocupe-se dos seus pensamentos. Atente para a maneira como um pensamento se segue a um outro em sucessão veloz, num fluxo compulsivo e variável. Examine os hábitos do seu pensamento. Conscientize-se de que grande parte do que você pensa apresenta pouco valor prático, sendo apenas a mente a se mover de modo obsessivo nos caminhos de sua própria memória.

Por fim, examine o ego ou o "eu-pensamento". Veja como isso é a raiz dos outros pensamentos, e de que modo a mente está basicamente encerrada em si mesma na sua função. Não tente pensar o pensamento "eu". Observe que isso não é possível. O "eu" é o ponto referencial inerente, o centro da mente.

Aprenda a usar a mente como um instrumento; desenvolva diversas experiências e observações desse tipo e, dessa forma, você deixará de ser a vítima desse instrumento sutil. Quando aprendermos a observar a mente, deixaremos de ser as vítimas do que se passa na nossa mente. Conseguindo o controle de nossa mente, não seremos mais dominados pelos impulsos advindos dos sentidos e do condicionamento do mundo exterior. Seremos capazes de ser quem realmente somos e de criar o que está em harmonia com as aspirações do nosso coração.

5. Os Cinco Elementos e a Mente

Será que você já observou o trabalho da sua mente da mesma forma que observaria o mundo natural ao seu redor? De acordo com o Ayurveda, se quisermos entender como a mente funciona, a melhor forma será atentar para o modo como a Natureza opera. Precisamos ver de que maneira o vento, o fogo e a chuva atuam na psique. Precisamos aprender a observar a tormenta das emoções, a luz ou a meia-luz da razão e os ritmos todos por meio dos quais não apenas o nosso corpo, mas também nossa mente e nossos sentidos, se movem. A mente é uma formação da Natureza, e foi criada de acordo com a inteligência orgânica soberba que pertence à Natureza. A mente apresenta a mesma estrutura básica do universo, além de seguir as mesmas leis imutáveis. Vivemos num cosmo de diversos níveis, incluindo a matéria, a energia e a mente em níveis paralelos e dependentes entre si, como um cristal magnífico ou uma gigantesca flor de lótus. Cada nível nos ajuda a entender os outros e, pelo exterior, logramos a chave para o interior.

Os cinco elementos constituem um dos principais temas do pensamento ayurvédico, e dos sistemas relacionados de caráter espiritual e concernentes à cura. Eles são uma grande analogia para toda a existência. A maior parte de nós não pensa na mente em função dos elementos; no entanto, como uma parte da Natureza, a mente também reflete os grandes elementos por meio dos quais a Natureza funciona. Para introduzir a visão ayurvédica da mente, podemos abordá-la de acordo com os elementos.

A Mente e os Elementos

A mente transcende os cinco elementos grosseiros porque, por meio dela, podemos percebê-los, a par de sua relação recíproca. Podemos observar, imaginar e contemplar todas as formas da terra, da água, do fogo, do ar e do éter; no entanto, os elementos fornecem uma chave para o modo como a mente funciona. Embora os elementos na mente sejam mais sutis do que os no corpo, eles conservam os mesmos atributos e ações básicas. Podemos entender os elementos mentais por meio da analogia com os físicos.

A mente é a criação principal do elemento éter da Natureza. Em substância, a mente semelha o espaço — é expansiva, aberta e a tudo perpassa. A exemplo do espaço, pode abarcar inúmeras formas e não se esgotar nelas. Quanto mais desenvolvida se torna a mente, maior se torna o seu espaço. Quanto menos desenvolvida é a mente, menos amplo é o seu espaço. A tristeza é apenas um espaço limitado da mente, como um pássaro numa gaiola. A sensação de felicidade é um espaço mental sem limites, como um pássaro voando livre no céu.

No que tange ao movimento, contudo, a mente é como o vento. O ar é o seu elemento secundário. Nada há que seja mais veloz do que a mente em movimento. Ela é até mesmo mais rápida do que a luz. Concentre-se na sua mente. Ela está sempre ocupada, coordenando o corpo e os sentidos, reunindo informações, formulando juízos, reagindo emocionalmente e pensando o tempo todo. Esse movimento progressivo ocorre por causa da ligação entre a mente e o elemento ar.

Embora o éter e o ar sejam os principais elementos ligados à mente, os outros elementos ocupam seu lugar nela. A mente tem o elemento fogo ou a luz por meio dos quais é-lhe dado perceber as coisas. Isso confere à mente certa qualidade de iluminação e a capacidade do entendimento. De modo semelhante, a mente apresenta uma qualidade relacionada com a água, típica da emoção, da empatia e dos sentimentos em geral. Por fim, ela traz em si certo peso característico da terra, da memória e do apego. A mente apresenta todos os elementos em si mesma, em conformidade com as suas diversas qualidades e ações.

O aspecto mais sutil dos elementos constitui a mente em si. O espaço mental é mais sutil do que o espaço físico, ao qual perpassa. O movimento da mente que se assemelha ao ar viaja até mesmo na frente do vento. Na mente, o elemento fogo pode até perceber as formas exteriores da luz. O elemento água na mente ou nas emoções é ainda mais sutil do que o ar exterior. O elemento terra na mente — o fardo dos apegos e das opiniões — não pode ser pesado. O nível causal ou original dos elementos constitui a mente e, por meio dela, cria os elementos grosseiros ou físicos.

As Três Camadas da Mente

A mente apresenta três camadas fundamentais — a interior, a intermediária e a exterior.

1) A mente interior consiste no cerne profundo do sentimento e do conhecimento. Ela conserva as tendências profundamente arraigadas em nós e talvez nunca expresse nossa vida exterior nem venha a entrar em conflito com ela.

2) A mente exterior é a parte da mente dominada pelos sentidos e pelas emoções em que comumente funcionamos numa base diária, reunindo impressões e atuando no mundo exterior.
3) A mente intermediária é a nossa capacidade de absorver impressões exteriores e de expressar tendências interiores no mundo exterior. Ela serve, por um lado, de mediador entre as impressões sensoriais transitórias e as emoções e, por outro lado, entre os sentimentos interiores profundos e duradouros. Ela funciona por meio da razão e da percepção para nos ajudar a fazer juízos e a tomar decisões.

Esses três aspectos da mente seguem um modelo semelhante a Vata, Pitta e Kapha, ou ar, fogo e água, levando essa energia a um nível mais profundo.

A Mente Interior ou a Consciência Mais Profunda — o Ar

O ar existe na mente como a sensibilidade mental básica ou como a natureza sensível mais profunda. Ele é o campo de vibração fundamental das energias, dos hábitos e das tendências que conservam a mente, pelo qual estamos continuamente pensando. O ar é a capacidade que a mente tem de se relacionar, de se identificar e de se sentir viva. Por meio dele nos movemos, agimos e funcionamos como seres conscientes. Ele constitui o coração e o núcleo da consciência, o que nem sempre é evidente num nível superficial, ainda que seja a força motivadora que está por trás das outras funções mentais.

Como o ar, a mente tem a capacidade para mudar, reagir e se transformar, e consiste em várias energias e impulsos num campo que se adapta por si mesmo. Nossa consciência é um campo de movimento, um dinamismo de ação recíproca composto de tendências, latências e impressões, das quais apenas algumas chegam à mente exterior ou autoconsciente, que domina o nosso estado normal de vigília. A maior parte do que chamamos de inconsciente, subconsciente ou superconsciente é essa mente interior, da qual comumente não estamos conscientes.

Esse campo vibratório de pensamentos e sentimentos profundos, no entanto, é uma consciência condicionada. Ele constitui os hábitos espontâneos e automáticos, além das tendências em nós. Diferem da consciência pura ou não-condicionada que é nosso verdadeiro Eu Superior (ver a seguir).

A Mente Intermediária ou Inteligência — o Fogo

O fogo existe na mente como a faculdade racional ou de discriminação que nos permite perceber e julgar as coisas. Nossas determinações do que é verdadeiro ou falso, real ou irreal, bom ou mau, de valor ou sem valor, são conseqüências dessa capacidade de pesar, medir e avaliar. Ela permite que examinemos as impressões para distinguir o objeto de nossa impressão desse mesmo objeto. Possibilita-nos julgar nossa experiência para descobrir o que ela significa de fato.

Dessa forma, serve de mediadora entre a consciência interior profunda e nossas funções sensoriais exteriores.

A razão, como o fogo, apresenta uma natureza tépida e luminosa que nos proporciona a capacidade de asseverar ou discernir. A razão, como o fogo, queima, devora e transforma as coisas em formas mais sutis que nos abastecem a consciência. A razão se alimenta de nossas impressões, sentimentos e pensamentos e permite que derivemos o conhecimento deles, colocando-os nos seus devidos lugares, com relação ao entendimento que temos da realidade.

A inteligência é a parte de nossa consciência articulada racionalmente e, portanto, levada à luz. A parte maior e desarticulada da mente, a consciência mais profunda, permanece inconsciente para a nossa mente comum, e, portanto, parece envolvida em trevas. Penetramos a parte racional da mente para os juízos, as decisões importantes e para chegar à compreensão real. É a parte do campo maior da consciência que levamos à luz e tornamos nossa.

A Mente Exterior, Sensação-Emoção — a Água

A água existe na mente como a natureza emocional, nossa capacidade de nos ligar ao mundo exterior, que é a busca empreendida pela consciência para assumir uma forma. Isso inclui nossa capacidade de reunir impressões sensoriais e de reagir a elas por meio da atração e da repulsão, do medo e do desejo.

A água é o aspecto formador da mente, o qual nos permite imaginar, figurar e construir a nossa realidade. Ela é a base da vontade, da motivação e da ação no mundo exterior. É a parte da mente, sempre fluindo para fora, em busca de se encarnar na matéria e de acumular para si mesma as coisas do mundo. De modo semelhante, está sempre reunindo impressões, que tira do mundo exterior, possibilitando a nós a sua apreensão e acúmulo em nós mesmos.

Por meio da mente exterior e de sua capacidade de expressão, atuamos no mundo e nos sentimos como parte de uma realidade exterior. Ela é o que habitualmente conhecemos como mente, e contém nossos pensamentos comuns, nossas emoções e sensações.

Os Dois Níveis do Eu

Há dois níveis básicos para o eu inferior, entre os quais os três aspectos da consciência funcionam. O eu exterior se define de acordo com o corpo, nossa identidade física. Por outro lado, o eu interior é nosso sentido de subjetividade pura, o puro "eu sou" além de toda identidade corpórea. Eles podem ser compreendidos de acordo com o modelo da terra e do éter.

Eu Exterior, Ego — a Terra

A terra existe na mente na forma do ego, o sentido do eu isolado por meio do qual nos sentimos pessoas limitadas, identificadas com determinado corpo no tempo e no espaço. O ego nos liga ao corpo físico e nos permite cumprir suas funções como se elas nos pertencessem. Ele possibilita certo sentido do eu inferior no mundo, para que possamos agir com ele.

O ego fornece um referencial objetivo ou identidade para o eu inferior. Ele funciona por meio de uma imagem de si mesmo ou de uma combinação de sujeito-objeto. Trata-se do eu inferior em progressão, no seu vir-a-ser, e está sempre procurando uma aquisição ou realização. Por meio da consciência do ego, sempre estamos tentando nos tornar alguém ou conseguir algo no mundo exterior. Ela é a consciência objetificada.

Eu Interior, Alma — o Éter

O éter existe na mente na forma de seu espaço mental básico, a capacidade fundamental para todas as funções, vibrações e impressões mentais. Sem espaço, a mente não pode funcionar e não tem como se deslocar; porém, como o espaço exterior, raramente temos consciência desse espaço mental interior. Entramos nele quando aprendemos a ser desapegados e a não nos identificar com as atividades da mente. A partir desse espaço, podemos observar a mente e transcender-lhe os tipos limitados, que são como nuvens nesse espaço mental superior.

Refletidos nesse éter da mente, descobrimos nossa identidade superior na forma de uma alma, um observador consciente que transcende todo corpo, imagem ou identidade. O Eu interior é pura subjetividade, o puro "eu sou" ou "eu sou aquilo que sou", em oposição ao "eu sou isso" ou "isso é meu", a imagem de si mesmo que constitui o ego. O Eu interior está satisfeito com seu valor pessoal e encontra a paz em sua própria identidade. Não necessita buscar coisa alguma no mundo exterior, que se lhe afigura apenas uma sombra.

Assim como o ego ou o eu isolado nos separa das outras criaturas, a alma ou o eu interior a elas nos une. Como o ego possui a visão da diferença, a alma tem a visão da unidade. Como o ego apreende a forma, a alma discerne a essência; no entanto, o Eu individual ou alma ainda está ligado ao complexo da mente e do corpo e ao seu condicionamento. Em sua forma pura, privado do apego à mente, ele se torna o Eu universal que transcende toda identidade individual e que está além de toda manifestação. Essa é a unificação do individual com o Eu universal em que há liberação e imortalidade. Esse Eu Superior é a consciência pura ou não-condicionada além dos diversos níveis da mente.

Os Cinco Níveis da Mente

    Éter — Eu Superior
    Ar — Consciência Interior
    Fogo — Inteligência

Água — Mente do Sentido
Terra — Ego

Operações dos Níveis da Mente

A mente exterior é a entrada por onde as impressões do mundo exterior passam à nossa consciência, transpondo o portão dos sentidos. A inteligência, ou mente intermediária, é o porteiro que determina a entrada das impressões e energias. A consciência, ou a mente interior, é a parte interna do cômodo em que essas energias se depositam na forma de lembranças e tendências, depois que se lhes permitiu a entrada.

Quando as impressões já se depositaram em nossa consciência interior, elas crescem como semente e por fim nos levam a agir em conformidade com sua natureza. Geram diversas motivações, que resultam nas ações ou karmas que determinam o movimento de nossa vida.

As impressões não entram automaticamente na mente interior. Só fazem isso quando reagimos às coisas na forma de emoções dualistas, semelhanças e dessemelhanças, amor e ódio, atração e repulsão. Por si mesmo, a simples percepção sensorial não faz com que as energias exteriores penetrem na mente. A observação distanciada impede as forças exteriores de entrar na mente, enquanto nos faculta observar essas forças pelo que são e reagir a elas a contento. A observação distanciada assimila as impressões, possibilitando-nos aprender com elas, e não ser limitados por elas.

Como porteiro, a inteligência tem a capacidade de controlar a mente exterior ou do sentido e determinar o que entra. Isso depende dos princípios de acordo com os quais nossa razão está preparada para funcionar. Se nossa faculdade do raciocínio não é clara, racionalizamos nossas semelhanças e dessemelhanças em vez de perceber a verdade das coisas. A razão, a exemplo do porteiro que foi subornado, deixa toda sorte de influência entrar na mente e procura uma razão que justifique essa entrada.

Nossa mente interior — a natureza do sentimento mais profundo do coração — é passiva e inocente como uma criança. Tudo aquilo a que abrimos nosso coração acaba se depositando nela. A natureza do sentimento é sensível e vulnerável. Pode ser perturbada ou motivada por tudo o que acolhemos em nós. Portanto, é muito importante discriminar com propriedade o que acolhemos no coração. Quando tivermos aceitado as coisas no nível do coração, haveremos de considerá-las como sendo nossas, e não poderemos mais examiná-las objetivamente, assim como qualquer mãe pode não vir nunca a criticar os próprios filhos.

O Processo da Percepção

Examinemos nosso processo da percepção a fim de esclarecer mais esse ponto. Primeiramente, amealhamos impressões baseadas onde concentramos nossa atenção. Por exemplo, olhamos pela janela e reparamos na estatura e no vestuário de alguém andando pela rua. Essa é a função da mente exterior. Em segundo lugar, avaliamos as impressões e chegamos à conclusão sobre que objeto se trata. Ele é nosso vizinho, Sam. Essa é a função da inteligência. Em terceiro lugar, a impressão do objeto se deposita em nossa consciência mais profunda na forma de lembrança. Recordamo-nos de que Sam passou perto de casa essa manhã. Nesse processo, o ego vem à tona em dado momento, em geral depois de reconhecer o objeto. Quando reconhecemos nosso vizinho, lembramo-nos de que gostamos dele por alguma observação que ele fez sobre nós.

A mente exterior trabalha para escolher e reunir impressões. Ela fornece imagens como um objeto visto num espelho, que só é apresentado, mas não percebido. A inteligência, ou a mente intermediária, nos possibilita reconhecer objetos particulares a partir do campo das impressões. O ego nos permite identificar uma impressão como pertencente a nós ou, de outro modo, reagir subjetivamente a ela. A mente interior, ou a natureza do sentimento, deixa que a impressão se deposite e faz com que conservemos certo sentimento sobre essa impressão.

Ação

A mente exterior ou do sentido nos possibilita agir. Ela é o instrumento por meio do qual as idéias são transmitidas aos órgãos motores. Por meio de nossa inteligência, somos capazes de ter consciência do que fazemos. Ela determina a idéia, o objetivo ou meta por trás da ação. Por via do ego, somos capazes de nos identificar com o que fazemos na forma de "estou fazendo isso" ou "estou fazendo aquilo". Por meio da mente interior, somos capacitados a sentir os efeitos do que fazemos dentro de nós mesmos, na forma de felicidade ou tristeza durante um longo período.

Nossa intencionalidade — o que queremos fazer — que é determinada pela razão, escolhe as impressões sensoriais a que estamos abertos. Dessa forma, a ação e a percepção sempre andam juntas. Há um número qualquer de impressões ocorrendo num momento qualquer, mas só podemos registrar as que se relacionam com o que consideramos importante. Segundo nossos projetos e atos, sempre estamos em movimento, em determinada direção, a exemplo de alguém que guie um carro. Temos de observar e valorizar sobretudo as impressões ao longo da estrada que escolhemos para nossa viagem.

Os Níveis da Percepção

O ego, ou o eu exterior, é a capacidade de identificar nossa consciência com objetos e condições exteriores. Ele está sempre levando impressões exteriores à mente e fazendo com que nos sintamos dependentes dessas impressões. Ele nos diz "sou isso", ou "isso é meu". Por essa razão, ele nos torna dependentes das coisas exteriores para a nossa identidade e felicidade. Raramente temos consciência do espaço mental básico ou Eu interior, a não ser que aprendamos a arte da auto-observação por meio da meditação. Nesse caso, podemos separar quem somos da identidade, dos atos e do envolvimento exterior.

O que não raro chamamos de pensamento é o movimento da mente exterior ou do sentido em sua capacidade de planejar e fazer cálculos. Os pensamentos característicos são "quero fazer isso, amanhã vou fazer aquilo", e outras atividades do ego. Na maioria das vezes, a emoção é também um movimento da mente do sentido, um "quero ter isso" (desejo), ou "não quero passar por essa experiência" (medo). Trata-se de nossas reações emocionais às coisas, despertadas pelos impulsos sensoriais. A inteligência funciona quando tentamos determinar o que é verdadeiro, bom, de valor duradouro ou de sentido profundo. Ela também funciona sempre que temos de identificar objetos no mundo exterior. O coração ou a consciência é a morada de estados mentais profundamente arraigados, de sentimentos duradouros, ou da essência de nossas experiências. Só entramos nessa morada quando sentimos profundamente, como nas experiências-de-pico e nos conflitos em nossa vida.

Em geral, as cinco funções estão combinadas, confundidas, de acordo com o ego, e somos incapazes de fazer distinção apropriada entre elas. O ego dá a tônica de nossa razão e nos deturpa a inteligência. Ele estimula a mente do sentido a procurar as coisas no mundo exterior. Deita sombras sobre o coração e nos limita a capacidade de sentir à volta suas identidades limitadas.

Freqüentemente, nossa consciência habita a mente exterior, iluminada que está pelas luzes dos sentidos. Em virtude do número excessivo de impulsos sensoriais com que forçosamente nos envolvemos, é bem difícil não se prender neles. Só quando estamos em contemplação, em reflexão ou em profunda compenetração é que verdadeiramente adentramos a mente intermediária ou inteligência. Só quando sentimos as coisas em profundidade, especificamente durante o sono profundo e na morte, quando nos afastamos do domínio dos sentidos, é que penetramos de fato, a mente interior.

Ela é um domínio obscuro para nós, porque nossa atenção se dirige para fora por meio da mente exterior. Só quando recuamos de nosso envolvimento no mundo exterior dos sentidos é que o mundo interior ou o domínio da mente interior se ilumina. Então, ao fecharmos os olhos, não veremos trevas, mas luz. A verdadeira psicologia implica iluminar esse mundo interior. A mente interior é o espaço interno sombrio, inconsciente sobretudo para nós, o qual, como um domínio obscuro, tende a gerar condições negativas e a armazenar o que queremos evitar.

A não ser que aprendamos a olhar interiormente, continuaremos presos na mente exterior e não saberemos como penetrar o âmago da ignorância dentro de nós. A idéia do eu exterior ou ego conserva cativa a nossa consciência na mente exterior. Só em contato com o Eu interior é que podemos desvendar os segredos da percepção.

Os Problemas Psicológicos e a Energética da Mente

Enquanto os elementos em nossa consciência estão sem equilíbrio, a mente deve ser perturbada. O desequilíbrio das energias mentais, como o dos humores biológicos no corpo, deve gerar a doença ou a intranqüilidade.

A verdadeira natureza da mente é sutil e deve ser purificada dos elementos grosseiros, em particular do elemento terra que acumula por meio do ego. A consciência e o Eu interior são da natureza do ar e do espaço. Enquanto estamos presos nas funções mais pesadas e inferiores da mente, sua verdadeira natureza não pode ser revelada. Não se trata apenas do problema de equilibrar as forças na mente, mas de conferir-lhe espiritualidade. Temos de diminuir as funções inferiores e aumentar as superiores. Precisamos formar uma orientação sensorial exterior para uma percepção espiritual interior.

Nossos problemas psicológicos se desenvolvem na mente exterior à proporção que tentamos encontrar a felicidade como uma criatura física ou como ego-eu. Eles deixam lembranças como cicatrizes na mente interior, assim como uma doença que começa com fatores exteriores — por exemplo, com o regime alimentar inadequado ou com a exposição a agentes patogênicos — e aos poucos nos afeta os órgãos e tecidos mais profundos. Para curar a mente, temos de purificá-la, bem como às substâncias que a compõem. Para fazer isso, precisamos entender nossa consciência e as funções dela. No momento, ocupar-nos-emos separadamente de cada uma dessas funções. Para tanto, nos apoiaremos nesses fundamentos da energia, usando como plano de fundo essa compreensão dos elementos.

Os Cinco Corpos

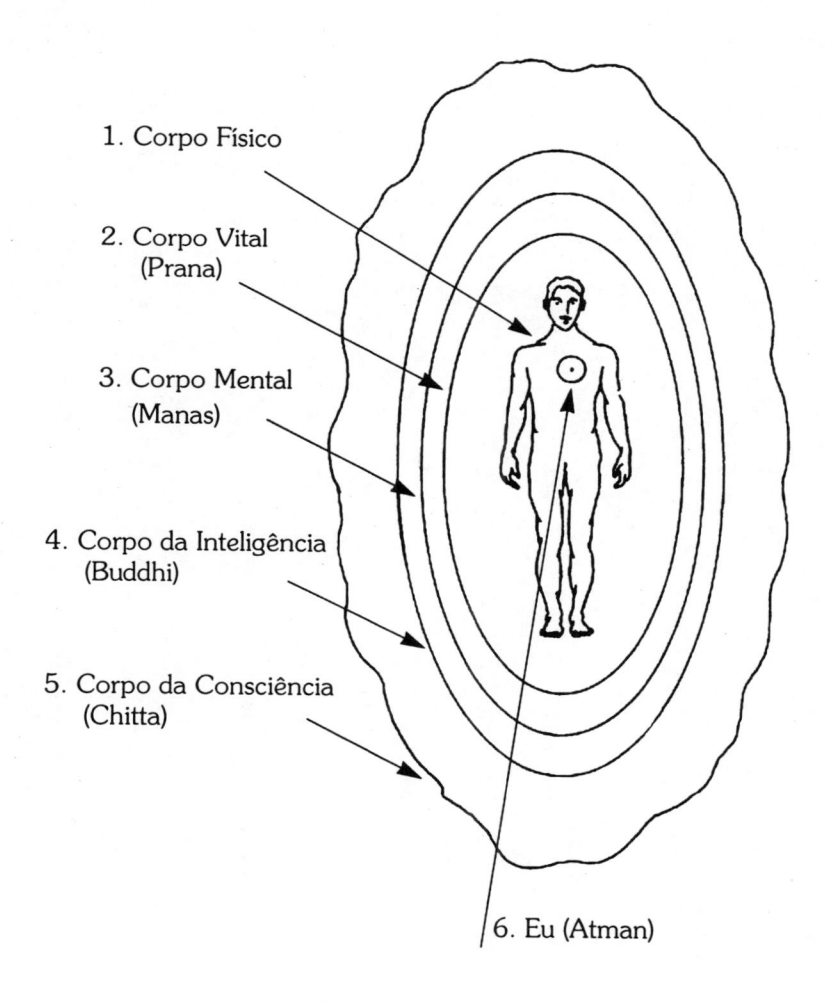

1. Corpo Físico

2. Corpo Vital
   (Prana)

3. Corpo Mental
   (Manas)

4. Corpo da Inteligência
   (Buddhi)

5. Corpo da Consciência
   (Chitta)

6. Eu (Atman)

PARTE II
A ENERGÉTICA DA CONSCIÊNCIA

Depois de conhecermos o ponto de vista do Ayurveda sobre a mente e o corpo, estamos preparados para examinar em profundidade o pensamento ayurvédico sobre a consciência e suas funções. A Yoga e o Ayurveda dividem o campo mental em consciência, inteligência, mente e eu, e os explicam a par de suas ações recíprocas. Faremos uma explanação do modo como entender esses aspectos da mente em sua própria vida e no seu comportamento.

Essas informações derivam dos dados mencionados na seção anterior e se baseiam neles; esses dados dizem respeito aos elementos, aos gunas, aos humores biológicos e à ação deles sobre a mente. Dessa forma, sondaremos em profundidade quem somos, além do que ocupar-nos-emos dos problemas principais de nossa existência, passando do subconsciente ao superconsciente, e avançando além disso. O conhecimento védico profundo sobre a mente e o universo deverá ser esclarecido e ajudar-nos-á a penetrar nos níveis mais profundos da nossa percepção.

O leitor terá de estar ciente de que essas informações talvez não sejam compreendidas de imediato e com facilidade; talvez seja necessário certo tempo para que a pessoa as assimile. Entender nossa consciência não envolve apenas leitura, mas pensamento profundo e meditação.

6. A Consciência Condicionada: O Campo Mental Superior

Resumo

Neste capítulo, vamos nos referir à mente interior como "consciência" porque ela é um nível de percepção mais profundo do que nossos pensamentos comuns; entretanto, como já indicamos, ela é uma "mente condicionada", limitada ao campo do espaço e do tempo, e não consciência pura e não-condicionada, intemporal e infinita. A consciência não-condicionada é o nosso verdadeiro Eu, além de todo o movimento da mente. A consciência condicionada consiste no pensamento em todos os níveis — consciente, inconsciente ou superconsciente. A consciência não-condicionada consiste na percepção do pensamento livre além de todas as idéias, emoções e sensações, quer sejam sutis ou de grande alcance.

Todo o movimento do desenvolvimento espiritual consiste na passagem da consciência condicionada para a consciência não-condicionada. A primeira é o armazém de todas as lembranças e formas de apego, a partir do qual os problemas de ordem psicológica sempre devem aflorar. Esse condicionamento da mente desvirtua a nossa percepção e altera as nossas emoções. A psicologia ayurvédica se empenha em abrandar a mente condicionada, privando-a dos aspectos negativos que levam à doença e à tristeza; entretanto, a mente condicionada não é apenas pessoal, mas se liga a toda consciência condicionada, a todo pensamento que existe no universo, e à mente de todos os seres. Não podemos examinar nossa própria mente sem olhar para a vida como um todo.

A Consciência — o Mundo Interior

O que é a consciência? Por meio de quê nós pensamos, sentimos e percebemos? Como é que podemos estar conscientes de algo? Conquanto essas sejam perguntas fáceis de fazer, são difíceis de serem respondidas. A maneira pela qual examiná-las deve ser começar a observar nossa consciência e o modo como ela funciona. A consciência é a coisa mais surpreendente do universo. Não há limites para a sua profundidade e alcance. Ela é como um vasto oceano, mas, a menos que saibamos como navegar com propriedade em suas águas, poderemos nos perder. Se mergulhamos nela sem as devidas precauções, podemos nos afogar. Muitas pessoas com distúrbios mentais se acham tão imersas em sua consciência interior, que não podem mais atuar no mundo exterior. A nós elas nos parecem presa da ilusão; de fato, talvez estejam em contato com realidades mais profundas, conquanto não de uma maneira saudável.

A consciência é nosso mundo interior. Quando o yogue olha para dentro de si, ele vê sua consciência pulsando com forças cósmicas; quando olhamos para dentro de nós, contudo, vemos apenas trevas e lembranças vagas. Nossa visão exterior nos ofusca. Estamos tão condicionados à luz vívida dos sentidos, que não podemos perceber a luz sutil da consciência. Aprender a observar os conteúdos de nossa consciência é a parte mais importante do desenvolvimento mental e espiritual. O Ayurveda fornece disciplinas específicas e técnicas de meditação com esse objetivo. Quando a consciência é iluminada, transcendemos todos os limites exteriores. Não precisamos mais sentir o mundo exterior, porque lhe aprendemos a lição — de que tudo é interior.

Em sânscrito, o campo mental superior, ou campo do pensamento, é chamado de Chitta, da raiz "chit", significando "estar alerta". Chitta diz respeito à mente superior: inconsciente, subconsciente, consciente de si e superconsciente.[14] Chitta é a mente ou consciência em geral, o campo criado pelos nossos pensamentos. Especificamente, refere-se ao cerne interior da mente, nosso centro de sentimento puro e conhecimento imediato. Chitta é a mente interior da qual nossa mentalidade exterior ou pessoal é um desenvolvimento limitado. Por conveniência, traduzi Chitta como "consciência", mas não deveríamos nos esquecer de que essa solução é tão-só uma aproximação. A maior parte de Chitta é inconsciente para a mente comum. Só numa pessoa desenvolvida espiritualmente está o campo da consciência plenamente consciente ou alerta. Uma pessoa como essa pode olhar para todo o campo mental porque ela alcançou a consciência pura ou o Eu Superior além dos limites do pensamento.

O que a moderna psicologia chama de inconsciente não passa de uma aresta dessa consciência superior ou Chitta. A psicologia moderna penetrou o inconsciente pessoal e, em certa medida, o inconsciente coletivo. Nosso campo da consciência potencial se estende a toda consciência no universo, tanto individual como coletiva, pessoal e impessoal, inclusive Deus. Esse campo vai além de toda consciência condicionada rumo à consciência pura, que é o Absoluto ou a verdade suprema. Esse é o campo da psicologia yogue, que é a psicologia do Eu Superior.

Chitta, o Corpo da Consciência

Chitta é nossa consciência nuclear — a base interior da mente. A consciência, ou o campo do pensamento, é um campo de energia sutil vibrando rapidamente, um campo que é a base de toda manifestação material. Chitta, como o cerne da mente, é o revestimento fundamental ou a substância da consciência. Constitui a parte central ou a maior parte da consciência, assim como os tecidos compõem a substância principal do corpo físico. A mente e os sentidos são como seus braços e pernas, seus membros e órgãos.

O corpo físico consiste sobretudo nos elementos densos da água e da terra e é uma criação da gravidade, que se move para baixo. A consciência, por outro lado, se compõe do éter e do ar, elementos mais leves, e é uma criação de nossos pensamentos, os quais, como um vapor, se movem para cima. Enquanto a matéria densa de nossa natureza desce à forma do corpo físico, a essência de nossa experiência ascende para formar nossa consciência. Temos um corpo de matéria grosseira e presa da gravidade (nosso corpo físico) e um corpo sutil ou de essência (nossa consciência).

Com freqüência, não estamos conscientes de nossos órgãos internos nem dos tecidos do nosso corpo físico, os quais estão além do campo dos sentidos. De modo semelhante, raramente atentamos para a nossa consciência superior interior, que não é revelada pelas funções exteriores da mente. Nossos processos corporais internos funcionam automaticamente, à parte da nossa percepção comum. Da mesma forma, nosso consciente mais profundo conserva seu processo num nível mais profundo do que a mente exterior; todavia, podemos nos tornar conscientes dessa consciência mais profunda. A meditação desperta-nos para seus potenciais superiores.

A Natureza de Chitta

A natureza da nossa consciência nuclear (Chitta) é a sensibilidade em todas as suas formas, é a capacidade de sentir de qualquer maneira. Essa capacidade fundamenta todas as funções mentais e se desenvolve em operações específicas do pensamento, da emoção e da sensação. Tudo o que a nossa mente faz é um tipo de sentimento. Até mesmo a razão é um tipo de sentimento, de sensação ou de comparação. Tal sentimento equivale a cada reação de nossa consciência aos estímulos, exteriores ou interiores.

A consciência é a capacidade de relacionar, sem a qual não é possível nenhum sentimento. A consciência nos possibilita sentir as coisas em nós mesmos e nos sentir nas coisas. Nossa consciência é produto de relacionamentos mais profundos, que determinam de que modo devemos nos sentir quanto à vida. A associação é um fator-chave na determinação da natureza de nossa consciência.

A consciência registra todas as coisas que vêm fazer parte do campo mental num nível mais profundo do que a mente exterior. Sem primeiramente ser capaz de observar as coisas, outras operações mentais não são possíveis. A hipnose pode levar nossa consciência ao nível dessa consciência mais profunda, em que podemos nos lembrar de tudo o que nos aconteceu. Nossa consciência mais profunda retém as lembranças de todas as nossas experiências, não apenas desde o nascimento, mas de vidas passadas. Ela traz em si as sementes que nos conservam envolvidos no ciclo do renascimento, que nada mais são do que nossos pensamentos e impressões mais profundos.[15]

A Consciência no Mundo Natural

O mundo vem a ser por meio da consciência. A Consciência Pura é o não-gerado ou o Absoluto além da criação. A consciência ou pensamento condicionado (Chitta) é a base da Natureza, a substância fundamental que cria o universo. A consciência é o substrato de tudo, a primeira coisa criada que gera tudo o mais. Trata-se da essência de toda experiência possível. O pensamento cria todas as coisas, mas isso é um nível do pensamento mais profundo e importante do que nossas reações comuns.

A consciência é responsável pela existência e pelo movimento do cosmo. Ela funciona por trás de todas as formas da matéria e da energia. Em toda parte da Natureza existe algum tipo de consciência, até nos objetos inanimados. Esse tipo conserva o processo cósmico em todos os níveis, principiando com o próprio átomo. Tudo o que existe deve apresentar consciência em algum grau, ou não poderia ser percebido. Estamos cercados pelo oceano da consciência em que todas as coisas existem. Só parte dela é individualizada na forma das criaturas vivas. O campo superior da Consciência Cósmica fundamenta o universo, animado e inanimado. A consciência individual ocorre dentro dela na forma de centros particularizados, como ondas no mar.

A consciência existe num nível da espécie e conserva o conhecimento e a experiência acumulados de cada tipo de criatura. Há diversos tipos de consciência com relação às divisões coletivas de nação, sexo, raça e religião, preservando as tendências específicas de cada grupo. Na condição de sensibilidade fundamental, a consciência rege o reino vegetal, que vive num estado de fundo torpor, anterior à diferenciação dos sentidos. A consciência existe numa forma latente no reino elemental anterior ao desenvolvimento da força vital. Ela é a base do código genético, que equivale a sua impressão sobre as células, e ela rege as reações instintivas fundamentais. Uma consciência secreta está em atividade em toda parte, e constitui a chave para todo crescimento e desenvolvimento.

A consciência torna-se plenamente desenvolvida nos seres angélicos e divinos, os habitantes dos grandes céus informes, onde o pensamento é apenas realidade. A consciência resguarda-nos do inconsciente e do superconsciente. Num nível subliminar, uma consciência secreta conserva as nossas funções automáticas, e está em atividade durante o sono. Num nível superconsciente, uma consciência secreta segue o rastro de nosso karma e mantém nossa vida espiritual.

O Superconsciente

Nossa consciência mais profunda traz em si os níveis superiores da mente em que podemos fazer contato com Deus e com o nosso Eu Superior. Nela, conservamos o conhecimento dos mundos mais sutis do que os físicos. A consciência se estende além de todos os domínios da forma, nos reinos do sentimento puro e da clara consciência.

Nossa consciência individual nos liga à consciência coletiva, por meio da qual podemos ter as lembranças e tendências de todos os seres humanos. Isso, por sua vez, nos liga à Consciência Cósmica, por meio da qual podemos ter acesso às experiências de todos os seres, de minerais até deuses. No cume da Consciência Cósmica, fazemos contato com Deus, o Pai/Mãe Divino, o Criador, Preservador e Destruidor do cosmo.

A consciência traz em si todo conhecimento, desde o mecanismo mais comum dos elementos até a sabedoria espiritual mais elevada. A consciência em si é o instrumento de todas as formas interiores do conhecimento, e transcende todo conhecimento que tenha sido adquirido por meio dos sentidos. Despertar a sabedoria inerente a nossa consciência mais profunda nos revela todos os mistérios do universo. A consciência é a fonte do gênio e das grandes ideias. Ao termos acesso imediato a nossa consciência mais profunda, vamos além de todos os instrumentos exteriores do conhecimento que, comparados a seu conhecimento imediato, são imprecisos e vagos.

A consciência baseada no pensamento (Chitta), contudo, não é a consciência máxima nem mesmo em suas dimensões cósmicas. Ela ainda é um tipo de matéria, não o puro Espírito imaterial. Além da consciência condicionada, individual e cósmica, habita o Eu Supremo ou Consciência Pura. A consciência não-condicionada é chamada de Chit em sânscrito, e, comparada a ela, a consciência condicionada (Chitta), inclusive a do Criador, não passa de um reflexo.[16]

O objetivo da vida não é apenas explorar o conteúdo da consciência, porém dissolvê-lo para a compreensão do Eu Superior ou da Consciência Pura que está além. Todos os objetos materiais, desde uma pedra até o próprio Chitta, são exteriores a nossa verdadeira natureza. É preciso que nos separemos deles a fim de compreender a verdade. Só uma consciência purificada, livre de suas tendências do ego, tem a capacidade de realizar essa compreensão, a meta máxima de toda prática espiritual; contudo, até mesmo para a saúde mental comum, devemos ter certa noção de nossa natureza mais profunda além dos pensamentos e das emoções variáveis, instáveis em sua natureza.

O Coração e a Alma

Chitta também quer dizer coração, lugar onde se aloja. Não se trata do coração físico, mas do âmago do sentimento e conhecimento profundos — o coração espiritual. Faz-se contato com ele no lado direito do coração físico. Nesse sentido, o Ayurveda difere da medicina moderna, que situa a consciência no cérebro. Segundo o Ayurveda, só a nossa consciência exterior é que se localiza no cérebro, não a nossa consciência da fonte, que repousa no coração. Chitta é a psique, ou nossa mente mais profunda, e geralmente é associada ao coração.

Chitta é a parte mais íntima e duradoura de nosso ser. Trata-se da mente da alma, a parte individualizada da Divindade que somos. O Eu Superior individual é o reflexo do Eu Supremo ou Divino acima dele mesmo. Nossa consciência mais profunda conserva nossas aspirações mais fortes, nosso amor e nossa criatividade, as experiências-de-pico em nossa vida. Numa condição de extrema felicidade, nossa consciência imerge no seu âmago, onde esquecemos os aborrecimentos e tristezas do dia-a-dia. Estamos todos procurando voltar para o âmago de paz da consciência, e isso equivale a voltar ao coração. À proporção que penetramos na consciência mais profunda, nosso coração se abre e nossa percepção se expande para o Infinito. O coração sereno e límpido reflete o Absoluto e promove a libertação do ciclo do renascimento.

Nossa consciência mais profunda é o nível em que os traumas nos afetam mais e onde eles se depositam no mais fundo de nós, sobretudo os sofrimentos do nascimento e da morte. Lá conservamos nossas tristezas, nossos apegos, medos e angústias mais profundos. Temos de chegar a esse nível para eliminar mágoas, hábitos e vícios profundamente arraigados. Isso é muito difícil, porque chegar ao âmago da consciência requer desbastar as camadas da mente, que são numerosas e complexas.

Quando nossa consciência mais profunda é perturbada — o que constitui um trauma para o coração — é bem difícil recuperar o equilíbrio psicológico. Temos de alimentar nossa consciência com impulsos superiores, não deixá-la exposta a influências negativas do mundo que nos cerca. Nossa consciência fundamental é a mente da criança que assimila tudo e que deve ser protegida.

A Composição

A consciência condicionada (Chitta) é primeiramente sáttvica em sua natureza, mas contém os três gunas em sua forma seminal. A essência dos três gunas em nós determina a natureza de nossa consciência mais profunda. Essa essência se compõe dos gunas a que mais nos apegamos em nosso coração. Nossas relações no nível do coração afetam mais a nossa consciência e transmitem seus gunas a nós.

A consciência passa a ser puramente sáttvica e se desenvolve plenamente como conseqüência da prática espiritual. De outro modo, sua função é inibida e desvirtuada. Rajas e Tamas (a agressão e a ignorância) na consciência são a causa do sofrimento e da ilusão, a fonte de todos os problemas na vida. Eles constituem as principais "impurezas" ou "toxinas" psicológicas que devemos eliminar. Nossa consciência mais profunda é o nível em que essas toxinas mentais se encontram, e o local de onde elas devem ser eliminadas.

Tamas em Chitta se torna o inconsciente, que prevalece sobre nós durante o sono, o tédio e a depressão. Ele é a base dos hábitos e tendências que consideramos negativos, mas que não conseguimos mudar com nossa mente superficial. Rajas em Chitta fundamenta nossa consciência desperta, caracterizada pela ação e pela expressão. Ele mantém nossa consciência em contínuo movimento, perturbada e confusa, presa de sua capacidade de imaginar. Sattva em Chitta assenta as bases para o funcionamento de nosso consciente superior e de nosso superconsciente.

Chitta constitui o corpo causal, o veículo de reencarnação da alma individual que persiste através de todo o ciclo do renascimento. Chitta contém os resíduos kármicos em movimento durante várias vidas, dos quais apenas poucos vêm à superfície e se manifestam em qualquer encarnação particular. Na forma de risco causal ou criativo, a consciência contém o potencial para todos os desenvolvimentos do corpo e da mente. Ela é a fonte das cinco capacidades sensoriais e dos cinco elementos grosseiros, que criam e conservam os corpos sutis e grosseiros. Chitta é o desejo predominante[17] e a base dos desejos mais profundos que nos conservam no ciclo do renascimento.

O campo da consciência (Chitta) constitui o Anandamaya kosha ou o estojo abençoado em que carregamos nossas alegrias e tristezas mais fortes. No seu estado não-desperto (tamásico), o Anandamaya kosha é o repositório de nosso apego à existência corporificada. Em seu estado desperto (sáttvico), ele reflete a bênção inerente ao nosso Eu Superior, uno com Deus.

No que tange aos cinco elementos, Chitta corresponde sobretudo ao ar e ao éter. Sua substância é como o éter, seu movimento, como o ar. A exemplo deste, ele está continuamente mudando e se adaptando interior e exteriormente, sempre se acha em expansão e criação. A consciência, como o ar, continuamente faz contato com as coisas e cria o som. A consciência é apenas o cerne do som vibrando em nós. Chitta transcende os sentidos, mas guarda um vínculo especial com o sentido da audição, particularmente o som não-verbalizado e a música. O som influencia e cura o Chitta, aspecto que examinaremos quando tratarmos da Terapia dos Mantras.

Embora Chitta seja muito mais sutil do que os humores biológicos, ele comumente se liga a Vata, o mais importante desses humores. As pessoas do tipo Vata vivem com uma consciência frágil ou com um coração vulnerável. Sua consciência é aberta, e, para essas pessoas, o corpo e os sentidos não representam muito. Por essa razão, os tipos Vata se magoam com mais facilidade do que os outros, e precisam ser tratados com cuidado. O equilíbrio de Vata protege e ajuda o desenvolvimento adequado de nossa consciência mais profunda. De modo semelhante, Chitta corresponde ao Prana entre as essências vitais.

Energia/Vontade

Chitta rege o Prana original, a força vital eterna da alma por meio da qual somos animados ou vivos em todos os níveis. Assim como ele se relaciona com os gunas em geral, liga-se aos Pranas, e também corresponde ao Prana entre as três essências vitais (Prana, Tejas e Ojas). Esse Prana principal dá vida à mente e ao corpo, e apóia todas as funções automáticas. Nada nos é mais caro do que a própria vida, que nos leva à bênção inata dentro de nós.

A consciência conserva a força vital original que é o reflexo da vida eterna e imortal do Eu Supremo. Em virtude de sua profunda ligação com a força vital, a prática do Pranayama pode nos ajudar a penetrar e a purificar o Chitta. O que a medicina alternativa chama de "inteligência do corpo", é o aspecto oculto de Chitta, em atividade no corpo. Quando desistimos do controle do ego, o corpo pode funcionar sem a presença de entraves à saúde e nos rejuvenescer física e mentalmente.

A consciência conserva o nível mais profundo da vontade, a vontade de viver, o desejo de existir para sempre. Nossa consciência mais profunda conserva nossas motivações principais e máximas, os desejos e vontades do nosso coração, o que de fato queremos na vida. A consciência é a vontade no sentido geral e potencial — a vontade pura sem uma meta definida, a vontade da experiência, a base de todas as outras intenções. Da consciência advêm todos os desejos que nos conservam limitados ao mundo e ao corpo. Só quando nos livramos desses desejos profundos é que podemos perceber a verdade.

A Consciência e a Natureza Individual

O tecido de nossa consciência consiste em tendências profundamente arraigadas do pensamento, chamadas de Samskaras em sânscrito. Essas tendências são mais profundas do que comumente consideramos como pensamentos. São os resíduos que retemos de nossas operações mentais, como as marcas que uma roda em movimento deixa numa estrada. Esses resíduos conservam os modelos de comportamento que nos motivam a partir de dentro de nós.

O que chamamos de a natureza ou o ser do indivíduo é a consciência. Nossa consciência individual é o campo das tendências que compuseram nosso ser, a base de nossas ações repetidas que se tornaram automáticas ou uma segunda natureza. Nosso condicionamento na vida cria o estado ou condição de nossa consciência. Trata-se de nosso nível mais profundo de programação. Nossa existência é nossa consciência que determina de que modo nos relacionamos com a vida. O estado do Chitta ou consciência nuclear é o *natur* (Manasika Prakrit) mental da pessoa e determina nosso caráter e mentalidade únicos. A natureza de uma pessoa não pode ser mudada sem alterar a consciência mais profunda, ou seja, fazer com que o coração mude. A não ser que uma influência chegue ao nível do coração, ela não pode ter nenhum efeito profundo ou duradouro. Eis por que simples palavras ou pensamentos apresentam essa qualidade em grau tão reduzido. Eles não vão além da mente superficial em seus efeitos; no entanto, chegar ao âmago do coração requer revelar todas as tristezas e amarguras, as quais a maioria de nós não quer enfrentar.

Funções

Todas as funções da mente são funções de Chitta, o que constitui todo o campo mental; contudo, Chitta tem três funções gerais, que são os três meios principais de chegar a essa consciência mais profunda. Para fazer isso, temos de recuar da mente exterior e dos sentidos que conservam nossa percepção no nível superficial de nosso ser. Essas três funções são: 1) a memória; 2) o sono e 3) samadhi.

A Memória

A consciência é a base da memória e consiste sobretudo nas lembranças. Inclui não apenas a memória comum das informações, mas o que realmente lembramos em nosso coração, as coisas que mais profundamente nos afetam para o bem ou para o mal. Conserva nossas lembranças originais de vida em vida. Nossa consciência mais profunda rege a memória num nível orgânico, inclusive a memória que existe em nossas células, por meio das quais o corpo funciona. Nossa consciência tem até mesmo a capacidade de lembrar-se de Deus e de lembrar-se de que somos Deus, porque, na condição de consciência, em seu âmago está a alma que reflete Deus. Nossa consciência pode se lembrar de todo o universo, o qual, apesar de tudo, é uma formação da consciência.

A memória pode nos proporcionar a servidão ou a libertação. A verdadeira memória é a lembrança de nós mesmos, a de nossa natureza divina na consciência. A falsa memória é a das alegrias e tristezas pessoais — a história do ego. O melhor modo de desenvolver a memória é ter de cor os princípios da verdade e as leis cósmicas superiores.[18]

O Sono

No sono, o mundo exterior se fecha e voltamos ao mundo interior da consciência. As impressões afloram na forma de sonhos por meio da atividade da mente sutil. Em geral, as impressões predominantes da atividade diária se iluminam, mas vez ou outra samskaras mais profundos vêm à tona. A consciência em seu funcionamento satisfatório possibilita um sono profundo e tranqüilo. Perturbada por Rajas e Tamas, ela dá origem aos pesadelos e ao sono intranqüilo.

No sono, nossa mente se renova pela imersão em sua fonte, nossa consciência nuclear que contém o Prana fundamental ou a força vital. A consciência e o Prana preservam as funções involuntárias do corpo, enquanto a mente e os sentidos descansam.

A morte é um sono prolongado. Como o sono, é uma imersão em nossa consciência profunda, na qual perdemos contato com o mundo exterior dos sentidos. No sono da morte, a consciência conserva o Prana causal e os karmas a partir dos quais um novo corpo será gerado. Na morte, habitamos apenas a consciência, e nos renovamos para um outro nascimento.

No estado posterior à morte, as impressões de nossa experiência vital afloram de nossa consciência profunda, de modo bem parecido com os sonhos. Isso cria diversos mundos sutis ou astrais, como os céus e os infernos, que a mente sutil visualiza. Esses céus e infernos são bons ou maus, a depender de nosso karma e de nossa experiência vital.

Samadhi

Samadhi é um estado de absorção em que nossa consciência se torna inteiramente concentrada num único objeto ou experiência e esquecemos todas as outras coisas. A prática yogue visa desenvolver a absorção na Consciência Cósmica e em nosso verdadeiro Eu Superior. Por meio dela, a consciência descansa no sentido mais profundo, fornecendo paz e libertação duradouras. O desenvolvimento superior da consciência ocorre apenas por meio do Samadhi. A percepção dos níveis mais profundos da consciência em Samadhi neutraliza nossos karmas e nos liberta do ciclo de nascimento e morte.

Samadhi, não obstante, inclui não só os estados espirituais, mas qualquer experiência-de-pico. Toda experiência em que imergimos a ponto de nos esquecer de nós mesmos é um tipo de Samadhi. Há Samadhis inferiores, ou absorções da consciência perturbada ou sem luzes, nos quais predominam Rajas e Tamas. Quando a mente se concentra em algo, inclusive em emoções negativas como o medo ou a raiva, passamos em certo grau à nossa consciência mais profunda. Essas absorções negativas, no entanto, aumentam nossa servidão com respeito ao mundo exterior e devem ser evitadas. Elas aumentam Rajas e Tamas, enquanto absorções espirituais aumentam Sattva.[19]

Outras Funções

A partir dessas funções fundamentais, outras, secundárias, se desenvolvem.

A Intuição

A consciência em sua função superior passa a ser intuição, que é a capacidade de conhecer as coisas imediatamente. Por meio da intuição, temos a sensação, dentro de nós, daquilo com que nunca fizemos contato por meio dos sentidos. A verdadeira intuição é uma espécie de Samadhi. Na forma de um sentimento direto da consciência, ela pode ser mais vívida do que o conhecimento sensorial; no entanto, não a deveríamos confundir com a imaginação nem com a percepção psíquica, que são funções da mente exterior e dos sentidos sutis.

O Instinto

Em sua função inferior, a consciência se torna instinto, o que conserva nossas funções orgânicas e as resguarda da interferência do ego. O instinto é uma forma secreta ou oculta do conhecimento superior, ou a intuição às avessas. A consciência rege todas as reações instintivas. No seu nível, habitam as estruturas profundas e instintivas, como a sobrevivência ou a reprodução, que são, pois, difíceis de mudar. Alterar nossa consciência fundamental requer tornar consciente e despertar a parte da mente inconsciente, automática ou instintiva.

O Amor

O impulso básico da consciência é o de unir-se. Ele consiste em nossa tentativa e em nossas energias com vistas a unirmo-nos exteriormente ao mundo, ou interiormente a nossa verdadeira natureza. "Ser" é estar relacionado por meio da consciência. Por meio dela, relacionamo-nos com o mundo e este com nós mesmos, não apenas de maneira superficial, mas no nível do coração. Pela capacidade que o coração tem para a simpatia e para a comunicação, a consciência cria a devoção e a piedade, as forças diretrizes da vida espiritual.

A consciência constitui a base do amor, que é a atitude essencial e a energia do coração. De fato, consciência é amor. Na consciência individual, a Consciência Divina projeta nosso poder do amor eterno e sem limites. O amor deriva da consciência, que é seu lar. A consciência é o amor no cerne de nosso ser. Em sua fonte interior de amor, encontramos a felicidade plena e perfeita, que vem à luz quando somos capazes de ser unos com o objeto de nosso amor.

A Fé

Nossa consciência mais profunda é a base da fé real que, a exemplo da intuição, é um sentido interior imediato da Realidade que está além de toda aparência. Essa fé genuína do coração apresenta um conhecimento inato do Eterno e do Infinito, e está longe de qualquer dogma. Quando depositamos nossa fé num dogma particular — limitando a verdade a uma pessoa, a um livro ou a uma instituição — deturpa-se a capacidade que a consciência tem de refletir a verdade. Tudo aquilo em que temos fé penetra nos níveis mais profundos da consciência (o coração).

Nossas crenças são nossos pensamentos mais arraigados e nossas percepções não postas em questão. Elas são nossas tendências samskaras mais profundas. Nossas crenças fundamentais se apegam ao cerne de nossa consciência, dando a tônica de toda atividade mental. Mudar nossa consciência implica, na verdade, desistir dessas crenças não questionadas, mudando o modo como sentimos em nosso coração.

O Desenvolvimento Satisfatório

O desenvolvimento satisfatório da consciência envolve a perda de seu condicionamento. Por isso, temos de liberar os desejos, hábitos e tendências mais profundos armazenados na consciência. Isso só é possível por meio do Samadhi ou da absorção na verdade; entretanto, ser capaz de livrar a mente do condicionamento primeiramente requer que coloquemos em ordem nossa vida exterior. A consciência deve ser levada ao estado de paz e à aceitação puramente sáttvicos.

Todos os fatores que purificam e acalmam a mente são úteis nesse desenvolvimento, inclusive o regime alimentar correto, as impressões equilibradas, a ação justa e o relacionamento harmonioso. A psicologia ayurvédica tem por escopo o desenvolvimento satisfatório da consciência, para que possamos ir além dos problemas gerados pela mente, todos causados pela inconsciência e pela falta de percepção. Então, podemos levar a cabo nossa jornada da consciência para a percepção pura, em que nada exterior pode mais nos causar tristeza.

7. A Inteligência: O Poder da Percepção

A inteligência é a chama da verdade que nos ilumina a vida; o modo como a cultivamos determina a luz em virtude da qual vivemos e crescemos, ou as trevas, onde nos tornamos limitados e decaímos. Todos queremos ter mais consciência e esclarecimento, porém, o que é, de fato, a inteligência, e como podemos desenvolvê-la? Não só o Ayurveda mas também toda psicologia verdadeira gira em torno desse ponto central.

Se não desenvolvemos nossa inteligência com propriedade, usamos mal o corpo e os sentidos. Seguem-se imprudências no regime alimentar e no modo de vida; imprudências que nos enfraquecem a vitalidade e que aceleram o processo de envelhecimento. Os distúrbios emocionais e o conflito mental aumentam. Por outro lado, se usamos nossa inteligência satisfatoriamente, respeitamos nosso corpo e o mundo que nos cerca, além de usarmos as coisas de modo sensato e apropriado. Criamos um tipo de vida que nos permite viver melhor e mais, não apenas para nosso bem, mas para o bem dos outros. Empenhamo-nos em controlar nossos pensamentos e emoções. Portanto, devemos nos empenhar para desenvolver nossa inteligência ou, como uma luz pálida, ela nos induzirá em erro.[20]

O termo sânscrito que designa a inteligência é Buddhi, que deriva da raiz "bud", com o sentido de "perceber" ou "despertar". Buddhi é o aspecto da consciência cheio de luz, que revela a verdade. Quando o Buddhi da pessoa se desenvolve plenamente, ela se torna um Buddha ou um ser iluminado.[21] O principal ato da inteligência é discernir o verdadeiro e o real do falso e irreal. A inteligência nos ajuda a separar a natureza das coisas da simples aparência ou conjectura. Por meio dela, aguçamos nossas percepções fundamentais do eu e do mundo: quem somos, por que existimos, e o que vem a ser o mundo.

A Inteligência: Abstrato e Concreto

A inteligência é a parte objetiva da mente capaz da observação distanciada. Seu lado concreto nos permite apreender os objetos exteriores, ao passo que o seu lado abstrato nos faculta compreender as idéias. O lado concreto da inteligência nos diz que o objeto que vemos é um homem, um cavalo, uma casa ou seja lá o que for. Por meio de seu lado abstrato, reconhecemos as qualidades e o caráter que um objeto pode representar, sua verdade ou seu valor.

O lado concreto da inteligência cria a ciência, juntamente com todas as formas do conhecimento e com todos os sistemas de medida. O lado abstrato da inteligência cria a filosofia, por meio de que podemos perceber os universais e conhecer a forma ideal das coisas. Por via de seu lado abstrato, a inteligência pode ter uma idéia do Divino ou infinito, e se torna a base da espiritualidade.

A Inteligência e o Intelecto

A inteligência apresenta uma dupla capacidade, segundo venhamos a dirigi-la exterior ou interiormente. A natureza de sua orientação é a chave para a evolução na humanidade. A inteligência funcionando exteriormente por meio dos sentidos se torna "intelecto", o lado concreto ou de informação da inteligência. Funcionando interiormente por meio de nossa consciência mais profunda, ela se torna o que se poderia chamar de "verdadeira inteligência". A distinção entre o intelecto e a verdadeira inteligência é fundamental para entender a condição do mundo atualmente, e essencial para estabelecer qualquer psicologia profunda e verdadeira.

O intelecto diz respeito à inteligência que usa a razão, baseada nos sentidos, para determinar a verdade. Ele estende a esfera dos sentidos por meio de diversos instrumentos, como telescópios e microscópios, e aumenta a sua capacidade de calcular por meio de inúmeras máquinas, como computadores. Ele inventa variados sistemas de idéias, medidas de tempo e espaço, para compreender o mundo.

O intelecto constrói a idéia de um mundo exterior como realidade, observando os nomes e as formas das coisas no mundo e os colocando em diversas categorias e hierarquias. A idéia de um mundo exterior de satisfação como nosso recanto cheio de realizações deriva do intelecto. Dele também provém a visão materialista da vida, além de certo ponto de vista mecanicista do universo. O intelecto nos guia a metas exteriores na vida: alegrias, bens, poder ou conhecimento comum. Ele cria uma idéia material de existência, em que nos vemos apanhados na rede do tempo e do espaço, da tristeza e da morte. O intelecto ressalta as distinções, funções e identidades exteriores. Por meio dele somos presas da informação superficial, do *status* e dos bens. O intelecto funciona sob o comando do ego e da emoção em vez de os guiar. Ele pode inibir nossa evolução espiritual, fazendo-nos preferir as realidades comuns e concretas às experiências interiores.

A inteligência verdadeira é uma capacidade da percepção interior ou direta bastante diferente do conhecimento de segunda mão ou mediado do intelecto. Ela nos revela a natureza das coisas, transcendendo-lhes a aparência dos sentidos, o conteúdo que está por trás do invólucro por vezes enganoso. A verdadeira inteligência toma o eterno por real, e percebe os nomes e formas transitórias como irreais. Por meio dela, vamos além das crenças, dos preconceitos e das idéias, e aprendemos a ver as coisas do modo como são.

A verdadeira inteligência é agudamente consciente do caráter efêmero de toda realidade exterior e não nos liga a nenhum nome e forma fixa. Por meio dela, aprendemos a perceber a consciência por trás dos movimentos variáveis da matéria e da energia no mundo exterior. Livramo-nos das formas de crença, dos tipos de autoridade e das instituições do mundo exterior, transcendendo o tempo e o espaço rumo à realidade de nossa Natureza Verdadeira.

O intelecto só possui um conhecimento indireto ou mediado dos nomes, dos números e das aparências. Por essa razão, o intelecto não pode resolver os problemas dos homens, tampouco levar paz à psique. Não basta saber o que são nossos problemas no nível conceitual: temos de compreender-lhes a origem em nosso coração e em nossa alma. Sem que haja um despertar da verdadeira inteligência, nossa sociedade deve continuar emocionalmente instável e espiritualmente ingênua. A psicologia ocidental, com algumas exceções, partilha as limitações da visão intelectualizada da vida que o Ocidente em geral exaltou em sua filosofia e ciência. O Ayurveda, baseado que está na filosogia yogue, considera o intelecto como uma inteligência inferior. O Ayurveda nos ajuda a cultivar nossa inteligência mais profunda, que nos leva além dos sentidos, rumo à verdade em nosso coração.

A Consciência

Cada um de nós representa um senso ético inato, a que chamamos "consciência" — um sentimento de que determinadas coisas estão certas e de que outras estão erradas. Nossa consciência nos faz não desejar o mal a nenhuma criatura e a sentir a dor dos outros como se fosse a nossa. A consciência é uma parte fundamental da inteligência, que estabelece de que modo valorizamos e tratamos os outros. Quanto mais inteligentes nós somos, mais forte é a consciência que temos, e menos procuramos interferir na vida dos outros ou impor-lhes nossa vontade.

Imediata e exteriormente, a inteligência cria a moralidade, que pode ser um pouco mais do que os hábitos arbitrários de uma sociedade determinada. Imediata e interiormente, a inteligência cria éticas universais como a não-violência, que transcende todos os preconceitos culturais. Por meio de nossa inteligência interior, agimos ética e humanamente, não para lucro material ou social, nem mesmo para a recompensa dos céus, mas para o bem de todos.

A religião organizada, com seus dogmas e instituições, é um produto da inteligência orientada exteriormente. Ela resulta no choque das crenças e em suas reivindicações exclusivas. Liga-nos a uma igreja determinada, a algum livro ou salvador, como verdade. Por outro lado, dirigida interiormente, a verdadeira inteligência cria a espiritualidade ou a busca da verdade eterna além do nome e da forma. Essa inteligência nos leva à verdade de nosso Ser interior, de nosso Eu Superior em que a insistência numa crença, num salvador ou numa instituição, parece ingênua.

A Inteligência e a Percepção

A inteligência verdadeira é o aspecto da consciência que está desperta, ciente e desenvolvida, ao passo que a consciência (Chitta) é o campo mental como um todo, particularmente seu núcleo sem desenvolvimento. A consciência, à proporção que evolui, muda-se em inteligência, que a articula e lança luzes sobre ela. A consciência, quando voltada a um princípio particular, a um valor ou a um bem superior, passa a ser inteligência. Em sua função mais elevada, a inteligência se torna discriminação[22] espiritual, por meio de que discernimos a realidade interior das formas exteriores, o que nos liberta a consciência do seu condicionamento negativo.

A consciência traz em si tudo no campo da mente numa forma potencial ou original. A inteligência faz com que nos tornemos conscientes do conteúdo da consciência, o que, de outra forma, continua oculto e despercebido. O cultivo da percepção, que equivale à meditação, é necessário para desenvolver a verdadeira inteligência; entretanto, a inteligência da mente (Buddhi) é sempre uma percepção de algo e continua condicionada pelo seu objeto. Posteriormente, temos de dar um passo além dela e descobrir nosso verdadeiro Eu Superior (Atman) além da mente. O Eu Superior é a origem da inteligência. O reflexo de sua inteligência não-condicionada concede ao campo mental uma inteligência condicionada. Nossa inteligência condicionada é um instrumento para a inteligência não-condicionada do Eu Superior. A partir da consciência e da inteligência condicionadas (Chitta e Buddhi), devemos passar à consciência e à inteligência não-condicionadas (Chit e Jnana).

A Inteligência Cósmica

A inteligência tem uma realidade cósmica e individual a um só tempo.[23] A Inteligência Cósmica é a porção evoluída ou sáttvica da Consciência Cósmica. Ela é a mente de Deus no ápice da criação, por meio de que Deus atua como o Criador-Preservador-Destruidor do universo.[24] A Inteligência Cósmica é o campo da ação de Deus, a manifestação de Suas leis. Ela é o Verbo Divino, o Logos, por via de que o universo é criado. Dela advém a primeira criação ideal, da qual esse mundo de matéria é um reflexo imperfeito.

A Inteligência Cósmica é responsável pela estrutura e pela ordem do cosmos, ao passo que a Consciência Cósmica rege o processo do mundo e o ser. Uma parte da Inteligência Cósmica decai até a matéria, e se torna a Chama

Divina fazedora de mundos.²⁵ Nossa inteligência individual é nosso quinhão de Inteligência Cósmica ou o Verbo Divino. Essa Chama Divina está em eterna vigília no nível mais profundo de nossa consciência, na forma de nosso guia interior.²⁶ Ela nos dirige o processo de evolução da matéria ao espírito, do inconsciente ao superconsciente, da ignorância à iluminação. A Inteligência Cósmica é o "guru" interior que trabalha para despertar a sabedoria em nós.

A Inteligência Cósmica apresenta todas as leis cósmicas (Dharmas), das que regem o mundo físico até os princípios éticos que governam o karma. Ela é o campo da lei natural, em que se conservam todas as leis da vida. Nossa inteligência individual se esforça naturalmente para aprender as leis da Inteligência Cósmica, por meio de que todo o universo pode ser compreendido. A Inteligência Cósmica estabelece o que é dhármico, ou em harmonia com a lei cósmica, como o oposto ao que é adhármico, ou contrário a ele. A inteligência individual se desenvolve ao sintonizar-se com a Inteligência Cósmica que lhe serve de fonte. Isso não se dá com o mero estudo dos livros, mas ponderando acerca da natureza e, sobretudo, observando a si mesmo.

A Composição

A verdadeira inteligência se desenvolve a partir dos aspectos sáttvicos ou mais refinados da consciência (Chitta); contudo, dirigida interiormente, a inteligência se contamina com Rajas, ou impurezas emocionais, que lhe embotam a percepção,²⁷ e com Tamas, que leva a um juízo enganoso.

A verdadeira inteligência, a exemplo da consciência, se situa no coração; todavia, o lugar do intelecto, ou inteligência exterior, é o cérebro, que está ligado aos sentidos. A inteligência serve de mediadora entre a mente exterior, que trabalha por meio do cérebro, e a mente interior, situada no coração.²⁸ Fundir a inteligência e o coração é o meio de transcender o mundo exterior e de voltar ao Eu interior. Essa é a base de toda meditação verdadeira.

O campo da inteligência constitui o envoltório da inteligência ou da sabedoria, Vijnanamaya Kosha. Esse envoltório serve de mediador entre o corpo causal (kármico) e o corpo astral ou sutil das impressões. Sem o desenvolvimento adequado do envoltório da inteligência, os potenciais do envoltório da bênção superior (Anandamaya Kosha) não podem se desenvolver. O envoltório serve como a porta que liga o mundo exterior do complexo da mente e do corpo aos sentidos e ao mundo interior da consciência, que transcende os sentidos. A inteligência é o conhecimento predominante²⁹ e nos possibilita entender as coisas.

A inteligência acrescenta o poder do fogo aos elementos básicos do éter e do ar próprios da consciência (Chitta). Como o fogo, ela é penetrante, luminosa e transformadora em ação. A inteligência corresponde a Pitta, ou fogo, entre os humores biológicos. Comumente, as pessoas do tipo Pitta são racionais, perspicazes, falam bem e percebem mais coisas do que os outros, para o bem ou para o mal. De modo semelhante, a inteligência se liga a Tejas, a essência vital do fogo, que transmite coragem, arrojo e determinação. Sem Tejas, falta-nos a independência e a lucidez necessárias para que desenvolvamos nossa inteligência a contento.

Energia/Prana Despertado

Por sua natureza sáttvica, a inteligência transcende a atividade vital e sensorial exterior, e trabalha na condição de guia consciente de todos os Pranas. Ela cria o Prana sáttvico ou o uso consciente de nossa energia vital. A inteligência tem a capacidade de controlar a mente, os sentidos e a força vital, de acordo com o seu conhecimento experimental. Por exemplo, quando aprendemos realmente que andar na rua sem olhar para os lados nos faz correr o perigo de sermos atropelados, jamais deixamos de tomar essa precaução, mesmo que estejamos com pressa. O problema é que, se nossa inteligência não apresenta um desenvolvimento satisfatório, ela é dominada pela mente, pelos sentidos e pela força vital, e, por impulso, fazemos coisas de que depois vamos nos arrepender. Essa incapacidade que a inteligência tem de controlar nossos impulsos é uma das principais causas da doença.[30]

A verdadeira inteligência se relaciona com o que aprendemos não só teoricamente, mas em nossa experiência de vida e em nosso comportamento. Trata-se da sabedoria da vida. Por outro lado, o que sabemos apenas conceitualmente não apresenta vitalidade real. Isso reflete a vida de fora, imitando as idéias e as opiniões dos outros, e não pode nos mudar fundamentalmente. A energia da inteligência é o poder que colocamos no conhecimento — o Prana que dirigimos com vistas a descobrir a verdade. O Prana da inteligência está sempre desperto e sintonizado com o eterno, desenvolvendo as aspirações de nossa alma.

Na prática yogue, o Prana começa a despertar. Sentimos a energia ampliada por meio da respiração, ou sentimos diversas correntes de energia atravessando o corpo, despertando nossas faculdades sutis. Adquirimos mais energia, entusiasmo e criatividade. Esse Prana apresenta uma inteligência que nos pode ensinar e guiar. Prana tornou-se o mestre de muitos yogues e ensinou-lhes asana, mantra e meditação. Ceder a esse Prana desperto passa a ser sua disciplina; no entanto, devemos ter cuidado para não capitular ante um Prana inferior, ou impulso vital inferior, que é o que fazemos quando procuramos a satisfação exterior, mas descobrir o Prana da inteligência (Buddhi-Prana).

O Prana desperto e a inteligência desperta (Buddhi) estão relacionados. Quando Buddhi desperta, Prana desperta. Quando o nosso Prana desperta, assim o faz Buddhi. A vida desperta e a inteligência desperta caminham juntas. A inteligência nos purifica a vida e lança luzes sobre ela. Por outro lado, sem vitalidade, nossa inteligência continua a ser superficial e teórica. A sabedoria da vida é essa unidade de Buddhi e Prana.

A Vontade — O que Age

A inteligência é o agente ou o executor que decide o que temos de fazer. Só quando sabemos de verdade é que somos capazes de tomar uma decisão e de fazer algo. A inteligência é a parte da consciência que executa, o comandante responsável por determinar nossa linha de ação. A mente e o corpo lhe servem de instrumentos. A inteligência estabelece as metas duradouras e fornece o conhecimento para as alcançar; a mente executa suas ordens por meio do corpo e dos sentidos.

A inteligência é a vontade no seu sentido mais elevado — a vontade da verdade, de compreender nossos ideais e de alcançar nossas metas.[31] Ela é a base da aspiração espiritual, o desejo de conhecer Deus. Nossa inteligência determina o que devemos ou não fazer, fornecendo o modelo ético para o nosso comportamento. À medida que a inteligência se desenvolve, distanciamo-nos das ações inferiores e acolhemos as superiores. A inteligência sustenta o empenho de nossa alma para chegar à iluminação.

A verdadeira inteligência nos leva ao serviço desinteressado, em que agimos pelo bem de todos e em que renunciamos às recompensas de nossos feitos. Por meio dela, empenhamo-nos em primar nas coisas e em fazer o melhor, independentemente das conseqüências. A inteligência atua com clareza e decisão para alcançar um objetivo superior e pára de agir quando atinge sua meta. No que concerne a isso, é a ação clara que leva à inação ou à paz. Disso advêm a proficiência e a mestria em todos os campos da vida, incluindo as realizações espirituais e os poderes ocultos. Por meio disso, podemos ter domínio sobre nosso destino e transcender o mundo.

No momento da morte, os sentidos se fundem na mente e esta, por sua vez, se funde na inteligência, a qual, na condição de nossa chama interior, nos leva a seja lá que mundo sutil nosso karma merece. De acordo com os valores e as metas da inteligência, a alma passa a diversos estados posteriores à morte, e então volta para mais um nascimento físico. Como é a nossa inteligência, assim é a nossa vontade, o nosso karma e a evolução de nossa alma. Só nossa inteligência superior pode resistir conscientemente de vida a vida. É possível que toda inteligência do poder da verdade jamais nos deixe. Desenvolvê-la deveria ser o principal objetivo de tudo o que fazemos. Por essa razão, a alma e a inteligência estão estreitamente ligadas. A verdadeira inteligência é a mente da alma, sua percepção desperta.

As Funções

A principal função da inteligência é a determinação da verdade, que ocorre de três modos: 1) percepção; 2) razão; e 3) testemunho.

A Percepção

A percepção direta é o principal meio pelo qual determinamos a natureza dos objetos. Ela nos permite identificar as realidades duradouras por trás de diversas impressões sensoriais mutáveis. A capacidade que os órgãos dos sentidos têm de perceber advém do trabalho da inteligência. O funcionamento adequado dos sentidos depende da sua harmonia com a inteligência, que os liberta da deturpação das emoções e que lhes transmite a lucidez da consciência.

A inteligência nos faculta diferenciar o que são os objetos do que gostaríamos que fossem —, o Real do Imaginário. Por meio dela, podemos perceber as sensações, as emoções, os pensamentos e o próprio ego, assim como nos é dado perceber os objetos no mundo exterior. Funcionando de maneira errada, contudo, a inteligência resulta na percepção distorcida ou errônea. Trocamos uma coisa pela outra — como confundir no escuro uma corda com uma cobra. Isso acarreta toda sorte de equívocos, concepções errôneas e juízos falsos que nos perturbam.

A Razão

A inteligência rege todos os métodos razoáveis, indutivos e dedutivos. Ela nos possibilita comparar nossas impressões e chegar a uma verdade superior, como deduzir o fogo a partir da presença de fumaça. Dela advêm os princípios, os ideais e os sistemas de medida que nos moldam as percepções e nos guiam os atos. Em seu funcionamento insatisfatório, a inteligência é a causa do raciocínio ou da racionalização falsa, por meio de que tentamos justificar o que é torpe ou ilusório. Essa inteligência egoísta talvez seja o pior perigo para os seres humanos, de vez que muda o instrumento da verdade em um instrumento de autojustificação, que põe de parte todo processo real de aprendizagem.

O Testemunho

A inteligência rege nossa capacidade de ouvir, de atentar para os conselhos dos outros. Ela nos dá a capacidade de aprender, que decorre do ouvir corretamente. A boa inteligência faz um bom estudante, discípulo ou paciente. Funcionando de modo insatisfatório, a inteligência nos torna surdos às advertências ou palavras de bom aconselhamento. A verdadeira inteligência é o guru, o conselheiro e o mentor. Ela é quem fala, e quem fala não apenas relatando suas impressões casuais, mas quem declara o que sabe como sendo verdade. Da Inteligência Cósmica dimana a escritura ou Verbo da Verdade, que apresenta a verdade e o modo como compreendê-la. Todos os ensinamentos espirituais advêm dos níveis superiores da inteligência.

O som tem a capacidade de transmitir o conhecimento do invisível e do transcendente. No nível comum, ele pode transmitir o conhecimento de outros tempos e lugares. Num nível superior, pode lembrar-nos do conhecimento inerente à nossa alma. Enquanto as realidades superiores como Deus ou o Eu não são conhecidas da mente exterior, o conhecimento dessas realidades é inerente ao nosso coração e pode ser despertado pelas palavras certas em harmonia com o amor e a sabedoria de quem fala. A respeito disso, o som e a fala são meios do conhecimento mais importantes do que a percepção sensorial e a razão, porém, para que isso ocorra, nossa mente e nosso coração têm de estar dispostos a acolher a verdade interior.

A inteligência se relaciona com o órgão da fala entre os órgãos vocais, e com o órgão da audição, entre os órgãos sensoriais. Estes são os órgãos mais racionais e espirituais, os mais livres das limitações da forma, por meio de que podemos fazer contato com nossa inteligência interior. O som em si mesmo é um meio do conhecimento direto e interior, enquanto outro conhecimento sensorial continua limitado ao exterior.

Outras Funções

A Vigília

A inteligência rege o estado de vigília em que ocorre a percepção clara. Ela predomina nos seres humanos que representam o estado de vigília da consciência, e distingue o humano dos reinos animal e vegetal. A inteligência é responsável pela vigília como um todo. Nosso grau de vigília é a medida do modo como desenvolvemos nossa inteligência.

A inteligência proporciona a consciência dirigida, por meio de que podemos nos concentrar plenamente em determinado objeto. A consciência (Chitta), por outro lado, possibilita a percepção aberta ou involuntária, por meio da qual o todo pode ser apreendido. Enquanto a memória habita a consciência, a clareza da memória é apanágio da inteligência. Esta nos dá a recordação objetiva dos acontecimentos. A capacidade de lembrar o que sabemos, sem a qual o conhecimento é de pouca importância, é a capacidade que a inteligência tem de ter acesso à consciência. Sem essa memória, nossa inteligência não pode se desenvolver satisfatoriamente. Quando chegar a vez de usarmos nosso conhecimento sem essa memória, não teremos acesso a ela. Por essa razão, o cultivo da memória é uma chave para o desenvolvimento da inteligência.

Samadhi

Samadhi é a quarta via mais elevada do conhecimento, e é a forma máxima da percepção direta. Samadhi ocorre quando a inteligência se vale de nossa consciência mais profunda como seu instrumento de percepção. Isso só acontece quando transcendemos o intelecto na verdadeira inteligência.[32] Samadhi requer que os sentidos estejam silentes, e que possamos olhar dentro de nós sem os distrair. Então, à luz de nossa própria consciência, podemos descobrir todos os segredos da vida.

A prática espiritual consiste em converter a matéria bruta da consciência na energia refinada da inteligência. A percepção na consciência é geral e rudimentar, ao passo que na inteligência se acha plenamente desenvolvida e articulada. A inteligência ilumina a nossa consciência mais profunda, que, por sua vez, lhe confere espaço e profundidade. A inteligência nos leva do inconsciente para o superconsciente, do sono para Samadhi. A meditação é a função mais elevada da inteligência. A verdadeira inteligência cria Samadhi e nos mergulha em nossa consciência mais profunda de um modo alerta.[33]

Samadhis, que envolvem concentração, determinação da mente e atividade dirigida do pensamento, pertencem à inteligência. Samadhis superiores, em que não há nem pensamento nem ação, e a mente não se acha determinada mas tranqüilizada, são próprios da consciência mais profunda. Nesses Samadhis, a inteligência deixa de ter qualquer função separada, e a inteligência e a consciência se tornam uma coisa só. Isso nos leva ao incondicionado, em que desaparecem todos os pensamentos.

O Desenvolvimento Apropriado

Desenvolver a verdadeira inteligência implica colocar o intelecto a serviço da percepção. Isso ocorre quando reconhecemos a diferença entre o conhecimento superior e inferior, que é a distinção entre o autoconhecimento e o conhecimento do mundo exterior. Por meio do conhecimento inferior, entendemos o mundo exterior e o modo como ele funciona, mas esse conhecimento continua limitado ao domínio da forma e da mudança. Por meio do conhecimento superior, conhecemo-nos a nós mesmos. Nossa verdadeira natureza é a consciência eterna, que não pode ser determinada pelos nomes e pelas formas do conhecimento exterior. Nosso Eu Superior imortal é o conhecedor. Ele não pode ser um objeto da mente, mas é a origem da mente. Só o podemos conhecer sendo ele mesmo.

Nada há de errado com o intelecto enquanto o conservamos em seu lugar. Precisamos todos de um intelecto lúcido para lidar com as realidades práticas do dia-a-dia, como dirigir um carro; mas se a função exterior do intelecto não é equilibrada pela função interior da inteligência, ela leva à deturpação e pode se tornar destrutiva. Os métodos psicológicos ayurvédicos realizam o desenvolvimento apropriado da inteligência para que possamos perceber nossos problemas e lhes identificar a causa, além de mudá-los de uma maneira definitiva. A linguagem e os instrumentos do Ayurveda não são apenas criados pelo homem, mas refletem a Inteligência Cósmica e nos ajudam a pôr nossa vida e nosso comportamento em sintonia com ela.

8. A Mente Exterior: O Campo dos Sentidos

Nossa vida gira em torno do vasto arranjo das impressões sensoriais, que sempre nos ocorrem a partir do mundo exterior. Em quase todo momento do dia, vemo-nos às voltas com selecionar, filtrar e organizar esses dados, além de ponderar sobre o que significam para nosso bem-estar e nossa felicidade. Poucas vezes atentamos para a nossa mente, porque sempre a estamos usando para lidar com o mundo exterior e com suas exigências. Como um carro que estamos sempre dirigindo, não temos tempo de parar e ver se ele está funcionando com propriedade, exceto quando ele quebra. É sobretudo na parte exterior e sensorial da mente que vivemos, a não ser que aprendamos a olhar para dentro de nós.

Nossa percepção comum continua imersa no mar das impressões, que constantemente escoa através dos sentidos. A maior parte do que chamamos de mente é essa parte superficial da consciência por meio da qual manipulamos as impressões. Essa mente exterior é chamada de Manas, em sânscrito,[34] que significa "instrumento do pensamento". Manas é o aspecto mais completo da consciência, consistindo nos sentidos, nas emoções e na capacidade do pensamento exterior. Essa diversidade é necessária para lidar com as influências múltiplas do mundo exterior.

Haveremos de nos referir a Manas como o "exterior" ou a "mente sensorial", ou simplesmente como a própria "mente", em oposição a "inteligência" (Buddhi) e "mente interior" ou "consciência" (Chitta); contudo, não deveríamos esquecer os sentidos dessas palavras em sânscrito. Incluindo a emoção, a mente (Manas) não é apenas mental ou conceitual.

Os Cinco Sentidos e os Órgãos Motores

Temos cinco sentidos e cinco órgãos motores por meio dos quais absorvemos as energias dos cinco elementos e sobre eles exercemos influência no mundo exterior.

Os Órgãos Sensoriais e Motores

Elemento	Humor	Qualidade Sensorial	Órgão Sensorial	Órgão Motor
Éter	Vata	Audição	Ouvidos	Órgãos da fala
Ar	Vata	Tato	Pele	Mãos
Fogo	Pitta	Visão	Olhos	Pés
Água	Kapha	Paladar	Língua	Órgãos reprodutores
Terra	Kapha	Olfato	Nariz	Órgãos excretores

A mente coordena os cinco sentidos e os seus dados. Ela funciona como a tela em que os dados sensoriais são reunidos e examinados minuciosamente. Por meio da mente, por exemplo, o que os olhos vêem é relacionado ao que o ouvido ouve. De outra forma, os dados que chegam a partir dos diversos sentidos continuariam isolados e desorganizados.

A mente em si é o sexto órgão sensorial porque, por meio dela, assimilamos idéias e emoções — as impressões mentais. Quando lemos um livro, por exemplo, a mente também está funcionando como um órgão sensorial, absorvendo informações de ordem emocional e mental. Todos os *inputs* sensoriais envolvem algum componente mental e emocional. De modo semelhante, a mente é o sexto órgão motor e dirige os outros cinco. Como um órgão da ação, ela é o nosso principal meio de expressão no mundo exterior. Só o que formulamos em primeiro lugar como uma intenção mental podemos exprimir por meio dos nossos órgãos motores. Por exemplo, devemos primeiramente pensar o que dizer antes de verdadeiramente falar. Como um órgão da ação, a mente serve para expressar as idéias e as emoções — as condições mentais.

Como um órgão sensorial e motor, a mente pode coordenar os dois tipos de órgãos, ligando os dados sensoriais às ações motoras. Por exemplo, se vemos o alimento na mesa, a mente liga os dados sensoriais às mãos para que possamos pegar o alimento e comê-lo. A mente é a placa de circuito central para os órgãos sensoriais e motores. Ela é como nosso computador mental, ao passo que os sentidos são o seu *software*.

Embora a mente se relacione com os órgãos sensoriais e motores, ela se liga sobretudo a estes últimos, porque sua preocupação principal é a ação no mundo exterior. A mente sempre nos incita a fazer coisas novas. Está sempre pensando, planejando, reagindo emocionalmente, ou, de outra forma, procurando envolver-nos com o mundo que nos cerca. Por meio dela, temos consciência de nós mesmos como seres no mundo.

Os Pranas

Os órgãos motores e sensoriais apresentam plena harmonia com o Prana e suas funções. Os órgãos motores existem para realizar variados impulsos vitais, desde alimentar-se até exprimir-se. Os órgãos sensoriais existem para fornecer conhecimento e experiência do mundo exterior. A mente governa os Pranas, trabalhando por meio dos órgãos sensoriais e motores. A mente é influenciada pelos Pranas e pode se ver facilmente perturbada por eles. Tudo o que afeta nossa natureza vital, como a fome, o medo ou a indignação, imediatamente exerce influência sobre nossa mente.

Os sentidos têm seus instintos e energias peculiares, que podem dominar a mente. O olho tem o ímpeto de ver, a língua, de provar, as mãos, de pegar, e assim por diante. Esses impulsos influenciam a mente a procurar seus objetivos. Os olhos podem dizer à mente o que ver, por exemplo, como quando a imagem de uma bela mulher atrai de imediato a mente de um homem para o mundo exterior. Isso acontece a todos nós com um ou outro dos órgãos sensoriais. Estamos sempre nos empenhando para controlar os sentidos, que, de outro modo, haveriam de fragmentar nossa percepção.

Os animais são dominados pelos impulsos sensoriais. Por exemplo, um cão ladra automaticamente quando um outro cão entra no seu campo sensorial. A mente sensorial predomina nas crianças, que ainda não aprenderam a dominar suas capacidades sensoriais. A mente exterior é condicionada pelos órgãos sensoriais e pelos Pranas. Em si mesma, ela é em grande parte um mecanismo de reação, não uma consciência que percebe a si mesma e que só ocorre por meio da inteligência.

O Pensamento e a Emoção: Os Dois Lados da Mente

A mente exterior não só coordena os dados sensoriais, como também os interpreta. Os dados sensoriais, sendo potencialmente ilimitados, têm de ser filtrados e selecionados segundo o que é relevante para a mente. Determinamos isso por meio do lugar a que voltamos nossa atenção. Por exemplo, se estamos dirigindo um carro, temos de voltar nossa atenção para a estrada, e não divagar, pois, se assim fizermos, poderemos causar um acidente.

A interpretação dos dados sensoriais envolve dois aspectos — um objetivo e outro subjetivo. Objetivamente, organizamos os dados sensoriais, reunindo as impressões adequadas para determinar-lhes o sentido. Para identificar um objeto, como uma casa, por exemplo, temos de absorver impressões objetivas o bastante para afirmar-lhe a natureza. Isso cria a parte factual da mente. A mente exterior rege as informações factuais e os dados de todos os tipos, muito à semelhança de um computador. Ela transfere isso ao Buddhi para a formulação de um juízo.

No nível subjetivo, devemos relacionar os dados sensoriais com a nossa própria condição pessoal. Por exemplo, quando estamos atravessando uma rua e vemos que um carro pode nos atropelar, reagimos rapidamente para nos proteger, assustados e tentando desviar o corpo. Isso cria o aspecto emocional da mente. A emoção nos permite reagir aos dados sensoriais de um modo imediato e pessoal. A emoção é nossa reação pessoal aos dados sensoriais, transmitindo-nos o medo pelo que causa a dor e o desejo pelo que dá prazer.

A mente exterior inclui o pensamento de uma natureza informativa e de uma emoção baseada na sensação e nas funções entre ambas. Necessitamos de certo grau de objetividade para organizar os dados sensoriais, mas também de algum grau de subjetividade para relacionar esses dados com nós mesmos. Das duas funções da mente, a emoção, que é subjetiva, tem a capacidade maior para causar a dor. A emoção pode deturpar a capacidade de informação da mente e pode criar a percepção equívoca. O aspecto emocional da mente liga-se sobretudo aos Pranas e aos órgãos motores, que servem principalmente para realizar variadas atividades prânicas. O aspecto mental liga-se mais aos órgãos sensoriais e à inteligência.

A Emoção

As emoções se caracterizam por um componente sensorial — as visões, os sons ou outras sensações que as transmitem. A sensação gera a emoção. Se temos contato com algo agradável, esse algo nos faz felizes. Se temos contato com algo doloroso, sentimo-nos tristes. Essa vulnerabilidade emocional se forma na mente.

As reações emocionais transitórias atravessam a mente exterior. Estados emocionais duradouros, contudo, pertencem a nossa consciência mais profunda (Chitta). Emoções repetidas passam das reações da mente exterior a condições da consciência interior. Por exemplo, quando encontramos um parceiro atraente, nossa emoção aflora. Depois de termos participado de uma relação por muito tempo, a pessoa se torna parte de nossa consciência mais profunda, e assumimos aspectos da personalidade dela.

As emoções específicas, ligadas a objetos particulares, pertencem à mente exterior, mas a essência da emoção pertence a nossa consciência mais profunda. Lá, os estados de espírito ou qualidades (Rasas) das emoções se encontram — como o amor, a raiva, o medo e a alegria — além de toda associação com sensações específicas.[35] Por essa razão, estão certos tanto os que afirmam que as emoções são mais superficiais do que o pensamento, como os que dizem que elas são mais profundas. Depende do tipo de emoção. Prefiro chamar de "sentimentos" essas emoções mais profundas de nossa consciência essencial, e usar o termo emoção ou reações emocionais para as emoções da mente exterior.

A Mente Exterior e a Inteligência

A mente exterior nos permite registrar as informações. A inteligência nos faculta processar as informações. A mente (Manas) é o instrumento do pensamento em que alimentamos as dúvidas, ao passo que a inteligência (Buddhi) é o instrumento da percepção por meio do qual resolvemos as dúvidas e tomamos decisões. A mente exterior inclui todas as formas de especulação e de imaginação. Enquanto estamos no nível superior da mente, devemos continuar em dúvida e seguir suscetíveis a reações emocionais. Pessoas com boa capacidade de reunir informações, mas sem um bom desempenho quando se trata de tomar decisões, padecem de uma excessiva atividade mental. A mente funcionando à parte da inteligência nos faz pensar sem um objetivo definido, sem um propósito, como no assim chamado sonho acordado, na divagação ociosa ou no cálculo inútil. Isso nos faz passar pelas idéias, geralmente inúteis, sem chegar a nenhuma conclusão, o que requer o ato da inteligência.

A própria mente exterior não tem valores, princípios ou metas, que derivam da inteligência. Sua preocupação é a expansão e a exploração do mundo exterior, procurando o prazer e evitando a dor. Seu objetivo é nos propiciar a experiência no domínio dos sentidos, e não estabelecer valores duradouros. Enquanto trabalhamos no seu nível, somos tão-só criaturas sensíveis. Somos vítimas das emoções despertadas pelos nossos sentidos — a atração às sensações agradáveis e a aversão às sensações dolorosas.

Nossa cultura moderna baseada nas informações e nas sensações é dominada pela mente exterior e falta de inteligência. Estamos mais envolvidos com reunir informações por meio da mente do que com assimilá-las, o que requer a ação da inteligência. Desenvolvemos diversas maneiras de expandir o campo dos dados sensoriais, mas não a sabedoria para usá-los com propriedade.

Embora os órgãos sensoriais funcionem por meio da mente, que lhes coordena a atividade, a percepção sensorial, a exemplo de todas as formas de percepção, dá-se por meio da inteligência (Buddhi). A mente conserva a imagem dos objetos, mas a inteligência definitivamente afirma o que eles são. Só quando a inteligência guia os sentidos é que podemos usá-los objetivamente. Por esse motivo, os órgãos dos sentidos vez ou outra são incluídos na esfera da inteligência.

A inteligência é a parte interior ou subjetiva da mente por meio de que fazemos escolhas ou tomamos decisões. A mente exterior é a tela em que percebemos o mundo exterior e levamos a cabo essas escolhas e decisões. A inteligência, portanto, atrai-nos para dentro, ao passo que a mente nos incita para fora. O objetivo da mente exterior é a fruição (bhoga), que é dirigida exteriormente. O desenvolvimento espiritual (Yoga), cujo movimento é interior, só vem à tona por meio do poder da inteligência. Enquanto a mente nos leva ao envolvimento exterior, a inteligência nos leva ao desenvolvimento espiritual; todavia, no estado avançado, a mente nos permite reagir criativamente às influências exteriores. Ela passa a ser a base da ação correta, sem a qual não poderíamos organizar nossa vida exterior em conformidade com quaisquer princípios superiores.

A Mente, a Inteligência e a Consciência

A consciência (Chitta) sente interiormente, e tem seu próprio sentido de conhecer. A mente (Manas) tem a sensação das coisas exteriormente, requerendo uma impressão exterior para seu funcionamento. A inteligência (Buddhi) percebe e reconhece tanto exterior quanto interiormente. Por exemplo, por via da mente a pessoa pode ter a sensação de que uma outra pessoa está infeliz, impressão que advém da reunião de informações dos sentidos. Por meio da inteligência, a pessoa perceberá isso como um fato objetivo, raciocinando com base no que vê. Por meio da consciência mais profunda, a pessoa verdadeiramente sentirá a infelicidade da outra pessoa.

A mente exterior, contando com os sentidos, tem noção de algo, que comumente permanece à sombra da dúvida. A inteligência percebe um objeto, a depender de algum processo racional, em que não há mais nenhuma dúvida. A consciência sente o objeto como se este lhe pertencesse.

A inteligência (Buddhi) e a consciência (Chitta) só funcionam em nossa percepção comum por meio da mente exterior e dos sentidos (Manas), em que comumente estamos envolvidos. Semelhante inteligência ou intelecto serve apenas para discriminar os nomes e as formas reconhecidas pela mente exterior. Essa consciência só serve para aumentar as sensações recebidas por meio da mente exterior.

A Mente Cósmica

Existem igualmente correspondências coletivas e cósmicas da mente. Seu lado coletivo é a atividade sensorial das outras criaturas na Terra. As influências sensoriais das criaturas geram a atmosfera psíquica em que funcionamos. As impressões sensoriais deixam um resíduo ou um reflexo de emoção passada. A atmosfera da Terra se enche das impressões sensoriais e residuais das criaturas. Os meios de comunicação de massa estão deixando a atmosfera psíquica repleta de impressões nocivas na forma de ondas de rádio, tornando-a negativa e destrutiva.

O aspecto cósmico da mente é a atividade sensorial das criaturas em todos os mundos. Nele predominam as visões dos grandes Deuses e Deusas que, por meio da Mente Cósmica, dão forma aos céus das impressões sutis. A meditação e os rituais que se valem da forma, da cor e do som ajudam a criar uma atmosfera psíquica positiva e a nos ligar à Mente Cósmica.

A Composição

A mente exterior se desenvolve sobretudo a partir de Rajas, a energia ativa da consciência (Chitta).[36] Ela se forma a partir dos potenciais sensoriais absorvi-

A Mente Exterior: O Campo dos Sentidos

dos do som, do tato, da visão, do paladar e do olfato, juntamente com as emoções e idéias associadas a esses sentidos. Como a consciência consiste nos gunas, assim também a mente consiste nas impressões (Tanmatras). O lugar mais importante da mente é a cabeça ou o cérebro, onde os sentidos predominam, particularmente o palato mole, que é o ponto central de todos os sentidos. Seu aspecto emocional funciona por meio do coração, não do coração espiritual, mas do coração físico e vital.

Manas constitui o envoltório da mente ou Manomaya Kosha. Isso compõe o corpo sutil ou astral que é o campo de nossas impressões. O corpo sutil funciona durante o sono e nos estados posteriores à morte. A mente é ação predominante[37] e nos faz atuar no mundo exterior para afirmar nossa identidade como criatura corpórea. Por meio dela, assumimos a forma e temos uma função com respeito às outras criaturas.

A mente exterior acrescenta mais um aspecto aos elementos da água e do ar fundamental, próprios da consciência, e, como a água, apresenta uma natureza emocional. Sendo assim, ela tem qualidades comuns a Kapha, o humor biológico da água. As pessoas do tipo Kapha freqüentemente têm uma natureza muito emocional bem como são robustas fisicamente, além de ser integradas no domínio dos sentidos.[38] De modo semelhante, a mente exterior se relaciona com Ojas, a essência vital da água. É necessário Ojas para que se desenvolva e controle a mente.

O Tato e o Ato de Segurar

Embora reja todos os órgãos sensoriais e motores, a mente corresponde sobretudo ao tato como um órgão sensorial, e ao ato de segurar (as mãos) como um órgão motor. O tato é a raiz dos quatro órgãos sensoriais inferiores — o tato, a visão, o paladar e o olfato. Ele torna as impressões sensoriais mais íntimas, e nos permite senti-las de modo pessoal como prazer e dor.

O ato de segurar — o formar e fazer, o movimento das mãos — é a principal atitude da mente, que molda a idéia que temos do mundo. Enquanto a mente estiver formando o seu mundo de fruição, teremos de permanecer presos no ciclo do renascimento, sempre à procura da felicidade exterior. Interromper essa ação formadora da mente é a chave para ir além do nascimento e da morte.

A Energia

Em geral, a mente é pessoal e é o veículo para o ego, mas liga-se ao nosso *background* genético e à nossa espécie. Por meio dos sentidos, ela se relaciona com a nossa natureza vital, nossos Pranas, que nos põem em harmonia com a natureza vital de outras criaturas. Por ser dominada por Rajas, ela é facilmente influenciada pelos nossos Pranas e pelos Pranas das outras pessoas, que são de modo semelhante a conseqüência de Rajas ou da energia ativa.

A mente sensorial (Manas) diz respeito ao instinto, mas rege um nível das reações instintivas mais superficial do que nossa consciência mais profunda (Chitta). A mente sensorial diz respeito sobretudo ao subconsciente, e nossa consciência mais profunda ao inconsciente. Nossa consciência mais profunda rege os instintos primordiais e heterogêneos, como o sexo ou a vontade de viver. A mente rege os impulsos específicos dos órgãos sensoriais e motores, como o desejo de falar ou de andar.

As Funções

A mente exterior funciona para planejar, organizar e considerar, e tem a capacidade de dar forma, fazer e imaginar. As duas funções principais da mente exterior, por meio de que ela rege a sensação, a emoção e o pensamento, são: 1) a intenção, e 2) a imaginação.[39]

A Intenção

A mente sempre tem um projeto, uma intenção ou uma motivação. Ela está sempre elaborando algo e nos levando a algum tipo de envolvimento, que tende a ser exterior em sua orientação. Sempre estamos às voltas com algum tipo de atividade planejada, sobretudo com vistas ao prazer para o eu inferior ou ego por meio do corpo e dos sentidos. A função normal da mente é constituir o mundo do ego, o domínio da realização e da aquisição, para o eu inferior isolado. A não ser que questionemos e controlemos a mente, ela continuará a criar mais formas de envolvimento e apego que nos fazem sofrer. Da mente derivam os motivos posteriores que põem a perder nossas ações e que nos afastam da espontaneidade. Ela nos torna desconfiados e egoístas em tudo o que fazemos. A conseqüência é que não podemos ter nenhum prazer real no que fazemos, o que só pode advir de maneira inesperada e involuntária. Para encontrar a verdade, temos de ir além dos planos da mente e dos projetos exteriores.

A mente também rege as intenções superiores, incluindo a vontade de fazer o que é correto. Ter boas intenções e levá-las a efeito é a atividade mental acertada. Essas boas intenções são ajudar os outros, entregar-se a Deus e conhecer-se a si mesmo. A criação das boas intenções e das boas atitudes ajuda a desenvolver a mente com propriedade. Essas coisas requerem que coloquemos a mente em harmonia com nossa inteligência mais profunda. Quando a mente está sintonizada com essa inteligência mais profunda, ela se torna a vontade da verdade e confere o poder da renúncia, por meio do qual vamos além das formas de apego egoísta, rumo à unidade com tudo.

A Imaginação

A imaginação é a projeção de uma possibilidade, que cria o futuro. A imaginação faz parte da vontade, a projeção de uma intenção. Temos de imaginar algo como uma possibilidade, antes de ter condições de fazê-lo. Se vamos mexer as mãos, por exemplo, primeiramente temos de imaginar que fazemos isso. A imaginação faz com que projetemos a ação futura, assim como planejar uma viagem antes de fazê-la. A percepção sensorial é lembrada por meio da imaginação. Tudo o que conhecemos por meio dos sentidos, a mente é capaz de imaginar. Essa capacidade de imaginar de novo as coisas é a base para desenvolver o conhecimento do mundo.

Agindo de maneira errada, a imaginação cria o pensamento veleitário, que causa as ilusões. Imaginamos que algo é verdadeiro quando esse algo não corresponde à coisa real. Confundimos que somos capazes de imaginar algo com fazer esse algo realmente. Isso cria diversos problemas psicológicos. Podemos imaginar muitas coisas sobre nós mesmos — que somos sábios, íntegros ou santos — o que talvez não tenha base real em nosso comportamento. Confundimos nossas reações emocionais, nossas preferências e aversões pessoais, com o que as coisas de fato são.

A mente rege o estado onírico em que nossa imaginação entra livremente em cena. A mente como um estado onírico se relaciona com o reino animal, este vivendo num estado de sonho ou de impressões anteriores ao desenvolvimento da razão consciente.

Outras Funções

A Arte e a Visão

A mente exterior, ao reger a expressão, dirige o trabalho artístico e criativo. É necessário uma mente sensorial desenvolvida para o bom desempenho dos órgãos motores, como a perícia das mãos é responsável pelas artes plásticas. Essa mente confere apuro de impressões, em particular quando coordenada com a inteligência e a consciência. Dela advém a visão criativa que nos faz criar objetos de forma pura e de beleza estética (impressões sáttvicas).

Para que a função superior e criativa da mente desenvolva fruição de sensações sutis, sua função inferior, que é o deleite nas sensações grosseiras, deve ser controlada e redirecionada. A função superior da mente revela os sentidos sutis e as capacidades psíquicas que os acompanham. Isso inclui a percepção extra-sensorial (PES), como ver ou ouvir a distância, e a ação a distância (o uso sutil dos órgãos motores). Todos os órgãos sensoriais e motores têm seus complementos sutis, por meio dos quais podemos sentir o mundo sutil e as forças ocultas por trás do mundo físico.

O Desenvolvimento Apropriado

O desenvolvimento apropriado da mente implica o cultivo da vontade e do caráter. Isso depende do controle dos sentidos, que significa assimilar as impressões corretas, e o controle das emoções, que significa separar nossas reações emocionais do que realmente percebemos. O desenvolvimento das capacidades artísticas, da visão criativa, das faculdades ocultas ou das práticas yogues envolvendo os chakras são outros meios.

Infelizmente, temos todos os métodos para o prazer dos sentidos por via da moderna tecnologia e dos meios de comunicações de massa, mas nenhum deles nos ensina a controlar os sentidos. O controle dos sentidos raramente se integra em nosso sistema educacional. Por essa razão, nossos desequilíbrios psicológicos devem aumentar.

Em nossa vida, estamos sempre em atividade. Nossa vida — dos impulsos automáticos do corpo até a expressão voluntária da mente — consiste em diversas ações que se seguem da vontade. A verdadeira força de vontade não se mede pela capacidade de conseguir o que queremos, mas pela capacidade que temos de transcender o desejo. Este não é a conseqüência de nosso livre-arbítrio. Ele é uma compulsão que nos ocorre a partir do mundo exterior, uma espécie de hipnose. Quando nos entregamos aos objetos dos sentidos, eles impressionam a mente, a qual nos faz querê-los e nos faz pensar que nossa felicidade depende deles. O desejo é a vontade com as tintas da imaginação. Ele procura o que é exterior e que, por isso, realmente não nos pertence.

A verdadeira força de vontade significa que fazemos o que dizemos e que transformamos nossas aspirações mais profundas em atos.[40] Sem a verdadeira força de vontade, não é possível ter paz, criatividade ou conhecimento espiritual. O cultivo da força de vontade transmite a energia. Diversas formas de autodisciplina, como qualquer tipo de controle voluntário dos órgãos sensoriais ou motores, ajudam a desenvolver a vontade. Podemos principar a disciplinar nossas funções físicas por meio do jejum ou dos exercícios. Podemos fazer o mesmo no que concerne à mente. Podemos fazer com que nossa mente jejue com relação a impressões enganosas ou fazer com que ela se exercite, repetindo um mantra ou praticando a concentração.

O caráter é a capacidade de controlar a mente exterior e de não ser levado para a ação por meio da inércia das influências exteriores. Nossos sentidos, com os mesmos estímulos que absorvem, sempre nos incitam a agir. Se agimos em função dos sentidos, perdemos o controle de nós mesmos e caímos sob o domínio do mundo exterior. Perdemos a coerência de nosso caráter e apenas refletimos as sensações do momento. O desenvolvimento do caráter requer a integridade, que é nossa capacidade de sermos verdadeiros para a nossa consciência e não seguir os impulsos dos sentidos. Ele depende do controle da mente, que significa desapegar-se do prazer e da dor, e dos desejos sensoriais como alimento e sexo.

A mente assemelha-se a uma lente que se abre e se fecha. Quando aberta, capta muitas coisas de um modo geral, mas pouco especificadamente. Quando fechada, capta algumas coisas com pormenores, mas perde o conjunto. A mente pode ser aprimorada por dentro, o que requer desviar nossa atenção do campo dos sentidos. Podemos treinar a mente de modo a fazer com que se abra ou feche à vontade, o que nos possibilita a concentração em qualquer objeto senso-

A Mente Exterior: O Campo dos Sentidos

rial particular, ou o afastamento desse objeto. Isso demanda controle da atenção. Se não treinamos a nossa atenção, a mente segue o rastro dos impulsos dos sentidos em conformidade com seu condicionamento. Seremos dominados pelas influências exteriores, perderemos nosso eu inferior verdadeiro e cairemos sob o comando de outras pessoas.

Infelizmente, não somos treinados para controlar a mente, mas para voltar nossa atenção a variadas formas de estímulo e diversão. Essa falta de controle da mente e dos sentidos faz com que nossa energia se irradie para fora, onde ela se dissipa e fragmenta, causando a doença física e psicológica. Portanto, os cuidados necessários e o uso adequado da mente são essenciais para o nosso bem-estar.

9. O Ego e o Eu Inferior: A Busca da Identidade

Quem Somos Nós?

Quem somos nós? O que é o eu inferior por trás da mente? As impressões sensoriais contam com nossos instrumentos sensoriais — os olhos, os ouvidos e outros órgãos sensoriais. De modo semelhante, as emoções e os pensamentos contam com nosso instrumento mental — a mente. O próprio pensamento é um instrumento do ato de conhecer. Esses instrumentos precisam de algo que deles faça uso, assim como um microscópio ou um telescópio dependem de alguém que os utilize. O campo do pensamento é um meio através do qual funciona a nossa subjetividade. Por trás das três camadas da consciência, inteligência e mente, há certo sentido do eu que lhes determina a ação. Todo pensamento repousa no pensamento do eu.

Todos os nossos pensamentos dizem respeito a nossa própria identidade. Tudo o que fazemos depende de quem julgamos ser. A chave para compreender a mente e o modo como ela funciona é conhecer a nós mesmos; todavia, quem somos é matéria muito mais profunda do que supomos, ou do que aquilo que a sociedade afirma sobre de nós. Assim como a maior parte de nossa consciência potencial nos é desconhecida, assim também a maior parte de nossa identidade potencial, que, em última análise, inclui todo o universo, nos permanece oculta. Essa ignorância de nosso verdadeiro Eu Superior constitui a base de todos os nossos problemas na vida, quer psicológicos, quer espirituais. À proporção que examinamos a mente e o modo como ela funciona, somos levados ao problema mais profundo do eu e de quem somos.

O Ego — o Eu Isolado

Que problema humano não nos é dado facilmente resolver quando não está envolvido o ego de ninguém? O ego é a raiz de todos os problemas sociais e

O Ego e o Eu Inferior: A Busca da Identidade

pessoais; entretanto, o que é o ego, e como podemos lidar com ele? Seria o egoísmo uma parte inevitável da natureza humana, não passível de ser mudada? Ou existe um modo de o transcender? O Ayurveda diz-nos que, por arraigado que esteja, ele não é nossa natureza verdadeira. Podemos transcender o ego e toda a sua tristeza e conflito.

O ego é chamado de Ahamkara, em sânscrito, e significa "eu-processo". O ego é um processo de auto-identificação em que associamos nosso ser interior a algum objeto ou qualidade do mundo exterior. Por meio dele, afirmamos "eu sou assim", ou "isso é meu". O ego cria a imagem de si ou do "eu-sou-o-corpo-idéia", e acaba na noção do eu isolado. Por meio dele, nos ilhamos e nos sentimos diferentes do mundo e das criaturas à nossa volta. O ego é a função que a consciência tem de se identificar com um objeto, por meio do qual nos sentimos alguém dotado de um corpo distinto. Somente com relação àquilo com que identificamos como sendo nós, ou como pertencendo a nós, como nossa família e nossos amigos, é que podemos ter sentimentos profundos e realmente acolher em nossa consciência.

O ego é bem diferente de nosso verdadeiro Eu Superior (Atman), que é o puro eu sou ou eu-sou-aquilo-que-sou, o eu-em-si-mesmo desprovido de objetividade. Nosso verdadeiro Eu Superior está acima de todas as formas e condições mentais e físicas, sempre desapegado, livre e alerta. O ego aflora do "eu-pensamento" que está por trás de todos os outros pensamentos.[41] Independentemente de tudo o que temos, primeiramente devemos ter o pensamento do eu ou eu inferior para que ele exista. O ego traz o princípio da divisão, por meio do qual a consciência se fragmenta e o conflito torna-se possível. Ele conserva o aspecto subjetivo do nosso ser (eu inferior) preso em alguma forma ou qualidade objetiva, diversifica as sensações corporais ou os estados mentais em que há mudança e sofrimento.

O ego é a função fundamental da consciência dirigida exteriormente. Ele realiza todo o desenvolvimento para fora da consciência, por meio da mente e do corpo, que são fragmentos no campo da percepção. O ego afeta todas as funções da mente. Tudo o que fazemos se baseia no eu inferior e em suas motivações. O ego perpassa todos os níveis da consciência e todos os corpos da alma, que requerem um sentido de si para sua função. Normalmente, só conhecemos o ego físico em vigília, mas os níveis mais sutis de nossa natureza apresentam seus egos respectivos, que possibilitam suas várias atividades.

O conceito de ego advém da natureza atômica da mente. Pelo fato de só podermos nos concentrar em um ponto de cada vez, desenvolvemos a idéia de nós mesmos como um centro separado no tempo e no espaço. Por meio dessa natureza semelhante a um ponto, o ego cria um foco ou inclinação estreita, um ponto cego central que nos deturpa a visão. Por causa desse sentido de si, todos os seres humanos têm um sentimento inato de orgulho. Agrada-nos pensar que nós ou aquilo com que nos identificamos — nossa religião, nosso país, nossa raça, ou nossa família — é a melhor coisa que há ou a única de valor. Esse processo do orgulho nos faz desprezar os outros e cria o conflito.

O Ego e as Funções da Mente

O ego aflora de certa falha da consciência (Buddhi). Ele é um juízo equívoco ou um erro em nosso processo de percepção. A função mais importante da inteligência é assegurar a natureza do eu inferior. A determinação do eu inferior é a mais importante de todas as determinações. Primeiramente, temos de saber quem somos antes de poder saber o que o mundo é e o que devemos fazer. O ego vem à tona quando não conseguimos discernir nosso verdadeiro Eu Superior, que é a percepção pura, e o tomamos pelo corpo, que não passa de um objeto.

Entretanto, quando a inteligência comete o erro do ego, este desvirtua a inteligência, que então serve para racionalizá-lo. Usamos nossa inteligência para favorecer os objetivos do ego relativos ao acúmulo e à realização no mundo exterior, e nos desviamos de nossa meta interior, que é conhecer nossa verdadeira natureza. Esse ego da inteligência é o mais difícil de vencer, porque ele é uma idéia equivocada bastante primária. Alguns pensadores consideram Buddhi ou inteligência como o Eu Superior.[42] Isso é um erro, porque o Eu Superior transcende todos os movimentos do pensamento; não obstante, de vez que a inteligência está próxima do Eu Superior, ela aos poucos pode nos levar a ele.

Nossa consciência mais profunda (Chitta) antecede o ego manifestado, mas ela mesma apresenta um ego rudimentar ou latente. Como uma parte da matéria (Prakriti), a consciência apresenta uma inércia quanto a assumir a forma que se desenvolve por meio do ego. Este usa a nossa consciência mais profunda para se apegar à vida e para conservar-lhe a experiência. O ego rudimentar, oculto em nossa consciência mais profunda, aos poucos se desenvolve rumo a toda a diversificação do complexo da mente e do corpo.

Do ego surge a mente exterior (Manas), os sentidos e o corpo, por meio da qual temos a experiência da nossa existência isolada. A mente sensorial, em virtude de sua propensão para fora, naturalmente se acha sob o jugo do ego, e só com dificuldade pode ser levada ao controle da verdadeira inteligência. O ego trabalha por meio da mente para conseguir sensações que lhe permitam expandir-se e se sentir bem sobre si mesmo. A cristalização máxima do ego é o corpo físico, em que nos sentimos como estando totalmente separados das outras criaturas.

Independentemente da função que ocorra na consciência, um ego é automaticamente posicionado como parte de seu limite. Cada emoção projeta um tipo de ego. Por exemplo, o ego da raiva difere bastante do ego do sentimento de amor. Vemo-nos às voltas com problemas de comportamento quando o ego de nossas emoções nos impele a ações que mais tarde lamentaremos.

Pelo fato de o ego ser inerentemente limitado e excludente, ele deve trazer a infelicidade. Ele faz com que nos identifiquemos com algumas coisas em detrimento de outras. Quando perdemos esses objetos com que nos identificamos, devemos sentir dor. Quando entramos em contato com aquilo com que não nos identificamos, com aquilo que consideramos estranho a nós mesmos, também sentimos dor.

O Ego e a Percepção

O ego vem à luz automaticamente durante o processo da percepção. Como o pensamento do eu fundamenta todos os pensamentos, assim a sensação do eu está por trás de todas as impressões. A mente sensorial (Manas) fornece uma série de impressões sensoriais, para que o corpo é o foco e o instrumento principal. O ego inerente à consciência corporal dá a tônica a todas essas impressões. O ego se apodera de impressões, tais como "gosto disso" ou "não gosto disso", "adoro isso", ou "detesto isso". De modo semelhante, o ego se apodera da inteligência e a utiliza para justificar suas próprias razões. Sua lógica é que "devo estar certo", ou "devo ser bom". O ego faz com que a inteligência pare de perceber a verdade e, em vez disso, impõe a sua própria opinião como verdade.

O ego não pode apropriar-se da nossa consciência mais profunda (Chitta), porém pode torná-la estreita e desvirtuá-la. Nós só podemos perceber essa parte de nossa consciência aceitável para o ego. Este é a nossa reação subconsciente fundamental que conserva o campo maior da consciência reprimida. Temos de aprender a observar o nosso processo de percepção para transcender o ego. Isso implica que nossa consciência mais profunda esteja num estado de paz e que nossa inteligência funcione objetivamente. O ego como uma forma de ignorância (Tamas) e distração (Rajas) se torna limitado à medida que não fornecemos mais o ambiente em que ele possa medrar.

O Aspecto Cósmico do Ego

Cada criatura individual deve ter algum tipo de ego. Este existe até mesmo nos insetos e nas pedras. É o ego que faz com que os elementos grosseiros e o mundo inanimado venham a ser. A criação inanimada é puro ego, tão contraída que não admite nenhuma ação da força vital ou dos sentidos, que requerem a consciência do mundo exterior.

O ego existe como um princípio cósmico. A partir dele, as idéias e arquétipos fundamentais da criação (inatos à Inteligência Cósmica) podem se diversificar. O ego é responsável pela criação dos objetos, das criaturas e dos mundos. Dele afloram os elementos grosseiros e sutis. Podemos perceber os estados cósmicos e superiores do ego quando expandimos nossa idéia de eu nos níveis mais profundos da consciência. É-nos dado passar da identificação com o nosso corpo para a identificação com a nossa família, o nosso país, o nosso mundo e o nosso universo — e, em última análise, a estar em unidade com todos os outros seres.

A Composição

O ego é a semente de Tamas (a escuridão) ou o aspecto tamásico da consciência (Chitta). Ele corresponde ao elemento terra ou às graves questões da consciência. O ego se desenvolve a partir da ignorância, sem conhecer nossa verdadeira natureza como Consciência Pura. Ele é a fonte da atração, da repulsão e do apego, inquietações emocionais que trazem dor e sofrimento. Ele nos põe sob o jugo de toda dualidade, os altos e baixos da experiência emocional.

Na condição de poder da ignorância, o ego se relaciona com o reino mineral em que nenhuma sensibilidade se desenvolveu. O ego é a inércia da rocha — matéria afirmando sua existência independentemente do espírito. Como isolamento e fragmentação, ele é a fonte da decadência, da doença e da morte. Transcender o ego é o movimento evolutivo básico da vida, por meio do qual formamos associações e procuramos conhecer o universo superior em que vivemos.

A Energia

O ego se relaciona com as graves questões que se acumulam na nossa consciência e, assim, tem certa energia de inércia (Tamas). O ego liga-se ao Apana Vayu ou ao Prana de movimento descendente, que é a causa da doença e da decadência. O ego nos leva à fragmentação e, em última análise, à destruição, a não ser que aprendamos como controlá-lo. Sua energia é negativa, ou entropia, e leva posteriormente à perda de energia.

A Função

O ego promove a nossa identificação com as coisas e nos faz sentir em união com elas. Por meio do ego, compomos uma identidade baseada nos objetos e nas condições que aceitamos como nossos. Ele funciona de dois modos: 1) idéia de si mesmo, e 2) condição do que me pertence.[43]

A idéia de si mesmo é a idéia de ter um corpo, por meio do qual conhecemos o corpo como eu ou para mim. A idéia de si mesmo também desapropria a mente, identificando-se com seus diversos pensamentos, emoções e sensações, tais como "sou sábio" ou "sou feliz". A condição do que me pertence é a idéia de ter objetos exteriores, que acumulamos ao redor da nossa existência corporal. Por meio dela, sentimos que objetos particulares, como a nossa casa, o nosso dinheiro ou o nosso emprego, nos pertencem. A condição do que me pertence depende da idéia de si mesmo e desta decorre. Por meio da condição do que me pertence, o ego estabelece o seu território, se desenvolve e se expande no mundo exterior. Enquanto conservo certa idéia de posse quanto a alguma coisa, vejo-me presa do ego e de suas cadeias.

O ego, como a mente sensorial, apresenta uma energia em expansão, porém, enquanto a mente procura fruição no domínio dos sentidos, o ego procura incorporar-se na forma material. A identificação do eu inferior do ego com um corpo dá início a todo o ciclo do renascimento.

Do ponto de vista positivo, o ego como idéia de si mesmo possibilita a concentração à mente. Ele ajuda a consciência a diferenciar quem somos da natureza exterior. Faz com que desenvolvamos uma existência pessoal e social longe do domínio instintivo e animal; mas o ego não é a meta final da evolução da Natureza, tampouco representa quem de fato somos. O ego é o ponto de transição entre a evolução material e espiritual. É uma fase intermediária entre a mentalidade dirigida para fora, sob o controle da Natureza, e uma mente dirigida para dentro, em harmonia com o Espírito.

A Alma — Nossa Individualidade Divina

O ego é a nossa idéia de identidade transitória, a de que somos a criatura de uma vida ou corpo particulares. A alma, por outro lado, é a idéia de que somos um ser consciente e imortal, uma porção individualizada da Divindade. Em sânscrito, chama-se a essa alma Jiva, o princípio vital, porque ela é a fonte de toda a nossa vitalidade e energia, física e mental. É também chamada de Jivatman, o Eu Superior (Atman) individual ou vivo (Jiva). Trata-se de nossa parcela individual do Eu Divino por meio de que temos a idéia de "eu sou". A alma individual é a idéia superior de si mesmo por trás de nossa existência individual, nossa verdadeira individualidade.

A alma é a entidade que está por trás do corpo causal, composta de vários karmas, que persiste em todo o ciclo do renascimento. Como alma, reconhecemos a nós mesmos como seres conscientes e imortais, nascidos em diversos corpos, à procura da realização e da libertação pessoal. A alma nos leva de volta à unidade, ao passo que o ego nos incita à divisão e à multiplicidade.

Comumente, não temos consciência da alma ou entidade reencarnada em nós. Não obstante, essa alma cria e conserva tudo o que fazemos. A alma existe em toda parte na Natureza, dando a vida e conservando a forma em todas as coisas. A alma está latente no reino elemental. Ela dormita nas plantas, sonha nos animais, acorda nos seres humanos e vem a ser de todo consciente de si mesma nos sábios que compreendem a si mesmos.

A maioria de nós vive a experiência da alma (sentimento profundo) apenas com outros seres humanos, com o sentimento de amor. Em certa medida, fazemos isso com os animais, em especial os de estimação. É possível comunicar-se com a alma nas plantas e com a alma nos elementos, também. Podemos sentir nossa alma em toda a existência.

O complemento cósmico da alma é Deus (Ishvara), o criador do universo, Senhor de todas as almas e o dispensador das conseqüências de todos os karmas. À proporção que a idéia de si mesmo se universaliza, a pessoa pode sentir a realidade de Deus em sua mente e comungar com o Criador. Nesses casos, sentimo-nos como servos ou obreiros de Deus, cumprindo-lhe a vontade, que é por bem do pleno desenvolvimento da consciência no universo.

A Energia

A alma controla toda a nossa energia positiva, a nossa criatividade e a nossa vitalidade. Ela conserva o Prana superior por trás de nossa consciência mais profunda (Chitta). Tudo o que foi dito com relação a isso também se aplica aqui.

A Composição

A alma (Jiva) é a entidade inerente à nossa consciência mais profunda (Chitta) na condição de sua função sáttvica ou quando de vigília. Por essa razão, a alma nem sempre se diferencia de Chitta em sua forma pura ou a partir da inteligência desperta (Buddhi), ambas funcionando por meio de Sattva. A purificação de Chitta e o despertar da inteligência realizam-se por meio da alma aparecendo e se encarregando de nossa existência.

A alma (Jiva) torna-se consciente por meio do puro Sattva desenvolvido em nossas diversas vidas. Através dele, o Prana causal (força vital) vem à tona, em função do que passamos a ser vivos e animados. A alma é a fonte da vida (Prana), do amor (Chitta) e da luz (Buddhi), que são os seus três poderes principais. Por causa dela, queremos viver para sempre, ter uma felicidade perfeita e conhecer a verdade absoluta.

As Funções

A alma trabalha por meio do poder da identificação, mas, diferentemente do ego, dilata seu campo de identificação para incluir tudo aquilo de que tem consciência. Ela apresenta duas funções principais: 1) Autoconhecimento, e 2) Entrega a Deus.

O conhecimento da alma é o conhecimento de si mesmo — o conhecimento da nossa verdadeira natureza como Consciência Pura. Isso nos possibilita encontrar unidade em tudo o que percebemos e nos franqueia todos os segredos do universo. Sua ação fundamental é a entrega a Deus (Ishvara-pranidhana) e a realização da vontade divina. As funções superiores da consciência e da inteligência, como Samadhi e intuição, se exercem por meio dela. Por meio do Eu Superior individual, tanto a consciência como a inteligência se ativam, gerando o conhecimento da verdade, da imortalidade e do infinito.[44]

Para trilhar de fato a senda espiritual, temos de nos tornar conscientes de nós mesmos no nível da alma. Isso implica aproximar-se da real compreensão da alma que está oculta em nossa consciência mais profunda (Chitta). A alma se apresenta quando pomos de lado nossa idéia de identidade corporal e nos reconhecemos como uma parte individualizada do Divino. Quando a alma aparece, deixamos de lado as metas do ego transitório e organizamos nossa vida com vistas ao nosso objetivo eterno da compreensão de Deus. A alma é a forma mais sutil do ego ou individualidade, por meio da qual podemos ir além do ego.

A Alma e a Cura

Chegar ao nível da alma é a chave para todas as formas de cura. A alma é o grande curador porque ela, Deus e a Natureza são a mesma coisa, além do que ela traz em si todos os poderes e a graça. Não é tanto que precisemos curar nossa alma; é sobretudo o termos de nos tornar conscientes de nossa alma. Fazer isso é a cura mais profunda de todas, não apenas para a alma mas também para a mente. A percepção da alma libera todos os poderes de cura inerentes a nós.

A palavra alma, contudo, pode ter diversos sentidos, de acordo com os pensadores. Alguns chamam a alma de nossa natureza emocional. Outros a consideram ligada a algum domínio celestial que é nosso objetivo máximo, como um anjo. A idéia védica da alma (Jiva), contudo, é a primeira parte individualizada da consciência. A verdadeira alma não é uma crença emocional, mas um estado da percepção superior além de toda forma de idéia preconcebida. Ela não pertence a nenhuma religião particular, nem carece de salvação. Em vez disso, a própria alma leva a toda redenção e transformação, porque transcende os limites do ego, da mente e do corpo.

O Eu Supremo — Nossa Natureza Divina

A mente não é a fonte da consciência nem da percepção. Toda consciência condicionada — a consciência que depende do pensamento, da emoção ou da sensação — não é a verdadeira consciência. Ela é como uma luz refletida num espelho, não a verdadeira fonte da luz. A consciência verdadeira está além de todos os objetos e qualidades, e não dependente de nenhum instrumento físico, sensorial ou mental. Essa consciência pura é o nosso verdadeiro Eu Superior. Em nosso Eu Superior não-condicionado, somos o mesmo que todos os seres. Esse é o Eu Supremo (Paramatman) de Vedanta, a suprema filosofia védica que fundamenta o Ayurveda.[45]

O Eu Supremo existe além de Deus e da alma individual. Ele transcende todos os seres, todos os mundos, e os três gunas. Enquanto a consciência condicionada (Chitta) se compõe de pensamentos, o verdadeiro Eu Superior é percepção isenta de pensamento (Chit). O Eu Superior é a verdadeira luz que ilumina as alterações da mente, e nunca é afetado por elas. Ele é a unidade por trás da alma e de Deus, que inclui todo o mundo da Natureza no Absoluto informe. Trata-se da paz imutável no âmago da mente, por meio da qual transcendemos, de imediato, todos os problemas psicológicos.

Pondo-se de lado o ego e despertando nossa alma (Jiva), aos poucos entramos em contato com esse Eu Superior. Todo contato com o nosso verdadeiro Eu Superior eleva-nos para além de todos os problemas humanos e próprios dos outros seres vivos. Pelo fato de o objetivo deste livro ter um caráter predominantemente psicológico, não examinaremos esse Eu Superior em pormenores. Isso ocorre na doutrina do Vedanta.[46] Para tranqüilizar a pessoa com distúrbios psicológicos, por vezes basta resgatar o uso apropriado da mente condicionada; contudo, ir além de toda tristeza requer que conheçamos nosso verdadeiro Eu Superior, e toda cura real da mente se beneficia até mesmo do mínimo contato com nossa natureza verdadeira.

Todos os métodos propostos neste livro para a cura psicológica também ajudam na meta superior da compreensão de si mesmo. Acabar com o condicionamento negativo da mente é necessário tanto para a harmonia psicológica como também para a compreensão de si mesmo. A diferença é que, para perceber nosso verdadeiro Eu Superior, um nível muito mais profundo de perda de condicionamento deve ser alcançado, mais do que é necessário para resolver nossos problemas psicológicos, como o medo, a raiva ou a depressão. A preocupação do yogue é desenvolver a consciência para criar um receptáculo apropriado para a percepção do Eu Superior, sempre presente, mas obscurecido pelos pensamentos mutáveis. A preocupação do médico ayurvédico é desenvolver a consciência a fim de fazer face a nossos problemas de seres humanos comuns. A purificação da consciência[47] é comum a ambos. Trata-se do mais importante, tanto para a cura mental como para o desenvolvimento espiritual.

O Eu Superior e as Funções da Mente

As três camadas principais da mente — a consciência, a inteligência e a mente sensorial — funcionam entre o ego, ou falso ego, por uma parte, e o verdadeiro Eu Superior, por outra. A ação deles varia conforme a direção para a qual se encontram orientados. Voltadas para o Eu Superior, suas funções mais elevadas afloram. Voltadas para o ego e para o mundo exterior, seu potencial superior continua latente e elas entram em conflito umas com as outras.

A consciência (Chitta) está mais próxima do Eu Superior, ao passo que a mente sensorial (Manas) está mais próxima do ego. A inteligência (Buddhi) que se posta entre eles é o fator-chave no modo como orientamos nossa percepção. Em virtude de sua capacidade para a percepção decisiva, a inteligência tem um poder de transformação maior do que a mente sensorial ou do que a consciência mais profunda. Ela pode esvaziar a consciência de seu condicionamento e controlar a mente sensorial. Pode questionar o ego e discernir entre o eu inferior e o superior.

A verdadeira inteligência discerne nossa identidade superior, que leva à nossa verdadeira natureza. Esta é a identidade da consciência, não a imagem de si mesmo ou ego, que para existir depende de um objeto ou qualidade. A alma

O Ego e o Eu Inferior: A Busca da Identidade

trabalha por meio do aspecto superior da inteligência, que é o seu desenvolvimento do campo mental de acordo com a luz da verdade. O verdadeiro Eu Superior desperta quando voltamos a atenção para o campo da consciência como um todo através do movimento para cima e para dentro característico da inteligência. De outra forma, dominados pelo movimento para baixo e para fora, típico da mente sensorial, tornamo-nos cativos das forças do mundo exterior, que leva à ignorância e à tristeza.

As Camadas da Consciência e a Doença Psicológica

Manas é a camada exterior da consciência por meio de que estamos envolvidos com os acontecimentos do momento. Buddhi é a camada intermediária da consciência que nos permite observar o que está acontecendo na sensação imediata e a longo prazo. Chitta é a camada mais profunda da consciência que conserva padrões de longo prazo.

Quando aprendemos algo novo, como amarrar os sapatos, trata-se a princípio de um processo de Manas, por meio do qual realizamos a ação trabalhando com os sentidos. Buddhi está envolvido como o diretor da ação, por meio do qual desenvolvemos nossa perícia na apresentação. Quando o que aprendemos passa a ser uma segunda natureza, esta se torna uma função de Chitta. Amarramos automaticamente os sapatos, sem nenhuma deliberação por meio desse poder de Chitta. Na pessoa comum, podemos dividir as camadas da consciência desta maneira:

Chitta — inconsciente, mas também uma consciência superior, ainda que de modo potencial

Manas — subconsciente

Buddhi — consciente

Ahamkara — consciente de si mesmo

Chitta é o campo total e potencial da consciência condicionada (o campo do pensamento). Manas traz em si todas as reações sensoriais, em grande parte subliminais. Com respeito a isso, Manas e Chitta estão unidos, e o que assimilamos por meio dos sentidos de imediato influencia o inconsciente. Só Buddhi é a parte alerta da consciência. Pode separar Chitta de Manas para que nossas reações sensoriais não nos condicionem num nível mais profundo. Ahamkara é a consciência de si ou o ego que nos torna vulneráveis às influências externas. O Atman testemunha e transcende todas essas funções, e se liga à função superior de Buddhi.

No processo da doença, os Doshas ou fatores causadores da doença equivalem ao funcionamento insatisfatório da mente e da inteligência, que se dá em virtude do ego. Este introduz Rajas e Tamas, os Doshas mentais, no campo mental na forma de pensamentos, emoções e impressões negativos. Isso nos faz usar nossos sentidos, nossa emoção e nosso intelecto para o prazer egoísta em vez de para desenvolver uma consciência superior. O funcionamento insatisfatório da inteligência (Buddhi) é o principal fator causador de doenças, porque ele regula o modo como usamos a mente e os sentidos.

Chitta é o aspecto da mente prejudicado por esses fatores causadores de doenças. A exemplo dos tecidos do corpo prejudicados pelo uso impróprio dos órgãos dos sentidos e da má digestão, a consciência é a substância da mente prejudicada pela atividade mental imprópria. Para tratar a mente, temos de eliminar essas toxinas mentais e também recuperar a substância mental (consciência).[48]

As Funções da Mente

Enquanto cada função da mente apresenta suas qualidades naturais (gunas), a mente pode ser alterada pelo acréscimo de outros gunas. Compreender os gunas da mente e mudá-los de Tamas em Sattva é a chave para a saúde mental e para o desenvolvimento espiritual. O conjunto do desenvolvimento espiritual e da cura psicológica consiste em passar da existência tamásica para a vida sáttvica.[49]

Todos atravessamos diversas fases gúnicas em nossa atividade diária. Quando estamos dormindo, ou quando mentalmente ociosos, encontramo-nos num modo tamásico. Quando estamos acordados e atentos, achamo-nos num modo sáttvico. Em atividade ou distraídos, estamos num modo rajásico. Em geral, o que fazemos num modo tamásico ou rajásico — algo ingênuo, sem sentimento ou tolo (Tamas) ou algo envolvendo agressividade, agitação ou impetuosidade (Rajas) — lamentamos quando estamos vivendo no modo sáttvico (tranqüilo). Não deveríamos, no entanto, perder o ânimo. Até uma pessoa iluminada pode passar por momentos tamásicos quando lhe é dado fazer algo de que depois venha a se arrepender. Nosso karma não se determina apenas por nossos momentos tamásicos, mas pelos três gunas em atividade no nosso campo mental.

Atente o leitor para o papel que esses três gunas desempenham na nossa condição mental. Por exemplo, algumas pessoas são mais sáttvicas pela manhã e se tornam sem graça e tamásicas à noite. Outras são sem graça e tamásicas pela manhã, mas sáttvicas à noite. Algumas pessoas são mais ativas ou rajásicas pela manhã, outras, à noite. Geralmente, Sattva deve prevalecer mais de manhã e à noite, com Rajas se desenvolvendo mais ao meio-dia, e Tamas só durante o sono.

Que o leitor atente agora para o quanto o ambiente e as relações o afetam. Em meio a pessoas sáttvicas (espiritualitas) e a situações do mesmo caráter, você se sente sáttvico. Em meio a pessoas tamásicas (sem atrativos) e a situações do mesmo tipo, você se sente sem graça e desanimado. Em meio a pessoas rajásicas (perturbadas) e a situações do mesmo caráter, você se sente agitado. Atente para o modo como a sua vida está se desenvolvendo. Será que você está ficando mais sáttvico (espiritual), rajásico (ocupado) ou tamásico (sem graça)?

Funções da Mente

	SATTVA	RAJAS	TAMAS
Consciência (Chitta)	Paz interior, amor e altruísmo, fé, alegria, dedicação, compaixão, receptividade, clareza, boa intuição, conhecimento profundo, desapego, coragem, silêncio interior, memória clara, sono tranqüilo, relacionamentos apropriados	Perturbações emocionais, imaginação excessiva, pensamentos descontrolados, aborrecimento, insatisfação, desejo, irritabilidade, raiva, memória distorcida, sono agitado, relacionamentos conflituosos	Bloqueios emocionais e apegos profundos, a pessoa é presa de imagens e lembranças do passado, vícios, medo, angústia, depressão, ódio, sono excessivo, relacionamentos não apropriados
Inteligência (Buddhi)	Discernimento entre o eterno e o efêmero, percepção clara, profundo sentido de ética, tolerância, não-violência, sinceridade, honestidade, clareza, esmero	Mente crítica, judiciosa, dogmática, honesta, positiva, mente estreita, percepção distorcida, crença na realidade do mundo exterior ou em nomes e formas particulares como sendo a verdade	Falta de inteligência, falta de percepção, preconceitos profundos, falta de consciência ou ética, desonestidade, ilusão, crença na realidade das próprias opiniões
Mente (Manas)	Bom domínio de si mesmo, controle dos sentidos, controle do desejo sexual, capacidade de suportar a dor, capacidade de fazer face aos elementos (calor e frio), desapego do corpo, a pessoa faz o que diz	Natureza sensual, natureza fortemente sexual, excesso de desejos, agressividade, firmeza, competitividade, teimosia, imaginação notadamente ativa, sonhos perturbados, obstinação, capacidade de cálculo	Preguiça, falta de controle de si mesmo, a pessoa é facilmente influenciada pelos outros, falta de objetivos, divagações, incapaz de suportar a dor, presa de sensações violentas, muitos vícios, facilmente influenciada, uso de drogas, dissipação
Ego (Ahamkara)	Idéia espiritual do ego, altruísmo, renúncia, dedicação, conhecimento de si mesmo, preocupação com os outros, respeito por todas as criaturas, compaixão	Ambição, firmeza, orientação para a realização, teimosia, arrogância, fatuidade, a pessoa promove a si mesma, a pessoa é manipuladora, forte identificação (como com a família, o país, a religião)	Idéia negativa do eu, medo, submissão, dependência, desonestidade, identificação com o próprio corpo

Como Desenvolver com Propriedade as Funções da Mente

Chitta	Pranayama, mantra, meditação sobre o espaço infinito ou sobre o vácuo, concentração e técnicas de atenção, Samadhi, dedicação (Bhakti Yoga) e conhecimento (Jnana Yoga) combinados, crenças apropriadas, receptividade, clareza, fé, amor, paz, alegria, comunhão, relações apropriadas, satsang (comunhão espiritual)
Buddi	Concentração, meditação, exame de si mesmo, mantra, meditação, contemplação das verdades universais, yoga do conhecimento (Jnana Yoga), desenvolvimento da consciência e da ética, raciocínio correto, autodisciplina, desenvolvimento do Tejas (chama interior)
Manas	Devoção (particularmente usando uma forma ou imagem especial), autodisciplina (como jejuar), controle da energia sexual, mantra, meditação sobre a luz interior e o som interior, visualização, trabalho, serviço, Yoga da Devoção (Bhakti Yoga), terapias do aumento do Ojas, absorção apropriada de impressões, regime alimentar correto, prática da paciência, desenvolvimento do caráter, da força de vontade e do controle dos sentidos
Ahamkara	Aspiração espiritual, dedicação a Deus, serviço desinteressado, autodisciplina, exame de si mesmo, auto-observação, relações apropriadas

Exercícios para a Consciência

Seguem-se alguns exercícios simples para a consciência, os quais podem ajudá-lo a compreender os diversos níveis de sua mente e o modo como eles trabalham para tornar sua vida mais criativa e alerta, ou mais contida e tranqüila.

Um Inventário para a sua Consciência

Pondere sobre sua experiência vital: as substâncias e energias que você absorveu por meio de seus atos e palavras habituais. Atente para a qualidade da sua alimentação, das impressões e relacionamentos, das emoções que tem com mais freqüência, dos pensamentos e crenças que o motivam. Descubra aquilo a que mais se apega, aquilo que lhe habita o coração, aquilo a que você mais dedica atenção.

De um lado, relacione todas as suas atividades negativas — emoções negativas (raiva, lascívia, medo, ambição, violência), busca de prazer, de desejo, atitudes egoístas. De outro lado, relacione todas as suas atividades positivas — meditação, oração, cultivo espiritual, boas obras, serviço social e assim por diante. Esteja alerta quanto ao equilíbrio. A sua consciência é o armazém de todas essas experiências. Sua natureza depende da predominância de suas atividades mentais, particularmente no nível do coração.

Uma outra forma de fazer isso é examinar as suas reações espontâneas e automáticas, para perceber qual é o seu "programa". Observe suas reações imediatas às situações, em especial com respeito àquelas em que você é pego desprevenido, ou é de algum modo ameaçado. Observe também a sua consciência durante estados habituais como o sono, as refeições, os momentos de lazer e as atividades mecânicas, quando você não está envolvido com uma atividade mental específica. Essa inércia fundamental da mente é a sua consciência (Chitta).

O Exame da Inteligência

Observe em que aspecto o seu discernimento está mais desenvolvido — se na escolha da alimentação, dos filmes, do sexo, dos esportes, das informações científicas, da política, das artes, da filosofia ou do conhecimento espiritual. Descubra em que aspecto sua inteligência se manifesta de modo mais refinado, claro e profundo. Observe se tem cultivado um sentido exterior de discriminação, desenvolvendo opiniões acerca de pessoas ou situações, ou certo sentido interior, aprendendo a discernir a verdade interior ou a realidade das coisas.

Atente para o curso natural do seu discernimento — se você tende, por exemplo, ao cálculo, na maioria das vezes. Observe quando você exercita o seu senso de opção, de valor e de julgamento. Por meio desse processo, você é capaz de entender a natureza da sua inteligência e como ela se desenvolve.

O Exame da Mente Exterior e dos Sentidos

Observe de que modo você usa os seus sentidos e que sentidos usa mais. Atente para o grau em que as influências sensoriais se apoderam de você. Como você se relaciona com as sensações auditivas, táteis, visuais e de outros tipos? Em que grau é capaz de controlar sua atenção e não ser perturbado por influências sensoriais? Que sensações mais lhe atraem e absorvem a sua mente? Que impressões mentais e emocionais, que influências o afetam mais por meio dos sentidos (medo, raiva, desejo, amor ou ódio)? Observe quais as impressões e as informações que o influenciam. Veja de que modo os seus sentidos o controlam e lhe chamam a atenção.

Faça o mesmo com respeito aos órgãos motores. Atente para o controle que você tem sobre os órgãos da fala, sobre as mãos, os pés, os órgãos de reprodução e excretores. Será que você pode fazer cessar as atividades deles e afastar-se de suas solicitações, ou será que você está sob o poder deles? Esses exercícios para a mente dão uma boa medida de quanto você está no controle da mente e de quanto a sua mente o controla.

O Exame do Ego

Observe aquilo com que você mais se identifica na vida — se com a sua ocupação, com a família, os amigos, a propriedade, os país, a religião e assim por diante. Atente para a identificação que você tem com o seu corpo, com os seus sentidos, com as suas emoções, opiniões e idéias. Pondere sobre as coisas que você mais tem medo de perder, e acerca daquilo que você mais se esforça por obter: prazer, riquezas, poder, nome, fama e coisas desse tipo. Imagine que você está à morte e que precisa se desfazer de tudo. Observe como isso pode ser difícil, e descubra o que mais faz com que você continue apegado a este mundo.

Depois que tiver examinado todas essas funções da mente, você terá condições de perceber o curso da sua existência. Podemos determinar nosso grau de suscetibilidade não só com relação aos problemas psicológicos mas também com relação à tristeza de um modo geral. Assim como segue a pista da sua saúde por meio de exames físicos regulares, preocupe-se com sua condição psicológica, fazendo exames psicológicos regulares.

Os Chakras

1. O Centro da Cabeça
Consciência-Espaço
Som Causal
Prana Causal
Om

2. Terceiro Olho
Mente-Espaço
Som Sutil
Prana Sutil
Ksham

3. Centro da Garganta
Éter
Som
Vata
Ham

4. Centro do Coração
Ar
Tato
Vata
Yam

5. Centro do Umbigo
Fogo
Visão
Pitta
Ram

6. Centro do Sexo
Água
Paladar
Kapha
Vam

7. Centro da Raiz
Terra
Olfato
Kapha
Lam

Parte III
Terapias Ayurvédicas para a Mente

As terapias ayurvédicas são multifacetadas para melhorar o desenvolvimento espiritual e promover o bem-estar da mente. As que ora damos a conhecer são sobretudo à maneira de auto-ajuda, mas talvez requeiram orientação para serem usadas a contento. A seção se inicia com métodos de aconselhamento ayurvédico e com a visão ayurvédica do tratamento de diversos aspectos da mente. A seguir, examina-se a ciência ayurvédica das impressões e o modo como as podemos alterar para melhorar nossa capacidade mental.

Seguem-se capítulos específicos sobre modalidades exteriores de tratamento, como regime alimentar e ervas, e métodos interiores, sobretudo técnicas sensoriais de cores, pedras preciosas e aromas, levando aos mantras, que são os instrumentos mais importantes da ciência ayurvédica para mudar nossa consciência. Por serem diversificados esses métodos de tratamento, esta é a seção mais longa do livro, porém ela talvez seja a mais prática e útil.

Part III

Terapias Ayurvédicas para a Mente

10. Aconselhamento Ayurvédico e Mudança Comportamental

A comunicação é a base de quem somos e daquilo em que gostaríamos de nos transformar. Não existimos em isolamento, tampouco podemos nos desenvolver ao largo da matriz cultural que nos serve de apoio. A própria mente é, em primeiro lugar, um recurso de comunicação, não apenas para a relação com outras pessoas, mas também para uma relação interior com as forças espirituais do universo. Essa importância da comunicação se estende de igual forma à esfera da cura.

O aconselhamento é provavelmente o instrumento mais importante do tratamento físico; contudo, do ponto de vista ayurvédico, ele não deveria ser tão-só conversa ou discussão, mas uma prescrição para a ação. O aconselhamento dever-se-ia ocupar das causas dos desequilíbrios psicológicos e apontar o modo de corrigi-los. Ninguém continuará a proceder de determinada maneira sabendo que ela é prejudicial, mas temos de entender verdadeiramente a natureza nociva de nosso comportamento e estarmos inclinados a mudar. O aconselhamento deveria ser um processo de aprendizagem em que o cliente passa a entender os aspectos diferentes de sua natureza e a maneira de modificar esses aspectos para o seu perfeito bem-estar.

Neste capítulo, analisaremos a abordagem do conselho ayurvédico que constitui o pano de fundo para as terapias psicológicas ayurvédicas. Ocupar-nos-emos dos problemas que vêm à tona no aconselhamento por meio de variados tipos constitutivos ayurvédicos. O aconselhamento ayurvédico está às voltas com quatro áreas fundamentais:

1) Fatores físicos — regime alimentar, ervas e exercícios;

2) Fatores psicológicos — impressões, emoções, pensamento;

3) Fatores sociais — trabalho, lazer, relacionamentos; e

4) Fatores espirituais — yoga e meditação.

Os desequilíbrios físicos e psicológicos consolidam-se uns aos outros, com o regime alimentar e o exercício refletindo as condições de nossa mente e suas flutuações. Os desequilíbrios psicológicos envolvem problemas sociais e pessoais, como dificuldades com a profissão e nos relacionamentos. Os fatores espirituais são as fontes máximas de todo sofrimento mental porque só a nossa consciência superior tem o poder de levar a paz à mente, mutável e instável por natureza. Portanto, a psicologia ayurvédica ocupa-se de quatro níveis de tratamento:

1) Humores biológicos — Equilíbrio de Vata, Pitta e Kapha;

2) Essências Vitais — Fortalecimento do Prana, Tejas e Ojas, as formas principais de Vata, Pitta e Kapha;

3) Impressões — A harmonia da mente e dos sentidos; e

4) Consciência — A possibilidade das funções apropriadas da consciência.

Em primeiro lugar, o Ayurveda trabalha com vistas a equilibrar os humores biológicos por meio de métodos físicos apropriados de cura, com base no regime alimentar, nas ervas e nos exercícios. Livros convencionais de Ayurveda concentram-se nesse nível. Examinaremos esses métodos de tratamento exterior do Ayurveda num capítulo subseqüente, em especial o modo como eles afetam as condições psicológicas. Em segundo lugar, o Ayurveda trabalha para melhorar nossa energia vital por meio do Pranayama e de práticas relacionadas. A seção sobre Prana, Tejas e Ojas se ocupa desse nível, e é mencionada de vez em quando até o final do livro.

Em terceiro lugar, o Ayurveda trabalha com a mente e os sentidos no intuito de possibilitar a absorção apropriada de impressões por meio das diversas terapias sensoriais. Nos capítulos que se seguem, examinaremos essas terapias sensoriais, sobretudo a do aroma e a das cores. Em quarto lugar, o Ayurveda trabalha para aumentar Sattva na nossa consciência por meio de princípios espirituais vivos, o mantra e a meditação. Isso será abordado nos capítulos sobre Mantra, Terapias Espirituais e o Método Óctuplo da Yoga.

O aconselhamento ayurvédico é bem prático, e envolve prescrições variadas para mudar nossa maneira de ser. O encontro com um conselheiro ayurvédico envolve examinar de novo as conseqüências da implementação dessas prescrições, e se realiza de um modo coerente e gradativo. O aconselhamento ayurvédico é educativo por natureza. O terapeuta ajuda o cliente a aprender de que modo a mente e o corpo funcionam para que esse cliente os possa usar com propriedade. O paciente é um estudante. A terapia é um processo de aprendizagem. O Ayurveda se ocupa de uma pessoa que sofre de um problema psicológico não como alguém perturbado, mas como alguém que não sabe como usar a mente de modo satisfatório.

O Relacionamento Correto — uma Chave para a Saúde Mental

Quem somos psicologicamente é uma conseqüência de como agimos mutuamente com o nosso ambiente. Se você quiser ver quem é, olhe para as pessoas de quem se sente mais próximo e com quem passa mais tempo. A mente é feita das impressões absorvidas por meio dos sentidos, das quais as mais importantes são as que vêm das relações sociais. Toda impressão que temos passa a ser mais forte quando partilhada com outras pessoas, que lhe acrescentam conteúdo emocional.

A mente em si, até o inconsciente mais profundo, é uma entidade social e segue um padrão coletivo. Ela é constituída pelo pensamento e condicionada pela linguagem usada no contexto social da nossa vida. A mente reflete nossas ações recíprocas com outras pessoas, a começar por nossos pais. Ela é o registro de nossas associações, e inclui não só os seres humanos mas todo tipo de vida a que estamos ligados. Nossa consciência mais profunda (Chitta) é determinada pela natureza de nossas associações, que criam os impulsos mais fortes (Samskaras) com que temos de lidar. Se formos ao âmago de nosso coração, serão os nossos relacionamentos mais íntimos que acima de tudo determinarão quem somos.

A psicologia ayurvédica ressalta a correta associação para assegurar o bem-estar psicológico. Deveríamos sempre tomar cuidado para termos boas companhias. Deveríamos nos ligar a pessoas que nos engrandecem, que nos trazem paz e que nos deixam calmos e tranqüilos. Deveríamos nos manter ao largo dos que nos puxam para baixo, que nos agitam e sobreexcitam os nervos. Temos de ter o máximo de cautela acerca das pessoas a quem nos ligamos num nível mais íntimo.

Deveríamos procurar o bem e nos empenhar em estar na companhia das pessoas sábias. Estas são os mentores espirituais, os verdadeiros amigos, a beleza da natureza, a grande arte e as técnicas para a sabedoria. Obviamente, nem sempre é possível continuar na companhia física de pessoas espiritualmente desenvolvidas. Nem sempre é fácil encontrá-las, quase nunca elas têm tempo. Entretanto, sempre nos é dado tê-las em nossa mente e no nosso coração. Podemos nos sintonizar com seus pensamentos e obras. De nossa parte, deveríamos nos esforçar para exercer uma influência benéfica sobre as outras pessoas, projetando a energia de atitudes prestimosas e de bons pensamentos para todo o universo.

Curar a mente envolve curar a maneira como nos relacionamos com o mundo. Isso quer dizer estabelecer uma sociedade ou um grupo de amigos que nos impele ao alto. Tal é a base do aconselhamento verdadeiro. O conselheiro deveria dar ao cliente um profundo nível de associação que não lhe aumente os problemas, mas, pelo contrário, crie oportunidade para que os problemas desse cliente sejam resolvidos. Em situação ideal, um terapeuta legítimo não deve ser um médico a distância, mas um amigo espiritual e um simpatizante. A terapia deveria ser o começo da comunhão, o que em sânscrito se chama Satsanga, a companhia dos que buscam de fato a verdade.

No entanto, melhor do que ir a um terapeuta é usufruir o convívio de pessoas que nos engrandecem espiritualmente. Em sua companhia, nossos problemas psicológicos, que advêm do nosso envolvimento material, resolvem-se naturalmente. A simples presença dessas pessoas sensatas nos abranda a mente e o coração. A falta desses relacionamentos em que há envolvimento espiritual é a principal causa da intranqüilidade, e a única cura é encontrar essas companhias.

Discutir nossos problemas, em especial com alguém que respeitamos, é sempre de grande valia. Isso nos leva além da natureza pessoal de nossos problemas para questões mais profundas e universais da vida. Em grande parte, a comunicação é o maior benefício da psicoterapia — um relacionamento que permite a discussão de nossos problemas. A comunicação põe por terra as muralhas de isolamento em que padecemos, e nos ajuda a olhar para nós mesmos sob uma nova luz, o que faz com que antigas limitações sejam rompidas e postas de parte.

Um verdadeiro mentor espiritual nos ajuda a saber quem somos em nossa consciência interior, isentos da identificação comum com o nosso complexo mente-corpo. Uma pessoa assim é o psicólogo máximo; contudo, um mentor espiritual talvez não esteja interessado em atuar como psicólogo, tampouco na condição de médico no sentido comum, ajudando-nos com nossos aborrecimentos, pesares, dores e sofrimentos pessoais. A função do mentor é guiar-nos a estados superiores de consciência, não só ajudar-nos a resolver os problemas do dia-a-dia. Isso pode envolver ensinar-nos a nos desapegar dos padecimentos psicológicos e físicos, que sempre hão de existir neste mundo efêmero.

Um terapeuta, por outro lado, precisa conhecer os limites do que pode fazer. Os terapeutas não deveriam desempenhar o papel de gurus, mas dirigir seus clientes para mentores espirituais genuínos. A orientação espiritual é muito mais do que psicologia no sentido comum, embora a verdadeira psicologia leve à espiritualidade. Esta requer que vamos além da mente e de suas opiniões, não só que sejamos felizes na nossa condição mental.

As Perturbações Psicológicas e os Humores Biológicos

As perturbações psicológicas, como as físicas, refletem desequilíbrios dos três humores biológicos. Os problemas de saúde, quer físicos quer mentais, não são apenas problemas pessoais, mas problemas com a energia no complexo mente-corpo. São menos problemas pessoais ou falhas morais do que certa incapacidade de harmonizar as forças latentes em nós.

Tipo Vata (Ar)

As perturbações psicológicas ocorrem com maior freqüência quando Vata é excessivo, e, como força nervosa, facilmente afeta a mente. Como Vata, a mente se compõe de ar e éter. O excesso de ar de Vata gera instabilidade e agitação na mente, e isso tem como conseqüência a excessiva atividade mental e os aborrecimentos, o que faz nossos problemas parecerem piores do que de fato são. A mente se torna sensível de modo flagrante, reage em demasia — levamos as coisas muito a sério. Inclinamo-nos a agir de modo prematuro ou impróprio, o que talvez agrave nossa situação.

Alta quantidade de Vata, na forma de excesso de éter, nos faz perder pé, nos deixa com a cabeça no mundo da lua e das fantasias. Podemos ter as impressões falsas da imaginação, da alucinação e da ilusão, como ouvir vozes. Nosso vínculo com o corpo físico e com a realidade física se atenua. Vivemos em nossos pensamentos, que podem nos turvar a percepção. Nossa força vital se dispersa em virtude do excesso de atividade da mente. Perdemos contato com outras pessoas, e não damos ouvidos a seus conselhos.

A alta quantidade de Vata na mente tem como sintoma o medo, a alienação, a angústia e o colapso iminente. A pessoa sente insônia, tremores, palpitação, inquietação e mudanças bruscas de estado de espírito. A insanidade própria do tipo maníaco-depressivo, ou esquizofrenia, é uma forma extrema de desequilíbrio de Vata.

Há muitos fatores que podem desequilibrar Vata e criar possíveis problemas psicológicos. Aos do tipo Vata, é difícil lidar com as perturbações do mundo exterior, em especial a excessiva exposição aos meios de comunicação de massa, à música em volume alto ou ao barulho. Drogas e estimulantes os desequilibram facilmente. Alimentação insatisfatória ou irregular também enfraquece e perturba mentalmente essas pessoas. A atividade sexual num nível excessivo e não natural lhes consome a já por vezes baixa energia. A tensão, o medo e a angústia afetam-nas emocionalmente, porque lhes falta calma e resignação. A violência e os traumas magoam-nas, e fazem com que fiquem retraídas. Ter sido vítima de negligências e abusos na infância gera certa predisposição para os distúrbios psicológicos do tipo Vata.

Tipo Pitta (Fogo)

Os distúrbios psicológicos são moderados nos tipos Pitta. Eles por vezes apresentam bastante autocontrole, mas podem estar muito voltados para si mesmos e ser anti-sociais. O fogo e o calor de Pitta tornam a mente limitada e propensa às disputas, fazendo com que essas pessoas entrem em conflito com elas mesmas ou com os outros. Os distúrbios psicológicos do tipo Pitta se devem caracteristicamente à agressividade ou hostilidade excessivas. Os tipos Pitta são visivelmente críticos que vêem defeitos em todo mundo, põem a culpa nos outros por qualquer motivo, fazem inimigos em toda parte, e estão sempre alertas e prontos para a luta.

Elevada quantidade de Pitta na mente acarreta a agitação, a irritação, a raiva e, possivelmente, a violência. O corpo e a mente com excesso de calor procuram se aliviar dando vazão à tensão acumulada. Os tipos Pitta podem vir a ser dominadores, autoritários ou fanáticos. Quando molestados, é possível que padeçam de ilusões paranóicas, delírios de grandeza, ou podem se tornar psicóticos.

Pitta na mente torna-se demasiado alto em virtude de diversos fatores que aumentam o calor. Cores vivas e sensações fortes irritam pessoas desse tipo. Estar às voltas com a violência e com a agressividade gera a mesma reação nessas pessoas. Aspectos relativos ao regime alimentar, como a comida muito quente ou condimentada, perturbam a mente dessas pessoas. A frustração quanto à sexualidade, a raiva e a cobiça excessivas, e os fatores emocionais relacionados cobram seu tributo. Uma educação voltada em demasia para a competitividade ou o conflito excessivo na infância são outros fatores.

Tipo Kapha (Água)

As pessoas do tipo Kapha têm a menor quantidade de problemas psicológicos, e são as menos propensas a expressá-los ou a lançar mão do comportamento anti-social. Kapha perturba a mente bloqueando os canais e embotando os sentidos. Uma taxa elevada de Kapha (muco e água) em geral causa o embotamento mental, a congestão e a percepção deficiente.

As intranqüilidades psicológicas de Kapha envolvem o apego e a falta de motivação, levando à depressão, à tristeza e a mais apego. Nesses casos, a mente pode ser incapaz do pensamento abstrato, objetivo ou impessoal. Há certa falta de impulso e motivação a par da passividade e da dependência. Queremos continuar crianças, à espera de que cuidem de nós. Preocupamo-nos com o que os outros pensam a nosso respeito. Falta-nos a imagem positiva de nós mesmos, e refletimos passivamente o ambiente que nos cerca. Pessoas assim por vezes terminam aos cuidados de outras, e são incapazes de agir por si mesmas.

Entretanto, os tipos com Kapha acentuado podem sofrer de ambição e possessividade, o que torna a mente obtusa, lenta e grave. Essas pessoas querem controlar tudo e tudo possuir, além de considerar as pessoas como propriedade sua. Quando perdem o controle ou a posse, tornam-se psicologicamente instáveis.

Os distúrbios emocionais típicos de Kapha derivam do excesso de prazer, de alegria ou de apego na vida. Aspectos do estilo de vida da pessoa, como muito sono, o hábito de dormir durante o dia ou a falta de exercício, contribuem para essa condição. Um regime alimentar que aumente o Kapha, como açúcar demais ou óleo, é um outro fator. Os problemas emocionais se juntam a condições físicas típicas de Kapha, como excesso de peso e congestões. Os fatores educacionais envolvem ser notadamente mimado quando criança ou sufocado pelos pais.

Perfis de Aconselhamento Ayurvédico

Os tipos constitutivos do Ayurveda são a base de todo aconselhamento ayurvédico. São úteis para compreender os diversos tipos de pessoa e as ações recíprocas que podem ocorrer. Eles são uma extensão dos perfis psicológicos dos humores biológicos e de suas perturbações psicológicas características. Uma vez mais, esses são perfis gerais, e não devem ser considerados muito estritamente.

Vata

Os tipos Vata são nervosos, ansiosos ou medrosos. Por vezes se aborrecem, se desorientam e se distraem, ainda que não haja nenhum problema real em sua vida. Podem ser hesitantes e inseguros, o que podem demonstrar andando de um lado para outro ou tamborilando os dedos sobre o tampo da mesa. Sob a influência do ar ou do vento, essas pessoas têm dificuldade para se estabelecer ou para ficar à vontade. Têm muitas dúvidas acerca de si mesmas e de sua capacidade de se recuperar, bem como sobre qualquer tratamento e sua eficácia em ajudá-las.

Vez ou outra, elas se entusiasmam excessivamente ao começar uma terapia, mas isso raramente dura, e pode ter como conseqüência a renúncia ou a frustração. Elas esperam demais e querem resultados imediatos. Talvez procurem o terapeuta para que este as cure como que por mágica, e, quando isso não ocorre, elas se desapontam e procuram mudar de terapeuta. Essas pessoas amiúde não acham apoio e não conseguem se definir. Têm de se tornar realistas acerca de sua condição e do esforço necessário para sair dela. Devem pôr os pés no chão quanto a si mesmas e ao seu comportamento.

Os tipos Vata não raro têm uma atitude negativa acerca deles próprios. Têm mais aborrecimentos e preocupações falsas acerca de sua doença do que vêem melhorias. É comum que sejam hipocondríacos. Como parte do tratamento, precisam se acalmar e ter paz de espírito. Estão freqüentemente buscando atenção e simpatia, em vez de aprimorar a capacidade de compreensão. Agrada-lhes receber conselhos, mas são incoerentes no que concerne a segui-los. Precisam de muito tempo e paciência para mudar de fato. Seu estado de espírito é flutuante, por vezes de maneira dramática, e está ao sabor dos seus pensamentos. O desenvolvimento lento e constante, secundado pela paz de espírito, é o que essas pessoas devem almejar.

Tipos assim procuram o bem-estar e precisam de muita segurança, mas isso nem sempre os faz sentir-se seguros. Eles gostam de falar bastante sobre seus problemas, mas isso talvez não seja de grande ajuda. Teriam mais êxito se se valessem de algumas coisas práticas para melhorar-lhes a condição e se as implementassem de uma maneira consistente. Isso contribuiria para uma atitude realista sobre como lidar com sua condição, e não alimentaria a excessiva atividade mental dessas pessoas.

Os tipos Vata podem ver-se tão enredados em seus problemas, que não acham tempo para fazer algo sobre eles. Podem estar procurando tanto o apoio exterior, que não fazem as coisas que lhes permitiriam assumir o comando de sua própria vida. Precisam enfatizar a ação em vez do pensamento, a aplicação constante em vez da busca de resultados.

Precisam seguir um sistema de vida claro e compreensivo a fim de promover o equilíbrio em sua mente, atenuar sua força vital impetuosa e serenar seu coração sensível. A regra é tratá-los como a uma flor. Eles facilmente se assustam e estão propensos a recuar se abordados de modo agressivo. Eles têm de ser abordados com brandura, calma e determinação, a fim de que sintam o amparo dos outros, sem, no entanto, deixar que se tornem dependentes.

Pitta

Os tipos Pitta acham que já sabem quem são e o que estão fazendo. Quando têm problemas, comumente encontram alguém ou algo em que pôr a culpa, ou atribuem seus problemas a não serem capazes de realizar seus objetivos. Essas pessoas são mais perturbadas pelo conflito com outras pessoas, o qual, por vezes, exageram. O drama do conflito entre as pessoas dá a tônica para a mente e as emoções dessas pessoas. Esses conflitos podem ser interiorizados, e resultam no conflito consigo mesmo. Os tipos Pitta são inclinados a estar em guerra com eles mesmos, e com facilidade interiorizam o conflito exterior.

Por ter uma natureza belicosa, tendem a ser agressivos, críticos, por vezes irritadiços, e podem ser destrutivos. Talvez questionem as qualificações do seu terapeuta. Mais do que os outros tipos, essas pessoas se inclinam a dizer ao terapeuta o que este deve fazer por elas; é comum que elas reajam com raiva ou fazendo críticas se o tratamento não vai tão bem quanto esperavam.

Os tipos Pitta, sendo líderes naturais, gostam da autoridade, e ficam impressionados com referências a alguém que julgam importante; no entanto, as pessoas que realmente podem nos ajudar interiormente nem sempre são as que mais se destacam socialmente. Para achar um apoio verdadeiro, os tipos Pitta precisam ser mais receptivos, caso contrário podem cair na armadilha do seu próprio julgamento, que lhes causou problemas em primeiro lugar. Essas pessoas não devem procurar os que as podem impressionar ou dominar, mas quem possa ajudá-las de modo gentil porém enérgico, e que não seja arrastado para dentro de seus conflitos no que concerne à competitividade.

Esses tipos são muito inteligentes e esperam ser convencidos da validade dos tratamentos que estão fazendo. Precisam usar de sua introvisão crítica para compreender a causa de seus problemas, que estão no seu próprio comportamento, não entrar em conflito com os outros nem com eles mesmos. Devem aguçar sua discriminação a fim de assumir o controle de sua vida. Para fazer isso, precisam aprender o uso correto da inteligência e do exame de si mesmo.

Os tipos do fogo devem ser abordados com tato e diplomacia, pois não gostam que lhes dêem ordens, tampouco que lhes digam o que fazer. A pessoa deve apelar para a sua inteligência e lógica inatas, deixando que vejam por si mesmas a verdade das coisas. Opor-se-lhes só faz aumentar a sua agressividade fundamental, sem ajudá-las a aprender. Essas pessoas gostam de trabalhar com amigos ou de comum acordo com vistas a determinada meta. Circunstâncias tranqüilas, calmas e agradáveis abrandam-lhes a natureza feroz. Elas precisam de amigos prestimosos, e têm um bom desempenho no trabalho com os colegas, ou em virtude dos princípios que respeitam.

Quando os tipos Pitta sabem o que precisam fazer e compreendem os esforços que precisam despender, são comumente os melhores dentre os demais tipos no que tange a fazer mais mudanças no comportamento; contudo, essas pessoas podem ser excessivas ou fanáticas, necessitando por isso ser moderadas nos atos para que não se decepcionem inteiramente ao tentar levar a cabo coisas demais. Tendem a ser a favor ou contra alguma coisa, e vêem as coisas em termos de bem e mal. Devem aprender a buscar uma visão equilibrada e a se tornar ponderados e diplomáticos em suas atitudes.

Kapha

Por ter a natureza heterogênea e dócil da água, os tipos Kapha precisam ser estimulados e, às vezes, sofrer um abalo para que mudem a si mesmos. Essas pessoas não entendem "indiretas". Tampouco farão as coisas com as quais não concordaram. Por vezes, precisam sofrer algum tipo de oposição ou ser criticados para mudar maus hábitos. É preciso abordá-las de modo enérgico, determinado e coerente. A menos que tenham uma aguda consciência do problema, essas pessoas podem tentar aprender a conviver com ele.

Não basta que alguém lhes explique o problema e como resolvê-lo. Os tipos Kapha precisam de um "empurrãozinho" a mais que venha de fora, e isso pode requerer certa persistência. Pode ser necessária uma firme advertência para fazer com que essas pessoas atentem para o que estão fazendo. É preciso fazer com que vejam com clareza os efeitos negativos de seu estilo de vida pernicioso.

Os tipos da água são lentos para agir e acham difícil melhorar as coisas, mesmo depois que eles as aceitam como necessárias. Eles ficam atolados em sua própria inércia e inatividade, e acham difícil começar algo novo. Estão inclinados aos vícios e à depressão, o que os impede de desenvolver a iniciativa apropriada para melhorarem. Esses tipos não devem ser consolados, embora possam procurar consolo. O sentimentalismo que alimentam quanto à sua condição é um dos fatores que conservam essa condição. A maior parte de seus problemas advém da emotividade excessiva, e só podem ser mudados por um tipo de amor ou de desapego de ordem superior.

Os tipos Kapha tardam a reagir e têm dificuldade para discutir seus problemas. Precisam se abrir lentamente, mas precisam de determinação para fazer isso. Devem ser persuadidos a partir de sua própria complacência. Podem ver-se perplexos diante da informação excessiva. Reagem mais à prescrição de fazer certas mudanças coerentes e determinadas. Tendem a voltar aos velhos hábitos mesmo quando os sabem nocivos, particularmente se os hábitos são alimentados pelo ambiente.

Esses tipos precisam de consultas mais freqüentes com terapeutas, e de um intercâmbio constante que os estimule a começar; todavia, quando começam, o que pode demorar algum tempo, essas pessoas comumente continuam bem espontaneamente. Elas têm de romper com seus modelos profundamente arraigados, e estabelecer um novo equilíbrio antes que as deixemos seguir por conta própria. Quando isso é feito, a vida dessas pessoas pode prosseguir tranqüilamente e em paz. Elas podem se acostumar facilmente com o fluxo saudável de sua existência assim como com um tipo de vida não saudável. A dificuldade está na transição.

Vata-Pitta

Os tipos Vata-Pitta têm a volatilidade do ar e do fogo combinados. O medo e a raiva se misturam dentro deles de um modo imprevisível. Se algo não os deixa com medo, deixa-os furiosos. Estão prontos para ser defensivos e para suspeitar, julgando difícil confiar em alguém. Das atitudes agressivas passam às defensivas, das autojustificativas para criticar aos outros.

Esses tipos precisam ser tratados com muito tato, e têm de se empenhar em ser pacientes com eles mesmos. Por vezes, podem estar apenas procurando alguém em quem descarregar sua negatividade. Não raro suas reservas de energia e seu sistema imunológico não são bons (seu Oja tende a ser lento). Por essa razão, podem achar difícil suportar qualquer crítica. Essas pessoas precisam de muitos cuidados, paciência e consideração (água). Precisam criar um estilo de vida em que cuidem de si mesmas, e em que os outros as possam ajudar a fazer isso. Precisam de um ambiente de apoio, e têm de deixar que as outras pessoas participem de seu trabalho.

Os tipos Vata-Pitta comumente são bem perspicazes, e quando se sentem calmos e amparados, podem efetivamente se desenvolver numa linha útil de tratamento; contudo, sua volatilidade sempre pode aflorar, casos em que é preciso se precaver. Essas pessoas têm de ser coerentes, mas gentis em seu regime de vida, além de evitar excessos de toda sorte. Elas se beneficiam com a força materna (Kapha) que as torna integradas.

Pitta-Kapha

Os tipos Pitta-Kapha têm a energia (fogo) e a estabilidade (água), e geralmente são fisicamente os mais fortes dentre os outros tipos. Essas pessoas apresentam boa resistência e são muito saudáveis. São determinadas e estão contentes com o que são e com o que fazem. Psicologicamente, também são fortes, e são os menos propensos a procurar a ajuda de um terapeuta, a não ser que não tenham tido êxito na vida.

Os tipos Pitta-Kapha são faltos de adaptabilidade e de flexibilidade (ar). Preferem ser dominadores e controladores, tendendo à atitude conservadora e possessiva. Isso os leva ao sofrimento e à frustração posteriores, porque, evidentemente, a maior parte das coisas da vida deve continuar além do poder dessas pessoas. Elas por vezes sucumbem posteriormente, depois de fracassarem em alguma tarefa fundamental. No caso dessas pessoas, esse fracasso é amiúde uma bênção disfarçada, que as ajuda a olharem para dentro de si mesmas.

Conquanto possam ser bem-sucedidas no mundo exterior, talvez tenham dificuldades nas práticas espirituais, exceto quando aprendem a desenvolver a graça, o desapego e a renúncia. Essas pessoas precisam de mais atividade, criatividade e novos desafios (mais Prana). Necessitam aprender a deixar para trás aquilo em que foram bem-sucedidas e não deixar-se prender pelo poder e pelo comando. Quando se estabelecem em certa linha de tratamento, essas pessoas dão-se bem, a não ser que se apeguem ao próprio progresso. Por essa razão, é melhor para elas ter alguma variedade em seu tratamento e não transformar a terapia numa nova forma de realização ou conquista.

Vata-Kapha

Aos tipos Vata-Kapha falta energia, motivação, paixão e entusiasmo. Esses tipos simplesmente não apresentam a chama interior para prosseguir na vida, por muito que a possam querer. Por vezes são fracos, passivos, dependentes, hipersensíveis, demasiado yin. Concordarão com o que lhes dizem, mas não terão energia para pôr em prática a sugestão. São emocional e mentalmente instáveis, perturbam-se e assustam-se com facilidade. Têm personalidades heterogêneas ou camaleônicas, que aparecerão à medida que forem solicitadas. Suas opiniões e seu discernimento tendem a ser deficientes, e essas pessoas facilmente se deixam levar por relações impróprias ou por influências emocionais negativas.

Do lado positivo, os tipos Vata-Kapha são sensíveis, humildes e adaptáveis. Podem ser muito criativos e engenhosos. São ponderados quanto aos outros. Não demonstram violência nem má vontade para com ninguém, mas assumem a culpa eles mesmos. Tendem a ser ingênuos, e devem, por isso, ser mais realistas sobre as outras pessoas e sobre suas motivações. Têm de tomar cuidado para não serem usados nem controlados. Por isso, precisam ser mais firmes e desafiar os medos que sentem.

Essas pessoas reagem ao entusiasmo e à firmeza, mas é difícil para elas ser coerentes em suas reações. Elas precisam aprender a desenvolver a visão clara, a motivação e a determinação. É mais provável que alimentem a dependência quanto a seus terapeutas e se habituem a seus problemas; contudo, quando voltam sua sensibilidade profunda para a direção certa, podem ter acesso às fontes interiores de amor e graça, chegando a desenvolver o poder da cura.

Os Tipos Vata-Pitta-Kapha

Em algumas pessoas, os três humores biológicos existem em proporções relativamente iguais. O tratamento para elas não raro envolve lidar com o humor biológico em desequilíbrio no momento. Num nível psicológico, sua condição pode estar mudando. Essas pessoas precisam adaptar-se em seu tratamento, e também precisam de uma abordagem bem ampla. Em geral, é melhor tratar em primeiro lugar de quaisquer problemas relacionados com o Vata que essas pessoas possam ter, particularmente por meio de terapias psicológicas, porque, de todos os humores biológicos, Vata é o que mais propende a causar problemas. Os problemas relacionados com Pitta podem ser tratados em segundo lugar, porque são de menor importância, enquanto os problemas relacionados com Kapha são tratados em terceiro lugar por serem os menos difíceis.

Terapia de Equilíbrio para a Mente

O método ayurvédico do tratamento consiste em liberar uma condição negativa aplicando terapias de uma natureza oposta. Se Vata (ar) é muito elevado, por exemplo, suas qualidades relacionadas com o frio, a secura, a leveza e a agitação são elevadas. Isso se manifesta em sintomas como a ponta dos dedos fria, pele ressecada, prisão de ventre, perda de peso ou insônia. As terapias que se valem do regime alimentar rico e nutritivo, a massagem com óleo quente, o descanso e o relaxamento, são necessárias para fazer face a esse estado de coisas.

O mesmo princípio serve para a mente. O desequilíbrio psicológico é tratado com qualidades opostas para recuperar o equilíbrio. Esse método para a mente é chamado de Pratipaksha-Bhavana, em sânscrito.[50] Ele foi traduzido como "pensamentos pensantes de natureza oposta"; contudo, suas implicações vão além de nossas formas superficiais de pensamento. Ele significa "cultivar um estado equilibrado de consciência". Por exemplo, se a nossa mente é perturbada pela raiva, precisamos cultivar a paz. Isso requer não só ter pensamentos tranqüilos, mas assimilar impressões serenas, visualizando a paz entre nós e os outros, rezando por ela e deliberadamente agindo para com os outros, até para com os nossos inimigos, de uma maneira pacífica. Isso requer uma total disciplina.

Nossa consciência é o resultado da alimentação, das impressões e associações com que viemos nos acostumar. Ela é consolidada pelas nossas ações e expressões. Independentemente da força exterior que nos condicione, tornamo-la nossa ao expressá-la. Por exemplo, uma criança que viva num ambiente onde

Aconselhamento Ayurvédico e Mudança Comportamental

predomine a raiva será, provavelmente, uma criança raivosa. Quando ajo de maneira irada, essa ira, cujo impulso original era exterior, torna-se parte da minha natureza e das minhas reações automáticas.

A influência de nossa vida diária deixa uma impressão sutil. Ela confere certa coloração a nossa consciência, assim como o tintureiro colore um tecido. Esse caráter permeável da nossa consciência quanto às influências sutis da nossa vida nos predispõe a certas atitudes, que, por sua vez, determinam nossa felicidade ou infelicidade mental. A alimentação, as impressões e associações com que nos habituamos exercem um efeito penetrante sobre a mente. Essa ação penetrante se aprofunda mais que nossos pensamentos conscientes. A maior parte dela nos afeta num nível subconsciente, a exemplo das propagandas que nos manipulam com seu apelo a reações instintivas como, por exemplo, o sexo. Para fazer face a essas tendências profundamente arraigadas, é necessária uma influência de tipo contrário, um apelo ao subconsciente, mas dirigido de um modo superior com vistas à cura e à completude.

Para mudar o modo de pensar prejudicial, temos de cultivar um modo oposto da consciência, e isso equivale a criar um modo oposto de vida. Por exemplo, se estamos deprimidos, precisamos comer alimentos revigorantes. Precisamos nos entregar às impressões vitais da natureza: às árvores, às flores e ao brilho do sol. Deveríamos nos associar a pessoas criativas e voltadas para as coisas do espírito. Não deveríamos ficar pensando no fato de que estamos deprimidos. Em vez disso, deveríamos pensar que temos energia, que não dependemos de ninguém nem de nada para ser felizes. Isso requer que compreendamos a parte da nossa natureza que é inerentemente livre dos problemas psicológicos — nosso Eu Superior mais profundo.

Em conformidade com o pensamento védico, nossa natureza original é boa, benéfica e plena. Somos apenas o Eu Divino encarnado; contudo, ocultamos nossa natureza original por meio do contato com fatores condicionantes do mundo exterior. Assumimos uma natureza falsa ou artificial, uma identidade do ego que nos leva à tristeza. Qualquer problema psicológico que tenhamos não é nossa verdadeira natureza, mas uma superposição, uma conseqüência de um condicionamento errado; do ponto de vista do Ayurveda, trata-se tão-só da expressão de uma "indigestão" mental.

Por vezes, tentamos naturalmente contrabalançar nossos problemas psicológicos com influências opostas, mas de um modo equivocado: isso nos leva ao fracasso. Por exemplo, quando estamos deprimidos, procuramos alguém que nos alegre. Se não podemos achar alguém assim, ficamos mais deprimidos. Ou procuramos um estimulante. Bebemos café ou álcool ou tomamos um antidepressivo. Esses estimulantes do mundo exterior geram a dependência e nos põem mais deprimidos quando não estão à nossa disposição. O método que estamos tentando é correto, e visa contrabalançar nossa condição negativa com uma energia oposta positiva, mas o uso que dele fazemos é deficiente. Estamos contando com substâncias que apenas mascaram a nossa condição, mas não a podem resolver. Não estamos nós mesmos participando criativa e conscientemente do processo. Devemos criar uma energia positiva em nossa própria mente e em nosso comportamento para contrabalançar as condições psicológicas negativas. Podemos nos beneficiar das influências positivas do mundo exterior, mas devemos evitar as que geram o vício ou a dependência.

Esse cultivo de um estado equilibrado da mente não deveria ser confundido com um simples pensamento positivo. É mais do que isso. Não só requer pensar que estamos felizes quando estamos tristes, o que pode ser apenas uma ilusão, mas também mudar as condições que nos fazem infelizes, incluindo nossos pensamentos e nossas atitudes. Não deveríamos pintar de felicidade os pensamentos infelizes, mas afirmar a felicidade mais profunda no âmago do nosso ser. Para que uma terapia do equilíbrio funcione, temos de saber o quanto as qualidades das coisas nos afetam. Os capítulos seguintes examinam o papel da alimentação, das impressões e das ligações, para que possamos usá-las com vistas a voltar ao estado original de harmonia que é próprio da nossa natureza original.

11. O Ciclo da Nutrição para a Mente: O Papel das Impressões

De que modo podemos ter uma mente saudável? Como a nossa consciência, a exemplo do corpo, pode tornar-se forte, flexível, versátil e paciente? Assim como há regras para criar a saúde física, há também regras para criar a saúde mental. O mais importante de tudo é que, assim como o corpo precisa da alimentação correta para a saúde, a mente também precisa.

A mente é uma entidade orgânica, uma parte da Natureza, e tem seu ciclo de nutrição, que envolve a absorção de substâncias que a compõem, como as impressões, e eliminar substâncias desnecessárias, que podem transformar-se em toxinas, como as emoções negativas. O alimento para a mente, como para o corpo, cria a energia que permite o seu funcionamento. Como o corpo, a mente tem seu próprio exercício e expressão, que requerem uma correta alimentação que a sustente.

Embora a maior parte de nós considere de que modo alimentamos o nosso corpo, raramente leva em conta de que modo alimentamos a nossa mente. Vemo-nos por vezes tão presos em nossos impulsos emocionais, que não alimentamos nossa mente com propriedade. Em conseqüência disso, ela se torna distorcida. Seu impulso natural para a luz e o conhecimento se deforma na busca de prazer e na exaltação de si mesma. Para mudar a mente, temos de mudar o alimento que lhe damos. A menos que aquilo que absorvemos em nossa mente venha a mudar, não poderemos alterar as conseqüências disso; porém, quais são as substâncias que alimentam a mente? Enquanto não tivermos consciência disso, não poderemos ir muito longe no tratamento da mente.

Neste capítulo, examinaremos pormenorizadamente os principais fatores da nutrição e da digestão da mente. Diversos métodos serão dados para que o leitor melhore sua nutrição mental e aumente a capacidade de sua digestão mental.

Físico — Alimento

O primeiro nível de alimentação para a mente dá-se por meio da comida que ingerimos, o que fornece os elementos grosseiros da terra, da água, do fogo, do ar e do éter. A essência do alimento digerido serve para formar não só a mente e o tecido nervoso mas também a matéria sutil da mente (ver o capítulo sobre o Regime Alimentar e as Ervas). Os cinco elementos grosseiros constituem o corpo físico diretamente e, indiretamente, a mente. Por exemplo, o elemento terra no alimento que ingerimos, como as proteínas, constitui a matéria pesada do corpo, como os músculos, e ajuda a firmar e estabelecer a mente por meio do acréscimo do elemento terra nela.

Sutil — Impressões

O segundo nível de nutrição para a mente dá-se por meio das impressões e experiências que absorvemos por meio dos sentidos. Por via deles, assimilamos impressões do mundo exterior: as cores, as formas e os sons que nos cercam, que constituem os elementos sutis. Os cinco potenciais sensoriais constituem diretamente a mente exterior (Manas) e indiretamente a mente interior ou consciência mais profunda (Chitta). As impressões sensoriais colorem nossos pensamentos e afetam os nossos sentimentos. A própria mente (Manas) absorve impressões mentais e emocionais que a afetam mais fortemente.

Elementos Grosseiros e Sutis Correspondentes

1) Terra   olfato

2) Água   paladar

3) Fogo   visão

4) Ar   tato

5) Éter   audição

6) Mente   impressões mentais e emocionais

Causal — Gunas

O terceiro e mais profundo nível da nutrição para a mente, que determina a natureza de nossa consciência mais profunda (Chitta), dá-se por meio dos três gunas de Sattva, Rajas e Tamas. Os elementos grosseiros e sutis (a alimentação e as impressões) afetam nossa consciência profunda de acordo com seus gunas constituintes. O mais importante de tudo é que somos afetados pelos gunas das pessoas com quem nos relacionamos no nível do coração. Afinal de contas, nossos relacionamentos deixam a maior impressão sobre nós. Eis por que o relacionamento correto é tão importante no tratamento da mente. Nossa consciência mais profunda é o nível do coração.

Os gunas são o nível fundamental da matéria (Prakriti) e não podem ser destruídos, mas transformados, que é o que nossa alimentação, nossas impressões e associações afetam. O alimento, as impressões e os relacionamentos sáttvicos ativam as qualidades sáttvicas da consciência, como o amor, a lucidez e a paz. O alimento, as impressões e relações rajásicas ativam suas qualidades rajásicas — a paixão, o temperamento crítico, e a agitação. O alimento, as impressões e os relacionamentos tamásicos ativam as qualidades tamásicas da insensibilidade, da ignorância e da ociosidade. Chitta, nossa consciência mais profunda, é o produto máximo da digestão do alimento, das impressões e das associações. Ter uma consciência saudável requer que consideremos os três níveis da nutrição. As impressões e os relacionamentos caminham juntos na condição de principais fatores de nossa experiência.

A Digestão Mental

Não temos de considerar só a natureza do alimento que ingerimos, mas também a nossa capacidade de o digerir. Mesmo quando ingerimos boa comida, se nossa digestão é ruim, essa comida pode tornar-se uma toxina. A mente, como o corpo, apresenta sua capacidade digestiva ou o fogo digestivo (Agni) que é inteligência (Buddhi).

A mente existe para fornecer a experiência e a libertação para a alma. A experiência que digerimos ou entendemos traz a liberdade e possibilita a expansão da consciência, assim como o alimento que digerimos libera a energia que nos permite trabalhar. A experiência que não digerimos torna-se uma toxina e inicia diversas mudanças patológicas na mente, assim como a comida não-digerida causa o processo da doença no corpo físico. Assim como o alimento bem digerido traz a harmonia do físico, e a comida mal digerida causa a doença, a experiência bem digerida traz a harmonia da mente, e a experiência mal digerida acarreta as perturbações mentais.

A mente apresenta o seu próprio tipo de digestão, que semelha o do corpo físico.

1. A Mente e os Sentidos Exteriores — Acúmulo das Impressões

Os cinco sentidos absorvem impressões, como as mãos e a boca participam do processo de assimilação do alimento. Essas impressões se acumulam na mente exterior (Manas), que as organiza, mas que não tem a capacidade de as digerir. A mente exterior corresponde ao estômago no corpo físico, que agrega e torna homogêneo o alimento, sem poder fazê-lo decompor-se e sem ter como absorvê-lo.

2. A Inteligência — Digestão da Experiência

Depois que a mente exterior reuniu e tornou homogêneas as nossas impressões, a inteligência (Buddhi) trabalha para digeri-las. A inteligência é o Agni ou o fogo da digestão para a mente, e corresponde ao intestino delgado na forma de um órgão físico. A inteligência digere as impressões e faz delas experiências. Faz com que os acontecimentos presentes se tornem lembranças.

A digestão mental apropriada depende da função adequada da inteligência, por meio de que discernimos a verdade da nossa experiência a partir de seus nomes e formas exteriores. Ela nos ajuda a extrair o guna Sattva de nossas experiências e a liberar os componentes rajásicos ou tamásicos. A digestão mental inadequada dá-se quando não conseguimos decompor os nomes e as formas da nossa experiência em energias de verdade. Então, os nomes e as formas não digeridos acumulam-se na mente e bloqueiam-lhe a percepção. Confundimos a aparência das coisas com o seu sentido ou com o seu conteúdo de verdade.[51]

3. A Consciência — a Absorção da Experiência

Depois que a inteligência digeriu suas impressões, estas, na forma de experiência ou de memória, vêm fazer parte da nossa consciência mais profunda (Chitta), a que afetam de acordo com suas qualidades (gunas). A experiência absorvida na consciência mais profunda se torna parte de seu tecido, assim como o alimento digerido se torna parte do tecido do corpo físico. Se nossa experiência não é digerida a contento, ela prejudica a substância da mente, assim como o alimento mal digerido prejudica os tecidos do corpo. A experiência que digerimos deixa uma marca ou uma cicatriz na mente na forma de lembranças, mas nos permite agir na vida com paz e lucidez.

Examinemos alguns exemplos desse processo. Quando vemos, embevecidos, um belo pôr-do-sol, essa impressão é digerida facilmente e deixa uma energia de paz e luz na consciência mais profunda. Se alguém nos ataca ou nos rouba, contudo, nossa mente se perturba. A experiência é difícil de digerir, e deixa certo resíduo de raiva, frustração ou medo. Nossa vida está cheia de tais exemplos. As experiências não digeridas afloram de novo de nosso subconsciente, influenciando nosso estado mental do momento, até que as compreendamos e as resolvamos.

Os Três Estados da Vigília, do Sonho e do Sono Profundo

No estado de vigília, acumulamos as impressões por meio da mente exterior (Manas) e dos sentidos. No estado do sonho, digerimos as impressões mediante nossa inteligência interior (Buddhi), e elas se refletem por meio de nossos sentidos sutis na forma de sonhos variados. No sono profundo, o resíduo de nossas impressões digeridas, reduzidas à forma de semente, se torna parte de nossa consciência mais profunda (Chitta).

Nossos sonhos revelam o processo da digestão mental. Os sonhos bons refletem a digestão mental satisfatória. Os maus mostram a digestão mental insatisfatória.[52] De modo semelhante, o bom sono profundo reflete a consciência bem desenvolvida em seu conjunto. A incapacidade de conservar o sono profundo revela a consciência desenvolvida de modo insatisfatório em seu conjunto.

A Desintoxicação da Mente

A desintoxicação é tão necessária para a mente quanto para o corpo; no entanto, para que a desintoxicação comece, temos de, primeiro, parar de assimilar toxinas. Para o bem-estar da mente, deve haver em primeiro lugar uma prevenção quanto a impressões e experiências equívocas que possam integrar-se na nossa consciência, assim como devemos evitar a alimentação errada para que continuemos bem fisicamente.

Em segundo lugar, deve haver uma inteligência forte para digerir as impressões com propriedade. Temos de nos empenhar em evitar as experiências negativas tanto quanto possível. Quando não nos é dado fazer isso, temos de ter inteligência o bastante para digerir até mesmo as impressões perturbadoras, nem sempre evitáveis. Eliminar as toxinas da consciência envolve interromper-lhes a absorção, e isso requer o controle da mente e dos sentidos, bem como dirigir a luz da inteligência interior para acabar com as experiências negativas que já absorvemos.

Assim como jejuar contribui para desintoxicar o corpo, o jejum das impressões desintoxica a mente. Quando cessa a absorção de impressões, a consciência, cuja natureza é o espaço, naturalmente se esvazia. Seus conteúdos ascendem ao nível da inteligência, que os pode então digerir com propriedade. Isso requer exame profundo, concentração e meditação. Quando a mente e os sentidos exteriores se abrandam e serenam, afloram nossos pensamentos interiores. Os hábitos e as lembranças profundamente arraigados vêm à tona. Quando aprendemos a observá-los e a compreendê-los, podemos deixar que se vão, mas isso implica que estejamos inclinados a nos ver livres deles.

O Nível Físico da Desintoxicação — O Regime Alimentar Puro

Os acúmulos tóxicos dos elementos grosseiros, sobretudo da terra e da água, são eliminados do corpo físico por meio dos canais excretores comuns na forma de urina, suor, etc. A desintoxicação ayurvédica especial tem por escopo nos ajudar a liberar os excessos dos três Doshas junto com esses elementos dispensáveis.[53] O jejum é uma outra medida importante, que permite ao corpo eliminar as toxinas. Também algumas ervas especiais podem ser de valia.

O Nível Sutil da Desintoxicação — Pranayama

As impressões negativas (os elementos sutis) são eliminadas principalmente por meio do Pranayama ou exercícios de respiração yogue, que criam um tipo especial de suor, liberando o excesso de água sutil e de elementos da terra (paladar e olfato). As terapias que tratam do suor comum ajudam nesse processo, incluindo o uso de saunas, banhos turcos e ervas diaforéticas (que fazem a pessoa suar). A terapia do suor faz parte da terapia ayurvédica do Pancha Karma, que ajuda na purificação do corpo sutil bem como do corpo grosseiro. Fazer um "jejum" de impressões (Pratyahara) é um outro método útil, que, como o jejum de alimentos, contribui para que as impressões não-digeridas e tóxicas sejam liberadas. Chorar — as lágrimas sinceras que refletem uma real mudança do coração — é outro expediente para que a mente se purifique das emoções negativas.

O Nível Causal da Desintoxicação — Mantra

Os gunas são o nível essencial da matéria e são indestrutíveis. Não há nenhuma liberação de gunas da consciência (Chitta) mas eles podem ser transformados. O acúmulo de toxinas dos gunas (Rajas e Tamas em excesso) pode mudar-se em Sattva. Isso ocorre por meio dos mantras ou da terapia dos sons. Os mantras sáttvicos, como o OM, ajudam a mudar os modelos rajásicos e tamásicos na nossa consciência mais profunda e a torná-la sáttvica. Eles alteram o tecido de Chitta e a tornam receptiva a influências superiores.

O Cultivo do Campo da Consciência

A consciência (Chitta) é um campo, e, como a terra, apresenta uma qualidade feminina e criativa. O que colocamos nela, em termos da nossa experiência de vida, equivale a como cultivamos esse campo. De acordo com isso, as coisas se desenvolverão interiormente. Se o nosso campo da consciência é cultivado com alimentação e impressões boas, então os hábitos e os impulsos ruins não terão um ambiente favorável em que deitar raízes. Se ingerirmos alimentos e impressões ruins, nem mesmo os pensamentos e impulsos bons terão um terreno favorável em que possam se desenvolver.

Podemos de novo traçar uma comparação física. Se constituímos nossos tecidos corpóreos com alimentação incorreta, esses tecidos serão prejudicados e apresentarão deficiências. Quando a estrutura do corpo é abalada, torna-se difícil manter a saúde. De modo semelhante, a consciência apresenta a sua substância, criada com o correr do tempo. Se ela se desenvolve de modo errado, a exemplo de uma árvore que tenha crescido de maneira incorreta, ela pode requerer muito tempo e esforço para se fixar, se é que venha a ter condições de fazer isso.

A consciência também é como um poço profundo. O que assimilamos por meio dos sentidos e da mente é como as coisas que lançamos ao poço. Não percebemos os efeitos do que absorvemos porque o poço é por demais profundo; no entanto, tudo o que arremessamos ao poço da consciência se desenvolve de acordo com a sua natureza e, posteriormente, nos impele a agir. Nada do que colocamos em nossa consciência continua estático ou deixa de apresentar efeitos. A consciência é fecunda e criativa. Tudo o que nela depositamos tem suas conseqüências, com que teremos de lidar por bem ou por mal.

Devemos ter muito cuidado no modo como alimentamos a mente. As conseqüências se manifestarão com o tempo, depois do que talvez seja tarde demais para reverter as conseqüências, se forem negativas. Constantemente, temos de resguardar nossa consciência e o que introjetamos nela. Temos de tratá-la como uma flor delicada que requer terreno e nutrientes apropriados. Temos de protegê-la de influências e associações negativas como se fora uma criança. Isso requer uma inteligência clara e um regime de vida coerente, em harmonia com nossa natureza.

Os Fatores da Nutrição Mental

Para tratar a doença, física ou mental, temos de considerar os seguintes fatores de nutrição: 1) comida e bebida apropriadas; 2) ar puro e respiração correta; e 3) impressões apropriadas. Além do ar puro, a comida e a bebida certas alimentam o corpo físico e os Pranas. As impressões apropriadas alimentam a mente e os sentidos exteriores. Nossas impressões servem de veículos para os sentimentos, as emoções, as crenças, os valores e as atitudes que alimentam nossa inteligência e nossa consciência mais profunda.

Para alimentar com propriedade a mente, o Ayurveda usa certas técnicas envolvendo impressões, emoções, pensamentos e atitudes positivas. O lado físico da nutrição mental ou o alimento é examinado no capítulo sobre regime alimentar e ervas. O uso da respiração é tratado no capítulo sobre Yoga com relação ao Pranayama. No restante deste capítulo, examinaremos os fatores interiores que afetam a mente, sobretudo diversos tipos de impressões.

As Impressões Sensoriais

Os sentidos são os nossos portões principais para o mundo exterior, por meio de que assimilamos não apenas influências sensoriais, mas também mentais e emocionais. O uso apropriado e equilibrado dos sentidos nos torna saudáveis e felizes. O uso impróprio, excessivo ou deficiente dos sentidos faz de nós pessoas sem saúde e perturbadas. Nossos sentidos estão continuamente nos alimentando com impressões, o que determina quem somos e aquilo em que vamos nos transformar.[54]

Com freqüência estamos assimilando impressões sensoriais de toda sorte, as quais devem nos afetar de modos diversos. Despendemos grande parte de nosso tempo assimilando impressões sensoriais específicas por meio de formas de recreação e entretenimento; contudo, na maioria das vezes, estamos tão absorvidos com o mundo dos sentidos, como quando assistimos a um filme, que não conseguimos recuar e examinar o que está nos acontecendo por meio de nossas interações sensoriais.

A absorção de impressões é uma forma sutil de alimentação, na qual certos nutrientes são assimilados a partir de objetos exteriores. Podemos observar isso facilmente atentando para o quanto nossas impressões diárias reverberam em nossa mente quando dormimos e temos os tipos de sonho que elas criam. Por exemplo, se ficamos presos na confusão do trânsito numa parte barulhenta e poluída de uma cidade grande, nossa mente também dará a impressão de estar ruidosa e, de alguma forma, "poluída". Por outro lado, as impressões positivas, como as acumuladas durante uma longa caminhada pelos campos, farão com que a mente dê a impressão de expandir-se e de estar em paz.

Contudo, atualmente muitas pessoas, incluindo as que trabalham na área da medicina, não aceitam que as impressões sensoriais influenciem a mente. Essa controvérsia é mais evidente na questão da violência na televisão que, como muitas pessoas afirmam, não torna violentos os que assistem a ela. Para o Ayurveda, isso é como dizer que o alimento que comemos não afeta a nossa saúde. O Ayurveda ressalta que as impressões que assimilamos afetam diretamente nosso comportamento. Assistir à violência na tevê talvez não faça de nós pessoas visivelmente violentas, contudo, não nos faz pessoas não-violentas. E certamente faz de nós tolos, na dependência de estímulos externos de uma natureza desvirtuada.

A mente é bastante sensível às impressões. As impressões que temos alimentam nossa energia vital e nos motivam a agir. As impressões perturbadas causam expressões perturbadas. Impressões pacíficas, expressões pacíficas. Só quando temos muita percepção interior é que podemos efetivamente nos precaver das impressões negativas com que todos certamente entraremos em contato em certa medida.

As impressões são assimiladas por meio da mente exterior, que se baseia na sua receptividade a elas. Elas são examinadas ou digeridas pela inteligência, e o resíduo delas é depositado na natureza ou na consciência sensível. Lá, todo resíduo de impressões equívocas torna-se inerente na forma de um bloqueio no campo mental, o que resulta em diversas percepções e atos equivocados. Não absorvemos automaticamente as influências sensoriais. Podemos discerni-las por meio da função apropriada da inteligência. Isso requer discernir-lhes a verdade, e não cair vítima do seu encantamento.

Existe toda uma ciência das impressões. Assim como o alimento que comemos pode ser examinado por meio de nossa digestão e da eliminação desse alimento, os efeitos das impressões podem ser observados de várias formas. Muitas doenças mentais afloram da assimilação de impressões erradas, e podem ser curadas por meio da assimilação de impressões corretas. Como é mais fácil mudar nossas impressões do que alterar nossos pensamentos e emoções, as impressões nos facultam talvez o modo mais simples de mudar todo o campo mental.

O Ciclo da Nutrição para a Mente: O Papel das Impressões

Sinais da Assimilação Adequada das Impressões

exatidão do funcionamento dos sentidos
controle da imaginação
sono profundo, com poucos sonhos ou com sonhos sobre as coisas do espírito
a pessoa não tem necessidade de entretenimento
percepção clara das coisas, capacidade de expressão criativa
leveza da mente, paz e luminosidade

Sinais da Assimilação Imprópria das Impressões

funcionamento inadequado dos sentidos
imaginação perturbada
sono intranqüilo, sonhos agitados ou repetidos
ânsia por divertimentos violentos ou agitados
percepção embotada, falta de criatividade
lentidão da mente, desequilíbrio e falta de lucidez

Impressões Positivas e Negativas

A principal fonte de impressões positivas é a própria Mãe Natureza — as impressões do céu, das montanhas, das florestas, dos jardins, dos rios e do oceano. Quem não se sente enlevado tendo à volta belas paisagens naturais? Uma grande parte da nossa atual inquietação psicológica deve-se tão-só à alienação quanto à Natureza, que nos despoja das impressões naturais ao bem-estar da mente. Em vez de assimilar impressões naturais positivas, enchemos a mente de sensações artificiais de nosso mundo artificial. Assim como a comida enlatada afeta o corpo, as impressões "enlatadas" devem prejudicar a mente.

Podemos criar nossas próprias impressões positivas. Grande parte do que se chama boa arte é uma tentativa de criar um nível superior de impressões que afetam o nosso ser interior. A religião almeja alcançar esse objetivo por meio dos rituais, dos mantras ou da visualização.

Toda impressão separada da Natureza, da arte genuína ou da espiritualidade, deve ter algumas conseqüências negativas. Atualmente, a principal fonte de impressões negativas são os meios de comunicação de massa, embora nem todas as impressões desses meios sejam ruins. As impressões dos ambientes artificiais como estradas ou cidades também perturbam. As impressões de conflitos pessoais ou de outros problemas com pessoas também podem ser muito negativas.

As impressões negativas, como alimento de má qualidade, tornam-se viciosas. Como o alimento de má qualidade apresenta poucos elementos realmente nutritivos ou gosto natural, é preciso torná-lo saboroso, acrescentando a ele grandes quantidades de sal, açúcar ou de condimentos. Como ele não apresenta nenhum conteúdo nutritivo real, somos impelidos a ingeri-lo em doses mais elevadas, tentando tirar dele alguma energia. O condimento para as impressões negativas é o sexo e a violência. Pelo fato de não haver nenhuma vida real nas impressões dos meios de comunicação de massa, temos de conferir-lhes a ilusão da vida retratando os acontecimentos mais dramáticos da vida.

Podemos assimilar as impressões positivas de duas formas: a primeira diz respeito ao ambiente familiar imediato, a segunda ao ambiente em geral, que inclui o lugar de trabalho, a sociedade e o mundo natural. Para alimentarmos a mente, precisamos ter a beleza e a harmonia em nosso ambiente familiar. Temos de ter um lugar de paz e de felicidade. Para realizar isso, é necessário criar um espaço sagrado ou de cura na casa. Há várias formas de fazer isso. Em geral, deve-se reservar um cômodo para a atividade espiritual e criativa. É possível fazer um altar com quadros de divindades ou gurus, com objetos sagrados como estátuas, pedras preciosas ou cristais, ou com formas harmoniosas, cores ou configurações geométricas. O incenso, as flores, os aromas, os sinos ou a música podem ser usados. A pessoa deveria orar, meditar ou relaxar diariamente nesse recanto.

Idealmente, nossa casa deveria ser um templo, mas pelo menos uma parte dela deveria ser conservada como um local de cura e meditação, aonde podemos ir para nos renovar. Deveríamos freqüentar esse lugar para a cura toda vez que nossa energia física ou mental desse mostras de debilidade. Em casos graves, um paciente pode ter de ficar num lugar como esse por longos períodos.

Em termos de ambiente exterior, é preciso restabelecer nossa comunicação com a Natureza. Deveríamos despender certa quantidade de tempo regularmente em comunicação com a Natureza. Podemos caminhar pelo campo, acampar ou apenas trabalhar no jardim. Temos de absorver em nossa vida a energia do céu, das montanhas, das campinas e das águas. Temos de nos ligar à energia vital cósmica que é a única coisa que tem o poder de curar nossa energia vital individual. Esta não pode curar a si mesma se se torna um sistema fechado, isolado da Natureza.

Temos de absorver impressões elevadas no local de trabalho. Uma pequena parte dele talvez possa ser convertida num altar ou pelo menos num jardim. Temos de absorver impressões elevadas na ação social em conjunto com as outras pessoas. Pode-se fazer isso indo-se a locais que despertem as pessoas para a espiritualidade, como os templos, cantando, participando de rituais ou de meditação em grupo.

As Impressões para Diminuir os Três Doshas

As páginas seguintes apresentam um resumo das impressões para diminuir os Doshas. Estes são explicados pormenorizadamente nos capítulos sobre regime alimentar, ervas, aromas, terapia das cores, mantras, Yoga e meditação.

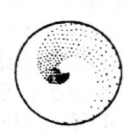

Impressões que Reduzem Vata

Da Natureza: com a pessoa sentada ou andando silenciosa e serenamente por um jardim, por uma floresta, por um rio, lago ou oceano, sobretudo em local iluminado e onde o clima seja quente.

Dos sentidos:
1. Audição — música relaxante e canto, música clássica, canto, silêncio e tranqüilidade.
2. Tato — toque ou massagem leve, valendo-se de óleos quentes, como sésamo ou amêndoa.
3. Visão — cores vivas e ao mesmo tempo relaxantes, como combinações de dourado, laranja, azul, verde e branco.
4. Paladar — alimentação rica e nutritiva, com bastante açúcar, sal, ou substâncias amargas, com uso moderado de condimentos.
5. Olfato — aromas suaves, frescos, relaxantes, como jasmim, rosa, sândalo e eucalipto.

De atividades: exercícios leves, Hatha Yoga (particularmente com a pessoa sentada ou com inversão de postura), Tai Chi, natação, banhos quentes (não muito longos), relaxamento, mais sono.

Em virtude das emoções: cultivar a paz, o contentamento, a coragem e a paciência; liberar o medo e a angústia, com o apoio de amigos e da família e com atividades regulares na sociedade.

Da mente: mantras anti-Vata, como Ram, Hrim ou Shrim, exercícios de concentração, de fortalecimento da memória.

Do espírito: meditação tendo como tema as divindades poderosas, benéficas, felizes ou pacíficas, como Rama e Krishna; ou formas protetoras da Mãe Divina (como Durga ou Tara) ou do Pai Divino; orações para a paz e para a segurança, cultivo do discernimento e das visões interiores.

Impressões que Reduzem Pitta

Da Natureza: com a pessoa sentada ou andando perto de flores, de rios, de um lago ou do mar, sobretudo quando está frio; com a pessoa andando à noite, olhando o céu, a lua e as estrelas.

Dos sentidos:
1. Audição — música repousante e suave, como o som de flautas, o rumor da água.

2. Tato — toque relaxante, leve e suave, e massagem com óleos frios, como óleo de coco e de girassol.
3. Visão — cores frias, como o branco, o azul e o verde.
4. Paladar — alimentos nem pesados nem muito leves, ricos em substâncias doces, amargas e adstringentes, com pouca quantidade de condimento, à exceção das substâncias que acalmam, como o coentro, o açafrão da Índia e a erva-doce.
5. Olfato — aromas frescos e suaves como rosa, sândalo, vetiver, champô, gardênia ou jasmim.

De atividades: exercícios moderados, caminhadas, natação, Asanas como da posição do ombro.

Em virtude das emoções: cultivar amigos, a delicadeza e a cortesia, promover a paz, o perdão, a compaixão e a devoção; liberar a raiva, o ressentimento, o conflito e o ódio.

Da mente: mantras anti-Pitta, como Shrim, Sham ou Ma; a prática de não julgar e de aceitar, de ouvir os pontos de vista de outras pessoas.

Do espírito: meditação tendo como tema as divindades benéficas e de paz, como Shiva (em seu aspecto sereno), Vishnu; ou formas benfazejas da Mãe Divina (como Lakshmi); orações pela paz universal, cultivo da renúncia e da receptividade.

Impressões que Reduzem Kapha

Da Natureza: passeios ou caminhadas vigorosas por regiões áridas ou desérticas, por montanhas altas, ou em dias de sol e de frio em áreas abertas.

Dos sentidos:
1. Audição — música estimulante, sons fortes e energizantes, hábito de cantar.
2. Tato — massagem vigorosa com pós ou óleos estimulantes, como o de mostarda.
3. Visão — cores vivas e estimulantes, como o amarelo, o laranja, o dourado e o vermelho.
4. Paladar — regime alimentar leve, com ênfase no gosto forte, amargo e adstringente e no livre uso de condimentos; jejum ocasional.
5. Olfato — aromas suaves, estimulantes e penetrantes, como almíscar, cedro, mirra, cânfora e eucalipto.

De atividades: exercícios aeróbicos, *jogging*, tomar sol, banhos de vapor, saunas, diminuir as horas de sono.

Em virtude das emoções: cultivar o desapego, os serviços prestados a outras pessoas e o amor altruísta; livrar-se da ambição e do apego.

Da mente: mantras anti-Kapha, como Aim, Krim ou Hum, exercitar a atenção, exercícios para a mente e jogos (como o xadrez), romper com o passado e com a tradição.

Do espírito: meditação sobre divindades enérgicas ou iradas, incluindo as formas poderosas da Mãe Divina (como Kali) ou do Pai Divino (como Rudra), meditação tendo como tema o Vácuo ou a luz interior.

12. Modalidades Exteriores do Tratamento: Regime Alimentar, Ervas, Massagem e Pancha Karma

Não é provável que tenhamos êxito no tratamento da mente enquanto não considerarmos também o estado do corpo. Neste capítulo, examinaremos os métodos de tratamento físico do Ayurveda, e o modo como podem ser usados no que concerne à mente. Esses métodos começam com os fatores fundamentais — o regime alimentar, as ervas e a massagem. Pelo fato de eles serem explicados com pormenores em livros comuns de Ayurveda, haveremos de os examinar apenas de modo geral.

O Regime Alimentar

O alimento que ingerimos não afeta apenas o nosso corpo, mas também a mente como um todo. A qualidade desses alimentos determina a qualidade da nossa consciência. De modo semelhante, a não ser que mudemos nosso regime alimentar, será pouco provável que possamos mudar nossa consciência. Podemos facilmente observar de que modo os diversos alimentos exercem sua influência sobre nós. O alimento pesado, como o bife, torna a mente pesada e pode causar irritabilidade, embotamento e depressão. Os alimentos leves, como frutas e saladas, deixam a mente leve e, em excesso, causam a dispersão e a insônia. Os alimentos equilibrados e cheios de força vital, como grãos integrais e vegetais cozidos, melhoram a função sensorial e promovem a harmonia e a lucidez da mente. Se quisermos abrandar nossas emoções e aguçar nossa consciência, não podemos ignorar os alimentos que comemos, tampouco nossos hábitos alimentares.

O regime alimentar é uma das terapias mais importantes no Ayurveda. De fato, o tratamento ayurvédico principia com o regime alimentar correto. Afinal,

Modalidades Exteriores do Tratamento

O corpo físico é constituído pelo alimento que compõe os tecidos. Embora a dieta não seja fundamental para tratar estados psicológicos, ela não pode ser ignorada. Uma dieta alimentar ayurvédica pode ser um fator muito útil para tratar a mente. Essa seção não visa descrever uma terapia completa de um regime alimentar ayurvédico. O leitor poderá conseguir isso em outros livros sobre Ayurveda.[55] Aqui, ocupar-nos-emos sobretudo dos efeitos que a alimentação exerce sobre a mente e as emoções.

A alimentação fornece os três níveis de nutrição: 1) Físico (nível exterior) — cinco elementos; 2) Mental (nível interior) — impressões sensoriais e mentais; 3) Espiritual (nível central) — os três gunas.

A alimentação em si é uma substância física composta dos cinco elementos da terra, da água, do fogo, do ar e do éter. Ela fornece o primeiro nível, ou físico, da nutrição diretamente, e os outros dois, indiretamente. O segundo e terceiro níveis de nutrição ocorrem nos níveis da mente (Manas) e da consciência (Chitta) respectivamente. Isso foi analisado nos capítulos referentes às terapias sensoriais e às funções da mente.

Entretanto, porque o alimento afeta os outros níveis de nossa natureza por meio de um veículo físico, ele exerce sua influência profundamente no inconsciente. O alimento abastece a força vital que conserva os reflexos autônomos e instintivos. Por meio da força vital, os efeitos do alimento podem chegar aos impulsos emocionais arraigados em nossa consciência mais profunda. Por via da energia vital, o alimento nos impele a determinadas atividades, de acordo com sua natureza. Por exemplo, se ingerimos muita carne, esta se acha perpassada da energia proveniente dos danos a outras criaturas, o que contribui para que tenhamos atos agressivos e talvez violentos.

Durante o processo da alimentação, nossa força vital e nossa mente se tornam vulneráveis e expostas a influências do ambiente. Nosso Prana torna-se vulnerável. Comendo, tornamo-nos alvo de impressões e sentimentos do mundo que nos cerca. Somos muito influenciados pelas pessoas enquanto nos alimentamos em sua companhia, especialmente em encontros sociais, como num restaurante. Não somos apenas o que comemos, mas também absorvemos algo das pessoas com quem comemos, bem como do lugar onde fazemos isso.

Os impulsos do inconsciente são a parte mais difícil de ser mudada no que diz respeito à percepção, e a fonte dos medos ocultos e dos desejos que mais nos perturbam. Portanto, não devemos subestimar o poder que o alimento tem de afetar os nossos pensamentos e comportamento. O controle do regime alimentar ajuda no comando do subconsciente e na liberação de seu conteúdo. Como os problemas psicológicos estão arraigados no inconsciente, a dieta não deve ser desprezada quando estamos às voltas com esses problemas.

A maior parte dos problemas psicológicos reflete nossos hábitos alimentares, no que concerne ao que comemos e ao modo como fazemos isso. Eles fazem com que nos alimentemos erroneamente ou de maneira irregular. Todo desequilíbrio na mente perturba o sistema digestivo por meio do sistema nervoso. Corrigir o regime alimentar ajuda a eliminar os hábitos inconscientes que causam intranqüilidade mental.

Os Níveis de Nutrição Através da Alimentação

O alimento fornece a energia por meio dos cinco elementos, predominantemente a terra. Os seis tipos de paladar do alimento ajudam a formar os elementos respectivos no corpo e na mente (ver tabela abaixo).

Elemento	No/Na	Energiza
Terra	Alimento sólido	Órgãos internos, músculos, pele, ossos e outros tecidos em que predomina o elemento terra
Água	Alimento líqüido	Membranas mucosas, secreções, plasma, gordura, os nervos, e outros tecidos relacionados com a reprodução em que predomine o elemento água
Fogo	Calor, raios de sol e elemento fogo na comida	O sangue, o fogo digestivo, enzimas em que predomina o fogo e sucos digestivos
Ar	Respiração e o elemento ar no alimento	Revitaliza o sistema nervoso, promove a eliminação de impulsos e secreções
Éter	O espaço na respiração e no alimento	Transmite lucidez à mente e energiza os sentidos

Junto com o alimento que ingerimos, absorvemos diversas impressões sensoriais, sendo as mais evidentes o gosto do alimento, embora o cheiro, a consistência e a visão dele também desempenhem o seu papel. Mais impressões sutis entram em jogo através do modo como o alimento se desenvolveu e foi preparado, e da atmosfera e do estado mental em que ele é ingerido. Isso faz parte do segundo nível mental da nutrição.

O alimento, como todas as coisas no universo, consiste nas três qualidades cósmicas de Sattva (equilíbrio), Rajas (agitação) e Tamas (resistência). Estas se refletem nos elementos e impressões obtidos por meio do alimento. Isso constitui o terceiro nível, ou central, da alimentação, que o Ayurveda enfatiza por meio de um regime alimentar sáttvico.

Regime Alimentar Sáttvico

O Ayurveda enfatiza um regime alimentar sáttvico para a vida saudável, especialmente para conservar nossa mente feliz e em paz. O regime alimentar sáttvico foi originariamente projetado para a prática da Yoga e para o desenvolvimento da consciência superior. Ele ajuda no tratamento de distúrbios mentais, porque dá condições à mente de restaurar a harmonia e o equilíbrio (Sattva).

O principal fator na dieta sáttvica é a alimentação à base de vegetais. Se a pessoa segue uma dieta como essa, percorre um longo caminho rumo à dieta integral para a mente. Isso significa evitar carne e peixe, e todos os outros alimentos que são conseqüência de se fazer mal aos animais.[56] A carne vermelha é a pior no que diz respeito a isso, e, em particular, o bife.

Contudo, ser um vegetariano não implica seguir estritamente uma dieta à base de alimentos crus, com a pessoa vivendo de saladas e de frutas frescas. O líquido cérebro-espinhal é da mesma natureza do óleo e precisa de certas substâncias nutritivas que o conservem. O alimento vegetariano nutritivo, como grãos integrais, sementes, nozes e laticínios, ajuda a compor o tecido cerebral e a desenvolver Ojas. Alimentos crus, como saladas e verduras, desintoxicam o corpo e aumentam o Prana, mas não são apropriados para conservar nossa energia por longos períodos de tempo, particularmente se fazemos trabalhos braçais ou se estamos sempre em movimento.

A dieta sáttvica não significa apenas comida vegetariana, mas comida rica em Prana (energia vital) como as frutas e os vegetais orgânicos. Essa dieta requer que se evite comida enlatada ou processada, e alimentos preparados com fertilizantes e inseticidas. Também significa propriamente alimentos frescos e cozidos. Mesmo quando cozinhamos os alimentos, devemos estar certos de que, em primeiro lugar, eles só são frescos quando ingeridos na mesma refeição para qual foram preparados, ou quando não são cozidos em demasia.

Leva tempo para que os efeitos das mudanças no regime alimentar se manifestem na mente. Mudar a dieta não exerce impacto em nossa psicologia de uma hora para outra, mas num período de meses, e isso pode afetá-la significativamente. Um grande número de problemas psicológicos pode ser resolvido, ou pelo menos minorado, seguindo-se uma dieta sáttvica do modo como ela está exemplificada no apêndice. Conquanto talvez não seja possível seguir uma dieta estritamente sáttvica, deveríamos pelo menos orientar nossos hábitos de alimentação nesse sentido. Para os desequilíbrios psicológicos, deveríamos considerar a dieta com mais seriedade.

Regime Alimentar Sáttvico e os Seis Tipos de Paladar

O Ayurveda reconhece seis tipos de paladar, cada qual se compondo de dois dos cinco elementos:

Doce — terra e água

Salgado — água e fogo

Ácido	terra e fogo
Picante	fogo e ar
Amargo	ar e éter
Adstringente	terra e ar

O sabor doce é o principal paladar sáttvico porque é energizante e harmonizante, refletindo a energia do amor. Os gostos picante, ácido e salgado são rajásicos (estimulantes-irritantes) porque ativam os sentidos e tornam a mente extrovertida. A longo prazo, o gosto amargo e o adstringente são tamásicos, porque seu efeito equivale à depleção dos líqüidos vitais.

Precisamos, no entanto, desses seis tipos de paladar em graus variados. O correto equilíbrio desses tipos de paladar é, em si mesmo, sáttvico. Consiste num alimento saboroso, mas não propriamente doce, como grãos, frutas e vegetais doces, a par do uso moderado de condimentos e sal, com a presença de elementos amargos e adstringentes para uma desintoxicação necessária. A dieta sáttvica é leve até mesmo no que concerne às suas qualidades, não indo a nenhum extremo do paladar.

O gosto picante irrita os nervos em virtude de sua propriedade de estimulação e dispersão. Os gostos ácido e salgado agravam as emoções, aquecendo o sangue. Os gostos amargo e adstringente podem nos transmitir a impressão de estarmos sem apoio e esgotar nosso sistema nervoso; contudo, um grande número de temperos, gengibre, canela e cardamomo, são sáttvicos e ajudam a conferir lucidez à mente e a harmonizar as emoções. Algumas ervas amargas, como gotu kola, são sáttvicas. O gosto amargo ajuda a expandir a mente, porque se compõe dos mesmos elementos fundamentais do ar e do éter.

O excesso de qualquer um desses tipos passa a ser tamásico ou entorpecedor. Isso é particularmente verdadeiro para o sabor doce, este pesado em sua natureza. Todos já passamos pelo efeito entorpecedor de comer doces em demasia. Carboidratos complexos são melhores para a mente do que açúcar natural. O açúcar puro estimula em demasia o pâncreas, obrigado que é a trabalhar duro para manter baixos os níveis de açúcar no sangue no momento em que esse açúcar entra na corrente sangüínea; quando o açúcar sai do sangue, ele faz com que o pâncreas trabalhe duro para manter alto o nível de açúcar. Isso pode acarretar flutuações de espírito e desequilíbrios emocionais. Pelo fato de o sabor doce ser sáttvico ou gerador de amor, entregamo-nos a ele a fim de compensar a falta de amor em nossa vida.

O excesso de comida é tamásico, ao passo que a alimentação leve é sáttvica, embora esta possa ser rajásica se o alimento não é apropriado para integrar a mente. O excesso de peso é tamásico, e causa o entorpecimento e a morosidade da mente, ao passo que estar abaixo do peso é condição rajásica, que promove a hipersensibilidade e a hiperatividade.

Regime Alimentar Rajásico e Tamásico

Os alimentos rajásicos e tamásicos perturbam ou entorpecem a mente, além de causar intranqüilidade e doença. Temos de compreendê-los a fim de os evitar. O alimento rajásico é excessivamente temperado, salgado e ácido: como pimenta, alho, cebola, vinho, picles, sal em excesso, maionese, cremes ácidos e vinagre. A comida muito quente no que diz respeito à temperatura é rajásica. Comumente, a pessoa ingere o alimento rajásico com bebidas estimulantes (rajásicas), como café e álcool. Esse alimento pode ser ingerido em circunstâncias rajásicas, como quando estamos aborrecidos, perturbados ou agitados.

O alimento tamásico é a comida velha, requentada, rançosa, artificial, à base de frituras, oleosa ou pesada. Ela inclui alimentos de animais "mortos", como carne e peixe, especialmente porco, gordura animal e partes de órgãos animais. A comida enlatada e artificial tende a ser tamásica. O excesso de gordura, óleo, açúcar e massa é tamásico. Açúcar branco e farinha branca exercem um efeito de obstrução tamásico a longo prazo (embora a curto prazo o açúcar branco seja rajásico). O alimento muito frio é também tamásico e enfraquece o fogo digestivo.

Os alimentos rajásicos causam a hiperatividade e a irritabilidade, aumentam as toxinas no sangue e acarretam a hipertensão. Esses alimentos perturbam os sentidos e criam a flutuação de espírito. Os alimentos tamásicos causam atividade insatisfatória, letargia, apatia, sono excessivo, acúmulo de secreções e substâncias que deveriam ser eliminadas. Esses alimentos empanam os sentidos e levam às emoções violentas e à indecisão.

Regime Alimentar Sáttvico com Dietas para os Três Humores

O regime alimentar sáttvico pode ser modificado com vistas a um efeito maior segundo os três humores biológicos de Vata, Pitta e Kapha. A pessoa deve seguir a dieta em função do seu tipo constitutivo, enfatizando os aspectos sáttvicos e evitando os rajásicos ou tamásicos.[57] Combinando uma dieta para aumentar o Sattva juntamente com outra, para reduzir o humor biológico, a dieta se torna um instrumento eficaz para melhorar a saúde. Mais dietas específicas podem ser prescritas para determinados problemas psicológicos. Ver o apêndice para mais informações sobre os tipos sáttvicos de alimento.

As Ervas

As ervas são os principais remédios da Mãe Natureza e trazem em si sua energia de cura para conservar em equilíbrio o nosso sistema. O Ayurveda é, acima de tudo, uma medicina à base de ervas. Os livros de Ayurveda explicam pormenorizadamente as qualidades das ervas e a sua energética.[58] Aqui, nos concentraremos no modo como as ervas podem ser usadas de um modo simples com respeito à mente. As ervas afetam a mente mais diretamente do que o alimento, conquanto sejam mais suaves e saudáveis em sua ação do que remédios químicos. Elas podem ser meios muito importantes para curar a mente. Conquanto todas as ervas exerçam certo efeito sobre a mente, algumas delas são medicamentos nervinos e exercem um efeito especial sobre a mente e o sistema nervoso.

As ervas atuam por certo período de tempo, que é mais curto do que o dos alimentos. Talvez seja necessário um mês para que se manifeste o efeito das ervas suaves, particularmente as usadas em virtude de seu efeito nutritivo. A exceção é toda erva forte e estimulante (como a pimenta-de-caiena ou ma huang) que apresente efeito imediato.

As Ervas na Psicologia Ayurvédica

A psicologia integral do Ayurveda enfatiza em primeiro lugar o regime alimentar apropriado. Com respeito a isso, ocupam um lugar de destaque as ervas, que são úteis, se não indispensáveis. A dieta apresenta uma função geral e possibilita os fundamentos sobre que as ervas podem trabalhar. Sem o regime alimentar apropriado, até mesmo as melhores ervas terão efeito limitado. As ervas são usadas para o regime alimentar regulado e para ações terapêuticas intensivas.[59] Para entender o ponto de vista do Ayurveda, é necessário compreender os efeitos que os seis tipos de paladar exercem sobre a mente.[60]

Os Seis Tipos de Paladar e a Mente

O Gosto Amargo

Este se compõe dos elementos de ar e éter, os mesmos que predominam na mente. As ervas amargas expandem a consciência, fazem-na mais sensível e aumentam sua capacidade funcional. Essas ervas exercem um efeito de relaxamento, desapego e expansão sobre a mente.

Os que sofrem de entorpecimento mental, dormência, calor e toxicidade devem usar mais o gosto amargo; contudo, este não deve ser usado pelos que sofrem de hiperatividade, fadiga mental, fraqueza ou dispersão. Esse tipo de paladar se presta sobretudo ao uso num curto período de tempo ou em pequenas doses. Os medicamentos nervinos do tipo amargo incluem a betônica, a camomila, o gotu kola, as flores secas de lúpulo, a manduka parni, a flor-da-paixão e a escutelária.

O Gosto Picante

O gosto picante ou apimentado compõe-se dos elementos fogo e ar e os ativa na mente. Na qualidade do mais forte tipo de paladar, o gosto picante se presta sobretudo para aumentar Tejas e a inteligência. As ervas picantes estimulam a mente e promovem a circulação no cérebro. Ajudam a desenvolver a lucidez, a percepção e o raciocínio.

As ervas picantes são boas para os que sofrem de embotamento mental, depressão, congestão e falta de motivação. Essas ervas em geral devem ser evitadas pelos que sofrem de raiva, insônia, agitação ou hiperatividade. Elas às vezes funcionam melhor combinadas a tônicos doces, que consolidam e estabilizam seus efeitos.

A maior parte das ervas picantes serve de estimulante para os nervos. As ervas fortes expandem a mente e os sentidos, fazem com que a pessoa pense com clareza e purificam os seios nasais, aliviam a dor de cabeça, os espasmos musculares e os nervos doloridos. Algumas são especificamente mais nervinas do que outras, em especial as que ajudam a purificar os seios nasais. As ervas desse tipo incluem manjericão, baga de loureiro, cálamo, cânfora, cardamomo, eucalipto, hissopo, hortelã-pimenta, alecrim, açafrão, salva, hortelã, tomilho e gualtéria.

Embora a maior parte das ervas picantes (fortes) seja estimulante, algumas servem de calmante ou sedativo. Essas ervas freqüentemente são fortes e têm gosto de terra. São particularmente boas para Vata. Essas ervas são a assa-fétida, o alho, a noz-moscada, a valeriana e o cipripédio.

Enquadram-se na categoria de gosto picante certos estimulantes nervinos fortes devido aos alcalóides especiais que apresentam. Essas ervas nos ajudam a ficar alertas e concentrados, mas podem também irritar os nervos. São úteis de modo limitado em condições de depressão e entorpecimento, mas podem aumentar a insônia, a intranqüilidade e a ansiedade, ou causar ainda mais fadiga mental. Essas ervas são o café, a damiana, as plantas com efedrina, ma huang, o chá e o yohimbe.

O Gosto Doce

Este se compõe dos elementos da terra e da água. É usado como elemento de integração, relaxamento e nutrição para a mente e os nervos, e pode ter efeitos de rejuvenescimento. Essas ervas comumente não são muito doces. Os que sofrem de congestão ou depressão deveriam evitar medicamentos tônicos e nervinos de gosto doce, porque estes consolidam a nossa energia e tornam lento o seu fluxo. Os tônicos nervinos mais importantes são ashwagandha, bala, vidari, gokshura, alcaçuz, sementes de lótus, sementes de sésamo, shatavari, e sementes de sisímbrio.

O Gosto Salgado

Este se compõe dos elementos da água e do fogo, o que lhe confere propriedades sedativas e de integração. Não se trata de um gosto comum nas ervas, mas ele ocorre nas algas marinhas e nas conchas do mar. Esse gosto é usado sobretudo nos casos de fadiga mental ou de hiperatividade, que são fundamentalmente estados Vata. O Ayurveda apresenta preparados com diversas conchas marinhas e corais. Os sais nervinos que servem de calmante e os minerais incluem o sal escuro, o pó de búzio (shankha bhasma), algas pardas, pó de ostra (mukti bhasma), pó de pérola (moti bhasma), pó de coral vermelho (praval bhasma) e sal-gema

O Gosto Adstringente

Este se compõe de terra e ar. É pouco usado como medicamento nervino, mas pode ajudar no tratamento do tecido nervoso e pode interromper os espasmos. Há alguns medicamentos nervinos especiais que ajudam a acalmar e a curar a mente. Esses medicamentos nervinos adstringentes são a baga de loureiro, o olíbano, o haritaki, a noz-moscada, a mirra e o guggul.

O Gosto Ácido

Este se compõe da terra e do fogo. Não é tão usado como medicamento nervino, mas é um suave estimulante e pode ajudar a fazer face à depressão e à confusão. As substâncias ácidas como o vinagre e o álcool podem ajudar a extrair os alcalóides em algumas ervas, e formam a base de vinhos e tinturas herbáceas. Entre os medicamentos nervinos ácidos estão o amalaki, a tília, o tamarindo e o vinho.

Medicamentos Nervinos que Purificam e Tonificam

As ervas trabalham como agentes de nutrição e purificação em dois níveis fundamentais. Os agentes de nutrição se constituem de tônicos que formam esses tecidos. Essas ervas apresentam principalmente terra e água, como o alimento, mas de um tipo mais sutil ou pré-digerido. Os agentes da purificação se compõem de desintoxicantes que facilitam os processos naturais de purificação, como o suor e a urina. Essas ervas comumente predominam no fogo, no ar e no éter. As que se seguem são as principais ervas que exercem efeito de purificação sobre o sistema nervoso.

Expectorantes e Descongestionantes: Essas ervas eliminam o muco (Kapha) da cabeça, o qual dificulta o funcionamento do cérebro e dos sentidos; ajudam a acabar com os bloqueios dos canais dos nervos e dos seios nasais e a aliviar a dor. Essas ervas são a baga de loureiro, o cálamo, a cânfora, o cinamomo, o eucalipto, o gengibre, a hortelã-pimenta, pippali e a gualtéria.

Alternativas e Antipiréticos: Essas ervas melhoram a circulação sangüínea, diminuem o calor e as toxinas no cérebro. Essas ervas também podem melhorar a urina, o que ajuda a purificar o sistema nervoso por meio do sangue. As ervas desse tipo incluem gotu kola, manduka parni, flor-da-paixão, sândalo, escutelária, guggul, e mirra.

Modalidades Exteriores do Tratamento 157

Sedativas: Essas ervas apresentam propriedades analgésicas específicas, e combatem a grande quantidade de Vata (ar) que existe nos casos de insônia, angústia, medo e dor. Ervas típicas são a assa-fétida, o alho, o jatamansi, o cipripédio, shankha pushpi e a valeriana.

Os agentes tônicos e de ação rejuvenescedora fortalecem nossos órgãos, tecidos, sistemas e energias interiores. Os que fortalecem o corpo como um todo ou a energia vital melhoram a mente de modo indireto. Alguns são especificamente tônicos para a mente. Abaixo estão algumas das ervas tônicas principais em níveis diferentes.

Tônicos para os Humores Biológicos

    Vata: amalaki, ashwagandha, bala, alho, alcaçuz, shatavari, vidari
    Pitta: amalaki, babosa, bala, gotu kola, coral vermelho, alcaçuz, sementes de lótus, shatavari
    Kapha: babosa, ashwagandha, ênula-campana, alho, guggul, mirra, pippali, shilajit
    Agentes Rejuvenescedores para a Mente:[61] cálamo, gotu kola, manduka parni, shankha pushpi

Para Tomar as Ervas

As ervas podem ser usadas para tratar doenças sem gravidade e na forma de tônicos gerais para a mente. Para isso, sua dosagem deveria ser de cerca de um grama de pó ou uma colher de chá da erva cortada ou limpa por xícara de água, duas ou três vezes ao dia. Grandes doses de ervas precisam ser prescritas por um profissional. As ervas têm ação variável, em conformidade com o veículo transmissor (anupana) em que são tomadas. Abaixo arrolamos os mais importantes e comuns desses veículos.

Manteiga semilíqüida de leite de búfala: Esta é manteiga mais clara. É feita cozinhando-se a manteiga (de preferência pura e sem sal) em fogo brando até que toda a gordura do leite se concentre no fundo e o líquido em cima se torne claro. Essa manteiga é um veículo excelente com que a pessoa pode tomar ervas nervinas. Ela abastece o sistema nervoso e dirige os efeitos das ervas para ele. Essa manteiga é ingerida com ervas tônicas para melhorar as suas propriedades nutritivas, e com ervas amargas, para aumentar-lhes as propriedades calmantes.

Mel: Este apresenta propriedades descongestionantes, expectorantes e nutritivas. Ajuda a purificar a cabeça, a mente e os sentidos. É um bom veículo para medicamentos nervinos picantes ou fortes como baga de loureiro, cálamo, gengibre ou pippali

Leite: Tomar leite quente misturado com uma erva contribui para aumentar as propriedades tônicas e calmantes dessa erva. Um quarto de xícara de chá de noz-moscada tomado numa xícara de leite quente, junto com um pouco de manteiga, é um sedativo suave. Uma xícara de chá de ashwagandha com um pouco de noz-moscada na decocção do leite é um bom tônico nervino. Gotu kola preparado com leite é um tônico herbáceo suave; contudo, temos de nos valer do leite de boa qualidade — puro, se possível.

Tinturas

Ervas para tintura, em função das propriedades do álcool que são sutis e penetrantes, exercem um efeito mais direto sobre o cérebro. O álcool aumenta os efeitos anti-Kapha dessas ervas. Comumente, é utilizada a mistura de álcool puro e de água destilada em partes iguais. O álcool extrai apenas o fogo, o ar e o éter de que se compõe. Ele é melhor para o efeito de estímulo e desintoxicação, não para um efeito de caráter tônico. As pessoas que desejam evitar o álcool podem fazer com que ele se evapore.

As Ervas e o Nariz (Nasya)

Uma das melhores formas de exercer uma ação positiva das ervas sobre a mente e o sistema nervoso é usá-las no nariz. Eis aqui algumas maneiras de fazer isso:

1) A aromaterapia e o uso dos incensos (analisados num capítulo à parte)
2) A aplicação dos óleos no nariz:
   O óleo de sésamo pode ser posto no nariz com efeito calmante e a modo de alimentação. A manteiga semilíquida de leite de búfala é indicada para acalmar os nervos e para dar combate às alergias. O coco pode ser usado de forma semelhante. Pingue algumas gotas desses óleos com um conta-gotas e com a cabeça inclinada. Ou espalhe um pouco de óleo na ponta do dedo mínimo e passe-o dentro do nariz.
3) Pó de diversas ervas para a inalação.
   O pó do cálamo é uma das melhores formas de exercer uma ação positiva sobre o cérebro de desobstruir os seios nasais, de estimular o fluxo, sangüíneo para o cérebro e de melhorar a voz e os sentidos.

   Passe um pouco do pó da erva do lado de fora do indicador e inale, fechando a outra narina com um dos dedos da outra mão.

Modalidades Exteriores do Tratamento

Massagem com Óleo

A massagem com óleo (Abhyanga) é uma terapia ayurvédica importante, não apenas para certos estados físicos, mas também para alguns estados psicológicos. A massagem com óleo serve de calmante à mente, tonifica o coração e fortalece os ossos e os nervos. Todos deveríamos passar regularmente por uma sessão de massagem com óleo, como parte de um modo de viver saudável, usando os óleos para tratar de várias doenças.

A temperatura dos óleos deve ser morna. Depois de passá-los, a pessoa deve deixá-los por algum tempo (pelo menos quinze minutos) no local para serem devidamente absorvidos. Depois disso, essa pessoa pode tomar um banho comum ou um banho a vapor para tirar o excesso de óleo. Para que isso seja mais fácil, passe algum tipo de pó, como o de cálamo, para absorver o excesso de óleo, e depois limpe-o, esfregando.

Óleo de Sésamo: o óleo de sésamo é específico para diminuir Vata em grande quantidade e aumentar Ojas. Ele alimenta e integra a mente. Ervas anti-Vata como ashwagandha, cálamo, nirgundi, erva-doce ou gengibre podem ser cozidas nesse óleo para aumentar-lhe a força.

O óleo de sésamo pode ser usado na cabeça, no cabelo, nas costas ou nos pés a modo de calmante, especialmente à noite. Deve-se deixar o óleo no local por pelo menos quinze minutos, depois do que a pessoa pode lavá-lo durante uma ducha morna. Para todos os que sofrem de angústia e ansiedade, a massagem de óleo de sésamo feita regularmente é verdadeiramente um *must*.

Óleo de Coco: o óleo de coco é específico para diminuir uma quantidade elevada de Pitta. Ele serve de calmante para a mente, os nervos e a pele. Ervas anti-Pitta, particularmente Brahmi (Gotu Kola) são eficazes quando preparadas nesse óleo. O óleo de coco pode ser usado na cabeça, no cabelo e nas aberturas dos órgãos dos sentidos (como os tímpanos e as narinas), bem como usado como óleo para massagens em geral.

Óleo de Mostarda: este é específico para diminuir o Kapha. É quente, estimulante e melhora a circulação. Ajuda a purificar os canais dos pulmões e a cabeça, e é bom para o entorpecimento e a depressão. Pode ser usado como um óleo para massagens em geral ou como óleo para massagear regiões específicas do corpo, como os pulmões.

Pancha Karma

O Pancha Karma é o principal método ayurvédico de purificação física. Devido à natureza sutil de seus processos, ele penetra fundo no sistema nervoso. É útil para problemas psicológicos causados pelo excesso dos três doshas; no entanto, também pode ser útil para problemas psicológicos causados por fatores internos, emoções e karma. Ele consiste em cinco principais práticas de purificação:

1) Êmese terapêutica para eliminar o excesso de Kapha — bom para tratar da depressão, do sofrimento e do apego;
2) Purgação terapêutica para acabar com o excesso de Pitta — indicada para o tratamento da raiva;
3) Enemas terapêuticos para eliminar o excesso de Vata — indicado para o medo, a angústia, a insônia, os tremores e as perturbações do sistema nervoso;
4) Lavagem do nariz, que limpa as toxinas da cabeça — indicada para dores de cabeça, alergias e insônia;
5) Purificação do sangue para eliminar as toxinas, geralmente anti-Pitta.[62]

Para que esses procedimentos funcionem a contento, os doshas devem ser levados aos locais a partir dos quais possam ser eliminados do corpo: o Kapha deve ser levado ao estômago, o Pitta ao intestino delgado e o Vata ao intestino grosso. Isso requer certo período, em geral um mínimo de sete dias, de massagem com óleo diariamente (snehana) e terapia de vapor (svedana). A massagem com óleo e a terapia de vapor liberam as toxinas no tecido mais profundo e faz com que fluam de volta ao aparelho gastrintetinal para serem eliminadas. O Pancha Karma pode ser encontrado num grande número de clínicas de Ayurveda nos Estados Unidos. Deve ser procurado por aqueles que necessitam de uma purificação mais profunda como essa.

13. Terapias Sutis: Cores, Pedras Preciosas e Aromas

No capítulo seguinte, introduziremos os tratamentos sensoriais mais importantes do Ayurveda. Como a mente é alimentada pela percepção sensorial, alterando nossos *inputs* sensoriais podemos mudar nossa condição mental e emocional. Experimente algumas dessas sugestões e veja de que modo você pode melhorar seus pensamentos e emoções simplesmente se dispondo às diversas impressões sensoriais.

Terapia das Cores

O que seria a vida sem as cores? É possível que nenhum outro potencial de impressões sensoriais — ou as cores — afete de maneira tão imediata a nossa percepção. A cor é um instrumento eficaz para chamar a nossa atenção, dando forma ao nosso estado de espírito e comunicando nossas emoções. A cor atrai e captura a mente e a orienta num sentido particular. A terapia das cores é uma das principais terapias sensoriais para toda cura mental e espiritual. Ela é a base da terapia com pedras preciosas, que dirige a cor num nível sutil ou oculto. As cores podem ser combinadas com os mantras, as formas geométricas e outras terapias sensoriais para um efeito maior.

Assimilamos a cor por meio da luz absorvida pelos olhos. A cor fornece alimento para a mente e para a energia vital, revitalizando o sangue e aumentando a nossa capacidade de ter percepções. A cor é a qualidade sensorial que corresponde ao elemento fogo — eis por que as cores vivas despertam a nossa motivação ou a nossa raiva. A cor pode ser usada para regular o elemento fogo num nível sutil, fortalecendo a circulação no cérebro e a digestão. A cor afeta todos os outros elementos e pode ser usada para os harmonizar. A vida é inimaginável sem a cor, e todas as ações transmitem suas cores à nossa existência de um modo ou de outro.

Não só absorvemos as cores como também as produzimos no corpo e na mente. Fisicamente, o corpo tem a sua pigmentação; a tez revela o nosso estado de saúde. No processo da doença, percebe-se a perda da cor na pele da pessoa, como quando ela está "amarela", pálida, com brotoejas e manchas escuras. De modo semelhante, a mente, quando perturbada, gera a perda da cor de diversas maneiras. Estas podem ser os pesadelos, as idéias falsas, ou as emoções negativas em geral como a raiva, a angústia e o apego. Fazer face a essa "perda da cor" usando cores harmoniosas e apropriadas nos traz de volta a saúde e o bem-estar. As cores inadequadas prejudicam a atividade mental, ao passo que as adequadas restauram-na.

As Cores e os Humores Biológicos

O modo mais fácil de usar a terapia da cor diz respeito aos três humores biológicos. Com relação a isso, as cores são como os temperos, que também predominam no fogo.

Vata

Vata adapta-se mais a cores quentes, úmidas, suaves e apaziguantes, o oposto, em qualidade, à sua natureza "fria", seca, leve e sobremodo ativa. Faz-se isso combinando cores quentes, como dourado, vermelho, laranja e amarelo, com cores úmidas e apaziguantes, como o branco e tons esbranquiçados de verde ou azul.

Cores demasiado brilhantes, como o amarelo cintilante, os tons de vermelho ou púrpura agravam a sensibilidade nervosa dos tipos Vata. Contrastes muito fortes de cor estimulam Vata em demasia, como o vermelho *versus* verde ou preto. Um excesso de cores escuras como cinza, preto ou marrom tira de Vata sua vitalidade, embora em certas circunstâncias possa ajudar a integrá-lo. Cores iridescentes ou do arco-íris, conquanto não sejam tão brilhantes, propiciam um real equilíbrio para Vata. As cores para Vata são mais bem providas em formas e configurações arredondadas, suaves, simétricas ou equilibradas, não-angulosas, estreitas, rudes ou ásperas. Em geral, os tipos Vata vivem melhor com mais cor em sua vida.

Pitta

Pitta adapta-se bem a cores frias, fracas e apaziguantes, em oposição a sua tendência relacionada com o calor, a leveza e a agressividade. Essas cores são sobretudo o branco, o verde e o azul. Os tipos Pitta deveriam evitar cores quentes, penetrantes ou estimulantes, como o vermelho, o laranja e o amarelo.

Contudo, cores muito brilhantes, como os matizes do néon, tendem a prejudicar Pitta, inclusive o verde ou o azul em demasia. Os tipos Pitta se dão melhor com tons suaves, como os pastéis, ou com cores neutras como o acinzentado ou o branco. Os tipos Pitta se dão bem tendo menos cor no seu ambiente, ou uma total ausência de cor. Por exemplo, meditar sob o céu da noite pontilhado de estrelas é bom para essas pessoas; no entanto, elas deveriam evitar cores em formas angulosas, agudas e penetrantes. Essas pessoas precisam de formas arredondadas e suaves. Em geral, elas se sentem bem restringindo o uso da cor.

Kapha

A Kapha convém as cores quentes, secas e estimulantes, que combatem suas propriedades de frieza, de umidade, peso e falta de movimento. Os tipos Kapha dão-se bem com tons brilhantes e com fortes contrastes de cor. A essas pessoas agradam cores quentes como o laranja, o amarelo, o dourado e o vermelho. Elas deveriam evitar muito branco ou tons esbranquiçados de cores frias como o verde e o azul, mas podem usar essas cores (exceto o branco) em tons mais brilhantes.

Sombras saturadas, como alimentos saturados, prejudicam Kapha. Para os tipos Kapha, as cores devem ser brilhantes, claras e translúcidas, não escuras. Algumas cores devem ser evitadas, como o cor-de-rosa e o azul-claro. Formas angulosas e piramidais são propícias ao tipo Kapha, que deveria evitar formas arredondadas ou regulares. Os tipos Kapha sentem-se bem num ambiente onde haja mais cor e luminosidade.

As Cores e os Gunas

Não é só a cor específica que importa: é preciso considerar também sua qualidade com respeito aos três gunas. Esse fator é importante para as condições psicológicas, porque a cor afeta a natureza da mente mais diretamente do que afeta os humores biológicos. Conquanto a cor seja uma substância de cura útil, ela não deve ser usada em excesso. Ela pode energizar, mas também se torna prejudicial facilmente porque sua qualidade fundamental é Rajas. Todas as cores deveriam ser sáttvicas em sua natureza: sutis, agradáveis, harmoniosas, suaves e naturais. Esse uso moderado da cor apresenta um efeito calmante, e não nos deixa agitados.

As cores rajásicas são brilhantes, espalhafatosas, cintilantes e artificiais, como as luzes de néon. Seus tons são brilhantes, penetrantes ou metálicos. Seus constrastes são excessivos, como combinações de cores opostas tais como o vermelho e o verde, ou o azul e o amarelo. As cores rajásicas estimulam em demasia e irritam a mente e os sentidos. Deveriam ser usadas com moderação, particularmente para fazer face ao estado tamásico.

As cores tamásicas são fracas, escuras, opacas, densas, como só a cor verde num ambiente, ou cinza e preto em demasia. Essas cores transmitem gravidade, peso e inércia à mente. Devem ser evitadas, exceto por curtos períodos de tempo como indicação a pessoas de demasiada atividade (que tenham muito Rajas).

O branco é a cor de Sattva, cuja natureza é pura. O vermelho é a cor de Rajas, dominado pela paixão. O preto é a cor de Tamas, que está sob o jugo da sombra; contudo, as cores todas apresentam tons que pertencem a qualquer um dos três gunas. Além do mais, a combinação delas talvez produza um efeito que pode aumentar qualquer guna.

A Cor e Tejas

As cores exercem seu efeito particularmente em Tejas, a essência vital do fogo, que dá calor, coragem, ousadia, compaixão, visões interiores e inteligência. As cores vivas aumentam Tejas; as frias o reduzem. As cores demasiado brilhantes o estimulam muito e o fazem queimar Ojas, o que nos torna passionais, revoltados, irritadiços ou excessivamente críticos. O uso correto das cores equilibra Tejas e nos conserva lúcidos e concentrados em nossa ação e percepção.

Um dos modos mais fáceis de aumentar Tejas nas suas qualidades sáttvicas é meditar visualizando aquela corzinha da manteiga ou uma luz dourada. Tejas relaciona-se especificamente com a cor do açafrão (a cor das togas que os *swamis* hindus envergam) e pode ser estimulado igualmente por essa cor. Tejas em excesso, como nos casos de raiva, pode ser minorado com o uso do branco ou do azul profundo do céu.

O Uso das Cores

A terapia da cor pode ser usada por meio de uma fonte exterior de cor. Ela pode ser visualizada interiormente, o que pode começar com a contemplação da cor exteriormente. É possível mudar a cor das lâmpadas colocando nelas globos coloridos. Uma luz suave é preferível, evitando lâmpadas fluorescentes ou cores néon. Os tons das cores devem ser delicados e harmoniosos. O corpo como um todo deve banhar-se à luz de uma cor em particular, ou podemos expor a essa luz uma parte específica do corpo, como quando se banha alguma ferida em função de infecção com uma luz azul-escura. Para isso, é possível usar lâmpadas menores, ou luminárias que permitem regular o foco.

É possível também valer-se das cores nas roupas que vestimos, em nossa casa e em nosso ambiente. As cores usadas num cômodo reservado à meditação são particularmente importantes. Podemos nos tornar disponíveis às cores na Natureza, como meditar sobre o céu azul e sobre o tom azulado do mar, sobre a brancura do gelo ou sobre a cor alva da lua, sobre o verde das árvores e da relva. Podemos meditar sobre as flores de matiz variado: o lírio branco, a rosa púrpura ou o hibisco, o crisântemo amarelo ou o girassol, a íris azul. A forma harmoniosa das flores ajuda no efeito da cor. Podemos meditar sobre várias formas de vidro colorido, obras de arte, mandalas ou manuscritos iluminados. Podemos meditar sobre o fogo e sobre suas várias cores, ou realizar diversos rituais do fogo (homa ou agnihotra).

A regra geral é que as impressões obtidas por meio de fontes naturais são preferíveis às obtidas por meios artificiais.

A terapia da cor funciona mais quando podemos visualizá-la com a mente. Podemos então dirigir as cores a diversas partes do nosso corpo, aos chakras, ou ao nosso ambiente mental e emocional, como ao nos cercarmos de luz dourada.

A terapia da cor deve ser aplicada por certo período de tempo para que tenha um efeito significativo. A exposição a fontes de cor exteriores deveria ser feita durante quinze minutos por dia, por um período de um mês, para que tivesse o efeito desejado. A visualização e a meditação sobre cores específicas deveriam ser realizadas por um período de tempo semelhante. Ao mesmo tempo, deveríamos evitar expor-nos a cores e impressões desarmoniosas, como as cores rajásicas e tamásicas da televisão e dos filmes.

A Terapia das Pedras Preciosas

As pedras preciosas são mais do que belas criações da Natureza. Sua beleza reflete um poder sutil e certa ligação com a mente e com o corpo astral. As ciências védicas dão grande importância às pedras preciosas, particularmente em virtude de suas propriedades de cura e vitalidade. As pedras preciosas podem ser usadas a longo prazo para proteger e revigorar o corpo e a mente. Elas nos fortalecem a aura e nos deixam em sintonia com as fontes de cura da Natureza. Embora o Ayurveda se valha das pedras preciosas,[63] do ponto de vista védico elas são compreendidas sobretudo por meio da astrologia.

A Astrologia e a Psicologia

A astrologia tem apresentado tradicionalmente um aspecto medicinal e psicológico. A astrologia védica é usada junto com o Ayurveda para curar a mente. O mapa astrológico do nascimento revela a natureza e o destino da alma, não apenas o estado do corpo ou do ego. O astrólogo também precisa lidar com problemas psicológicos. O conhecimento do Ayurveda pode ajudar nesse processo.[64]

A astrologia védica usa a mesma linguagem do Ayurveda, com os gunas, os doshas, os elementos e funções da mente. A astrologia védica pode fornecer um bom prognóstico do desenvolvimento dos problemas psicológicos, bem como sugerir recursos próprios da astrologia (como mantras, pedras preciosas, rituais e formas de meditação) para fazer face a eles. A astrologia medicinal é um tema em si mesma.

Na astrologia védica, as pedras preciosas são relacionadas com os planetas e usadas para equilibrar-lhes as influências no tratamento de distúrbios físicos, mentais e espirituais. A terapia das pedras preciosas é o principal método do tratamento astrológico. Usam-se as pedras preciosas exteriormente na forma de anéis ou brincos. De acordo com o sistema védico, os dedos da mão e os planetas apresentam certa correspondência.

Indicador .... Júpiter
Dedo médio .... Saturno
Anelar .... Sol
Dedo mínimo .... Mercúrio

Usando pedras preciosas relacionadas com os planetas nos dedos certos, podemos aumentar a influência delas. Para os planetas que não regem um dedo determinado, é possível usar o dedo regido por planetas "amigos". Vênus é amiga de Saturno e de Mercúrio. A Lua, de Sol e de Júpiter. Marte é amigo do Sol e de Júpiter. É sempre melhor que as pedras preciosas sejam usadas de modo a estar em contato com a pele.

Preparados com pedras preciosas também podem ser ingeridos com objetivos semelhantes no Ayurveda; contudo, para uso interno, as pedras preciosas são especialmente tratadas por meio de processos complexos, que as tornam inofensivas e não prejudiciais à saúde. Preparados com pedras preciosas são usados atualmente em remédios ayurvédicos. Enquanto não se acham disponíveis nos Estados Unidos, podemos usar tinturas feitas com pedras preciosas que obviamente não envolvem ingerir o mineral.

As tinturas feitas com pedras preciosas, a exemplo das feitas com ervas, são preparadas banhando a pedra preciosa por certo período de tempo, em geral cerca de duas semanas, numa solução que contenha entre 50 e 100% de álcool. As pedras preciosas resistentes, como o diamante ou a safira podem ser banhadas nessa solução durante um mês (de lua cheia a lua cheia). Pedras preciosas delicadas, por vezes opacas, como a pérola e o coral, são banhadas por períodos mais curtos ou em soluções mais fracas.

As Cores dos Planetas

Cada planeta projeta uma cor de raio cósmico criativo. Podemos também usar a terapia da cor juntamente com linhas astrológicas para equilibrar o efeito dos planetas.

Sol .... vermelho-brilhante
Lua .... branco
Marte .... vermelho-escuro
Mercúrio .... verde
Júpiter .... amarelo, dourado
Vênus .... transparente, variegado
Saturno .... azul-escuro, preto
Rahu .... ultravioleta
Ketu .... infravermelho

As Pedras Preciosas e os Planetas

As correspondências védicas clássicas entre as principais pedras preciosas (e as pedras preciosas substitutas) e os planetas, além do uso dessas pedras como remédios psicológicos, são como seguem:

Planeta	Pedras Preciosas	Pedras Substitutas	Remédios
Sol	Rubi	espinélio, granada, pedra do sol	Auto-estima, energia, liderança
Lua	Pérola	pedra da lua, pérolas cultivadas	acalma a mente e as emoções, transmite amor e paz
Marte	Coral Vermelho		aumenta a força de vontade e a vitalidade
Mercúrio	Esmeralda	peridoto, turmalina verde, zircão verde, jade	proporciona equilíbrio à mente, ao discernimento e à percepção
Júpiter	Safira Amarela	topázio amarelo, citrina	sabedoria, força, criatividade
Vênus	Diamante	safira branca, zircão claro, cristal de quartzo claro, coral branco	transmite sensibilidade, amor e imaginação
Saturno	Safira Azul	ametista, lápis-lazúli	contribui para o desapego, a paciência e a independência
Nodo Norte (Cabeça do dragão)	Granada Hessonita (Grossularita dourada)		proporciona uma percepção clara das coisas, juízos equilibrados e um modo de pensar saudável
Nodo Sul (Cauda do dragão)	Olho de Gato (Crisoberilo)		favorece as visões agudas, o sentido de objetivo e a concentração

Aos antigos, Urano, Netuno e Plutão não eram conhecidos. Parece que Plutão está relacionado com pedras escuras, como o coral negro ou o ônix. Netuno tem muito em comum com as opalas, particularmente a do tipo iridescente. Urano tem muito em comum com as pedras de Saturno azul-escuras, como a ametista.

Devido ao fato de a maioria das pedras planetárias ser muito cara, as pessoas podem usar pedras mais baratas como substitutas. Como o coral vermelho não é caro, não é preciso substituí-lo. Em geral, as pedras primárias requerem pelo menos um quilate de uma pedra de boa qualidade, ao passo que três quilates é o ideal. Para as pedras secundárias, três quilates é o mínimo, cinco é o preferível, dez ou mais podem ser apropriados quando a pessoa usa a pedra como pingente.

O Uso das Pedras no Ayurveda

Conquanto as pedras exerçam influência sobre o corpo físico, sua influência principal recai sobre a energia vital. Nem todas se relacionam notadamente com algum dos humores biológicos. Muitas, na forma de remédios sutis, podem ajudar a equilibrar os três humores. Podemos também dirigir ou equilibrar sua influência sobre os humores de acordo com o metal em que as colocamos (que serve como seu veículo). Para o uso na psicologia, as pedras são remédios de longo prazo que ajudam a equilibrar a mente e o campo astral.[65]

As pedras substitutas apresentam as mesmas propriedades das pedras primárias, mas num grau menor. As pedras mais caras devem ser usadas como anéis e devem ter dois ou mais quilates. As pedras menos caras, ou substitutas, devem ter quatro ou mais quilates (e ainda é possível usar pedras maiores, particularmente como pingentes ou colares).

A Preparação dos Minerais e das Pedras

O Ayurveda se vale de um grande número de formas de preparar minerais especiais (rasas e bhasmas). Essas formas consistem em diversos minerais com preparação especial, alguns dos quais são tóxicos quando não passam pela preparação, no que concerne ao uso interno. A preparação, para alguns minerais, é relativamente simples, para outros, envolve um processo farmacológico bastante complexo.

Esses modos de preparação amiúde são usados em condições que envolvem a mente e o sistema nervoso. Eles incluem minerais e metais como ouro, prata, estanho, mica, bórax, ferro, chumbo, enxofre, mercúrio, e pedras como o cristal de quartzo, diamante, pérola, coral, esmeralda e rubi. Seu uso está fora do objetivo deste livro, mas essas pedras são importantes para o tratamento ayurvédico da mente. Os metais e os minerais exercem um efeito mais forte e direto sobre a mente do que as ervas, mas têm de ser preparados de forma adequada.

A Terapia dos Aromas

Já lhe ocorreu estar aborrecido ou deprimido, e então sentir o perfume de uma flor ou do incenso, percebendo depois como o seu estado de espírito mudou, pelo menos temporariamente, para melhor? O uso das essências e o incenso para tranqüilizar a mente e propiciar a meditação é bem conhecido. Os aromas exercem uma grande influência quanto a estimular, acalmar ou curar. Talvez não haja nada como determinada fragrância para alterar rapidamente a sensação que temos do ambiente, afetando-nos num nível físico. Os aromas apropriados propiciam a calma e nos ajudam a deixar de lado os pensamentos e as emoções negativas que nos perturbam.

A terapia dos aromas consiste no uso de essências para melhorar o processo de cura. Ela inclui o uso do incenso, de essências de flores e de óleos. A terapia dos aromas é uma terapia importante, ainda que suplementar, do Ayurveda, e é usada sobretudo para o tratamento da mente. Ela ajuda na concentração e na meditação, no equilíbrio das emoções, no relaxamento e na paz de espírito. Aqui, porém, não há espaço senão para uma rápida introdução a esse tema importante.

O aroma é uma qualidade sensorial que pertence ao elemento terra. O aroma compõe o elemento sutil da terra. Por meio do uso correto dos aromas, podemos purificar o elemento terra e levar a efeito o seu potencial mais elevado, que nos ajuda a esquecer os envolvimentos terrenos que nos pesam tanto na mente. Ao nos relacionarmos com os aromas do elemento sutil da terra na forma de alimentos sutis, podemos nutrir e integrar o corpo sutil (ou corpo das impressões). Embora os aromas predominem na terra, eles trazem em si aspectos de todos os elementos e estimulam os sentidos sutis. Os óleos aromáticos adequados trazem influências astrais favoráveis, como a influência dos deuses e anjos, para nosso campo psíquico e melhoram nossa atmosfera psíquica.

As substâncias aromáticas apresentam uma ação de equilíbrio sobre a mente, ajudam na harmonia dos três humores e nas três essências vitais de Prana, Tejas e Ojas. Elas fortalecem o sistema imunológico, ajudam a combater bactérias e vírus negativos, e dissipam o ar viciado. Ajudam a purificar as emoções negativas e os agentes patogênicos astrais (incluindo os pensamentos negativos dos outros). Aumentam as emoções positivas, como o amor, a alegria e a felicidade, e intensificam nossa motivação, determinação e criatividade. Melhoram nossa capacidade de recepção, percepção e discriminação.

Os óleos aromáticos trazem em si grande quantidade de Prana, a energia vital do cosmos, que é partilhada conosco. Eles purificam e abrem os canais, permitindo a circulação de energias no sistema nervoso, nos sentidos e na mente. E servem de agentes catalisadores para promover o movimento apropriado da energia vital em todos os níveis. De vez que toda doença envolve certa perturbação ou bloqueio na energia vital através do Prana, os aromas ajudam a tratar as enfermidades; contudo, usados em excesso, os óleos aromáticos podem agravar a condição dos humores (embora menos do que as ervas).

O Incenso

Os óleos aromáticos podem ser transformados em incenso. Comumente, esse é o método mais simples da terapia dos aromas e o mais comum nos livros ayurvédicos. Todas as formas de incenso podem ser usadas para a terapia e os aromas. Destes, os que derivam de árvores resinosas, de cascas ou de ramos (como o cedro, o junípero ou a artemísia) podem ser queimados direta ou indiretamente (como em carvão vegetal para resina) na forma de incenso. Outros óleos aromáticos requerem processamento especial para transformá-los em incenso.

O incenso pode ser usado de várias maneiras. Podemos inalá-lo diretamente a fim de obter um efeito mais forte ou podemos apenas usá-lo para purificar e beatificar o ar e o ambiente. O resíduo do incenso cria uma película protetora num nível sutil que permanece mesmo depois de o aroma ter-se dispersado.

Algumas ervas aromáticas podem ser queimadas especialmente sobre diferentes partes do corpo. Esse é um método comum de moxabustão na medicina chinesa, que se vale da artemísia dessa forma, comumente queimada num pedaço de gengibre fresco. O Ayurveda utiliza o açafrão-da-índia e o cálamo de modo semelhante. O óleo com a essência da planta pode ser penetrante sob a ação do calor.

Uso

Os óleos aromáticos em geral são aplicados externamente. Podem ser ingeridos, mas geralmente só quando são diluídos com propriedade; no entanto, NUNCA se deve tomar o óleo puro de uma planta. Uma colher de chá de qualquer óleo de essência, até mesmo hortelã, é quanto basta para fazer um "buraco" no estômago, e pode ser fatal. Os óleos de essências são voláteis, irritam e destroem a membrana das mucosas. Eles não devem ser aplicados diretamente sobre a membrana das mucosas, nem nos olhos.

Externamente, os óleos aromáticos podem ser aplicados em lugares especiais na pele. Na maioria das vezes, esses locais são a cabeça, como c terceiro olho, o topo da cabeça (o lugar do chakra da coroa), as têmporas (para dores de cabeça), a base do nariz (para problemas no seio nasal), atrás das orelhas, ou no pescoço — locais em que podem exalar um aroma mais forte.

A pessoa pode passar uma gota de óleo no dorso da mão ou no pulso e cheirar essa parte do corpo periodicamente. É possível usar óleo puro, ou ele pode ser diluído em álcool, água ou um óleo mais denso, como óleo de coco ou sésamo. O pó da erva pode ser misturado com água e aplicado na forma de uma pasta, como a pasta de sândalo usada sobre o terceiro olho, ou a pasta de gengibre, aplicada sobre as têmporas.

Outros pontos importantes são o coração, particularmente no centro do peito, ou a região diametralmente oposta nas costas, a região do peito (para problemas nos pulmões), o plexo solar (para problemas digestivos ou para aumentar a força de vontade), o umbigo, o lugar do chakra do sexo abaixo do umbigo (para deficiências na sexualidade). Nesses lugares, é possível que não sintamos o cheiro dos óleos, mas eles afetam vários órgãos, sistemas ou chakras em função de sua natureza e de sua penetração. O Ayurveda reconhece diversos pontos sensíveis (marmas) sobretudo nessas áreas do corpo, passíveis de ser tratadas por meio da terapia do aroma.

Internamente, os óleos são derivados indiretamente de chás à base de ervas, tirados que são de partes das plantas que contêm os óleos, como flores ou folhas. Os óleos de essência podem ser feitos com um pouco de álcool, do qual de dez a trinta gotas podem ser tomadas com água morna. As ervas aromáticas também podem ser usadas como pó (embora, na forma de pó, sua força ativa seja curta).

Ingeridos em condições propícias, os óleos aromáticos estimulam a mente e o sistema nervoso por meio da língua e do sentido do paladar. Por essa razão, é melhor provar as ervas e conservá-las na boca um minuto antes de engoli-las. Dessa forma, as ervas aromáticas podem atuar diretamente sobre o Prana na cabeça, assim como quando são inaladas.

O Aroma das Flores e os Óleos Picantes

Os óleos aromáticos são de dois tipos fundamentais: aromas de flores e óleos picantes. Os aromas das flores, como rosa ou jasmim, não raro são doces em termos de paladar, e frios no que se refere à energia. Alguns são agridoces, como o jasmim ou o crisântemo. Em geral, os aromas das flores diminuem Pitta e Vata mas aumentam Kapha. Eles predispõem mais às emoções, acalmam e alegram o coração, estimulando o chakra do coração. Aumentam Ojas, a reserva de energia fundamental do corpo e da mente, embora de maneira suave. Muitos deles, como o jasmim e a gardênia, fortalecem o sistema imunológico e, em sua ação de purificação, apresentam propriedades naturais antibióticas. As flores compõem uma parte importante da terapia anti-Pitta porque diminuem a propensão a emoções fortes, como a irritabilidade e a raiva, e eliminam o calor e o fogo da mente.

Os óleos picantes, como a canela ou o almíscar, em geral são pungentes no que se refere ao paladar e quentes em sua energia. Eles diminuem Kapha e Vata, mas podem aumentar Pitta. Purificam a mente, os seios nasais e os pulmões, além de estimular os sentidos e aumentar Tejas, a lucidez e a capacidade de percepção. Melhoram a função nervosa e muitos são analgésicos (fazem com que a dor pare) como cânfora e hortelã. Ajudam a desenvolver o terceiro olho, ativam os sistemas circulatório e digestivo e purificam os canais. Esses aromas são uma parte importante da terapia anti-Kapha.

Os aromas unicamente picantes, como cânfora ou artemísia, são melhores para Kapha. Os que são picantes e doces, como canela, gengibre e cardamomo, são melhores para Vata. Também existem alguns óleos picantes e amargos, como absinto e vetiver. São bons para Pitta e por vezes apresentam propriedades que geram a sensação de frescor (são bastante frios).

Os óleos aromáticos têm cheiro suave e forte e, em excesso, podem agravar Vata. Também podem causar na pessoa a sensação de dispersão, de desamparo e de sensibilidade excessiva. Em geral, são bons para Vata apenas na dosagem certa — que não é muito elevada.

Óleos para os Três Humores Biológicos

VATA: Os óleos "quentes" e agradáveis são os melhores, mas não os que estimulam demais. Óleos muito picantes como almíscar e canela podem ser equilibrados por óleos suaves e relaxantes como sândalo ou rosa. Os óleos melhores são os de sândalo, de flor do lótus, de olíbano, de plumeria, de canela e de manjericão. Estes são bons para o medo, a ansiedade, a insônia e os tremores, condições típicas de Vata.

PITTA: Os óleos frios e agradáveis são os melhores, sobretudo as essências de flores, embora alguns temperos frios ou aromas amargos sejam úteis. Os melhores são o sândalo, a rosa, o vetiver, a folha de limoeiro, o lótus, a lavanda, o lírio, o açafrão, o champak, a gardênia, a madressilva e a íris. Estes são bons para a irritabilidade, a raiva ou o conflito mental, condições próprias de Pitta.

KAPHA: Os óleos "quentes", picantes, são os melhores. Estes incluem óleos de essências e resinas como cânfora, canela, heena, cravo, almíscar, artemísia, tomilho, cedro, olíbano e mirra. Estes são bons para o apego, a depressão, e a estagnação mental, condições em que predomina Kapha. Flores doces, como a rosa e o jasmim, devem ser evitadas, bem como o sândalo em demasia, porque podem aumentar Kapha.

14. O Poder de Cura do Mantra

Queiramos ou não, o som tem uma capacidade imensa de condicionar a nossa consciência. De fato, a maior parte do condicionamento ocorre por meio do som, particularmente na forma de palavras, das quais deriva a educação que estrutura a nossa mente. Quer como palavras, quer na forma de música, nenhum outro potencial dos sentidos apresenta tanta capacidade para nos afetar. O som move a mente e o coração, influenciando-nos nos níveis subconsciente, consciente e superconsciente. Ele pode penetrar profundamente e alcançar nossos desejos e aspirações mais profundos.

Nosso condicionamento constitui apenas os padrões de som a que acostumamos a nossa mente. Para reprogramar a mente, libertá-la de seu condicionamento negativo e substituí-lo por um condicionamento benéfico — o que é a essência da cura psicológica — o uso terapêutico do som é um instrumento fundamental. O mantra não é só um instrumento sensorial para curar a mente, usando o poder do som e ligando-o ao sentido e ao sentimento, mas também afeta a natureza da mente, fazendo parte dela mesma.

Como seres humanos, somos fundamentalmente criaturas dotadas de fala. Nossas palavras são o nosso principal meio de comunicação e expressão. As palavras que assimilamos nos ligam a padrões psicológicos nos outros e aos impulsos coletivos da sociedade. Nossas palavras também resgatam as energias e as idéias latentes na nossa psique. Por meio delas, nossas mentes se unem, e informações de toda sorte são transmitidas, a partir das quais têm prosseguimento os nossos atos na vida.

O som é a qualidade sensível que pertence ao elemento do éter, o elemento nuclear a partir do qual afloram os outros elementos. Por meio do som, todos os elementos e os sentidos podem ser harmonizados e controlados. O som é a base de nossa servidão com respeito ao mundo exterior, e também o meio de nos libertar dele. O som controla a consciência, que se molda na forma de sons e palavras articuladas. Assim como o éter se baseia na forma grosseira do som, a consciência, que é como o espaço, consiste na forma sutil do som, que é pensamento ou sentido.

A fala perpassa os elementos, os órgãos dos sentidos e as funções da mente

Tudo aquilo com que nossa mente e nossos sentidos entram em contato pode ser expresso por meio da fala. Esta é a capacidade que tem a mente de se expressar; trata-se da capacidade que o conhecimento tem de revelar o que conhece. A fala perpassa o universo, que é a manifestação do Verbo Divino.

Formações de sons diferentes constituem as funções da mente. A vibração sonora de impressões e as informações constituem a mente exterior (Manas). A vibração sonora do conhecimento abstrato, dos princípios e dos ideais conserva a inteligência (Buddhi). A vibração sonora de nossos sentimentos mais profundos e da nossa intuição constitui a mente interior ou consciência (Chitta). A fonte máxima do som é o âmago espiritual ou centro da consciência, nosso verdadeiro Eu Superior (Atman) do qual sempre vem à luz o som eterno ou Verbo Divino. Mudar nossos modelos de som equivale a mudar a estrutura vibratória de nossa consciência.

Mantra

Há muitas formas de usar o som na cura, desde o próprio aconselhamento, em grande parte verbal, até a música; contudo, na cura ayurvédica, a terapia de som mais importante é o mantra. Este significa aquilo que salva, trayati, a mente, Manas. O mantra é o instrumento principal e mais direto de que dispõe o Ayurveda para curar a mente, desde suas camadas mais profundas até suas manifestações mais exteriores.[66]

Os mantras são sons ou palavras energizados de modo especial. Podem ser sons simples e únicos, como OM, ou frases e orações escolhidas, entoadas ou cantadas de forma diversa. Os mantras são repetidos de modo regular a fim de conferir-lhes poder e de torná-los instrumentos da transformação psicológica.

Todo condicionamento por meio das palavras é um tipo de mantra. Toda palavra-chave ou frase que repetimos, memorizamos e assimilamos profundamente é um tipo de mantra. Quando enfatizamos um pensamento de raiva ou de ódio por uma outra pessoa, isso equivale a um mantra obscuro ou tamásico. Quando damos ênfase a nosso desejo de sucesso e de realização, criamos um mantra rajásico ou de perturbação. Esses mantras não curam a mente, mas lhe perpetuam os modos de ignorância e agitação.

Para curar de fato a mente, são necessários os mantras sáttvicos, que visam dissolver o ego e levar a efeito a autoconsciência. Eles são mantras nascidos do amor e da busca de sabedoria. O verdadeiro mantra é bem diferente do uso das palavras para influenciar subconscientemente o nosso comportamento, como anúncios ou propagandas, que promovem a ignorância e o apego (Rajas e Tamas). O mantra não é um modo de a pessoa se hipnotizar a si mesma, mas um meio de livrar a mente do seu condicionamento, dispersando o som inconsciente e os modelos de pensamento por meio dos que refletem uma verdade e uma energia superiores.

Algumas pessoas talvez perguntem: Não seria impróprio todo tipo de condicionamento da mente? Não deveríamos procurar acabar com o condicionamento da mente? Isso é um erro, e algo que nunca é possível fazer. A mente, como entidade orgânica, requer o condicionamento correto, a exemplo do corpo. Este requer um regime alimentar específico, momento e modo adequados de se alimentar, exercícios e sono. A mente também requer uma dieta envolvendo impressões, exercícios e descanso. Se não conseguirmos condicionar a mente de modo apropriado, só lograremos condicioná-la de maneira errada. O não-condicionado é o objetivo, mas este existe no verdadeiro Eu Superior além do complexo mente-corpo. Para chegar a ele, o complexo mente-corpo deve ser transformado propriamente em condição sáttvica. A mente que perdeu o condicionamento, como um corpo não-condicionado, simplesmente foge ao controle.

Mantra e Consciência

Mantra quer dizer "o instrumento da mente" ou "o que protege a mente". O controle da mente e o desenvolvimento das capacidades ocultas que lhe são peculiares (siddhis) vêm à luz por meio do poder do mantra. Este é o método principal no tratamento da consciência (Chitta), e se presta à cura de todos os níveis da mente, internos e externos. Ele pode alterar ou erradicar latências e impressões profundas. Por essa razão, é a principal terapia ayurvédica para tratar os problemas psicológicos, e pode ser muito útil para problemas físicos.

O mantra nos permite mudar o tipo de vibração da consciência. Trata-se de um método direto para lidar com a mente. Por mais que sejam úteis, os métodos que contam com o regime alimentar, as ervas, as impressões ou até mesmo o aconselhamento, são indiretos ou exteriores. Pode ser muito mais útil entoar regularmente um mantra do que analisar nossos problemas psicológicos. O mantra altera a estrutura energética da mente que elimina o problema, ao passo que pensar sobre ele pode piorá-lo. O mantra altera de um modo positivo a energia do campo mental. Ele é bem diferente da análise, a qual, examinando os tipos de negatividade e o modo como se constituíram no que são, talvez nem chegue a alterá-los.

Existe um modelo de som fundamental para a nossa consciência. Pode ser uma canção que acabamos de ouvir, ou a lembrança de um acontecimento doloroso ou agradável. Algum movimento do som está sempre acontecendo dentro de nós. A exemplo do ritmo na música, ele determina o ritmo de nossa consciência. O uso consciente do som pode alterar esse ritmo para que o som da nossa consciência ampare a percepção que temos das coisas, em vez de diminuí-la.

Nossa consciência é feita de hábitos e tendências profundamente arraigados. Estes são os sulcos traçados no campo da nossa consciência, criados pela atividade mental repetida (Samskaras). O mantra nos permite aplainá-los. Ao repetir um mantra por um longo período, isso cria uma energia capaz de neutralizar as marcas deixadas em função de nossa atividade mental dispersa, criando uma memória mais poderosa para ir além delas.

Nossas lembranças são vibrações sutis de som que retemos na consciência. No sentido psicológico, a memória — o registro interior de mágoas e medos — é o som não assimilado. Uma lembrança assim constitui um som compreendido equivocadamente, que deixa uma marca na mente. Trata-se de uma vibração que não pode ser assimilada no tecido do campo mental, mas que continua afastada e produz mudanças que deturpam a percepção ou levam à ação imprópria. Por serem modos de som limitados, as lembranças e a dor que causam podem ser neutralizadas com os mantras apropriados, que projetam uma energia de som contrária que elimina a sua estagnação.

O Som e as Emoções

Toda sensação de que somos tomados pessoalmente, de que gostamos ou não, produz uma emoção a partir do medo e do desejo de amar e de odiar. O som, como o potencial mais importante dos sentidos, gera as emoções mais fortes. Cada emoção cria um tipo particular de som. Emoções mais fortes comumente requerem sons mais fortes. Cantamos com alegria, berramos de raiva, choramos de tristeza, nos lamentamos na dor e gritamos por muito medo ou muita dor. Os que morrem violentamente gritam alto momentos antes, como um reflexo da agitação da energia vital à proporção que ela vai sendo desfeita prematuramente. O som é um veículo da emoção, que ele pode aumentar ou liberar.

O som de nossas palavras traz em si certa força emocional e transmite uma mensagem emocional. Diz de que modo nos sentimos e revela nossa condição psicológica fundamental. Isso pode ser diferente do sentido real do que dizemos. Frases aparentemente de amor podem esconder ressentimentos, por exemplo, ou demonstrações de felicidade podem esconder tristeza ou autocomiseração.

A emoção negativa não é senão certa energia da força vital, e é absorvida pelo nosso processo típico da consciência concentrada em si mesma. Temos de aprender a liberar a energia concentrada nas emoções. Destas, as negativas devem sua existência ao uso impróprio da energia da consciência, que consiste em fixar nossa atenção nos nomes e nas formas do mundo exterior, e desviar-se do campo maior da existência. A liberação da emoção negativa depende de parar o processo que produz essa emoção. Isso é reivindicar nossa energia de atenção e usá-la de um modo criativo e consciente no presente.

Os mantras, por meio de sua energia sonora, geram certa força emocional ou força do sentimento. Por meio dessas energias, podemos nos tornar conscientes de nossas emoções. Por meio do mantra, podemos exercitar nossas emoções. Podemos aprender a "jogar" com nossas emoções e dominá-las, pois elas são forças cósmicas da expressão. Podemos aprender de que modo sentir de modo criativo e consciente a raiva, o medo, a alegria ou a dor, assim como um ator faz isso. Podemos energizar esses sentimentos e, aos poucos, fundi-los uns nos outros, até que a nossa mente volte a seu estado original de sentimento puro.

O Mantra e a Respiração

O Prana, a energia vital, é a vibração sonora primordial que está por trás do universo. Há um som por trás da respiração, que é, em si mesmo, um som não-manifesto. Nossas palavras são criadas pelo processo que envolve a respiração. Combinar o mantra com a respiração é um meio eficaz de mudar a energia da mente. Nossas perturbações emocionais estão ligadas pelos movimentos inadequados da energia vital. Usar o mantra e o Pranayama a um só tempo resolve esse problema (ver seção sobre Pranayama, particularmente sobre So'ham Pranayama).

O Mantra e a Meditação

A maioria das pessoas fracassa na meditação porque não prepara o campo mental como deveria. A meditação, no seu sentido verdadeiro — voltar a atenção totalmente para um objeto — requer que tenhamos a mente serena e a atenção sob controle. Condicionados que estamos, na era moderna, ao entretenimento, aos prazeres e à racionalização do desejo, isso é algo que de fato não temos. O mantra é um meio de preparar o campo mental para a meditação. Ele dissipa Rajas e Tamas da mente, para que a meditação, que requer Sattva para ter um prosseguimento satisfatório, possa ocorrer.

O mantra fornece um veículo para que avancemos na meditação. De modo diverso, os tipos de pensamento distraídos perturbam a mente. O mantra transmite energia à meditação. Tentar criar na mente um vazio ou um estado de silêncio talvez seja apenas voltar nossa atenção ao subsconsciente, onde suas tendências obscuras posteriormente podem infligir seu sofrimento a nós. O mantra serve de barco que nos leva pelo oceano do inconsciente. A meditação preparada pelo mantra é mais fácil, mais segura e mais eficaz do que a meditação direta. Quando o mantra penetra o subconsciente, este propicia a meditação, conferindo-lhe eficácia muito maior.

A Energética do Som

Os sons produzem efeitos psicológicos e fisiológicos específicos. Assim como o clima quente ou frio afeta nosso corpo de determinada forma, os sons e o modo como os repetimos também nos afetam; entretanto, os efeitos dos fatores externos sobre o nosso corpo são mais fáceis de observar do que os efeitos do som. Além do mais, assim como algumas pessoas preferem o calor, enquanto outras gostam do clima frio, assim os efeitos do som, conquanto objetivos, são capazes de interpretações subjetivas diversas. Quando conhecemos a energética dos sons, podemos usá-la terapeuticamente, como fazemos com as ervas ou com os alimentos.

Os mantras são como as Asanas para a mente. Conferem a esta plasticidade e adaptabilidade. Eles exercitam a energia da mente e dão a ela equilíbrio e estabilidade. Assim como Asana controla o corpo e Pranayama controla a respiração, o mantra controla a mente. O mantra conserva a força e a integridade do campo mental e favorece adequadamente a circulação das energias nele contidas. Isso reduz nossa vulnerabilidade ao condicionamento exterior, que, apesar de tudo, se baseia em grande parte nos nomes.

A terapia do mantra usa fundamentalmente o que se conhece por "bija mantras" ou sílabas-seminais, sons originais que fundamentam os tipos de som mais diversos da fala comum. Embora apresentem sons simples e possam ser repetidos com facilidade, são reflexos da energia primordial que não se esgota.

Terapia do Mantra

Os mantras são a parte mais importante da terapia espiritual e mental do Ayurveda. Este usa a terapia do mantra para acabar com as perturbações psicológicas e psíquicas. Essas perturbações são um desequilíbrio da energia no campo mental. Um mantra de energia positiva é usado para neutralizá-lo. Os mantras são instrumentos eficazes para desfazer os desequilíbrios mentais. São fáceis de usar e não requerem nenhum exame interior que envolva sofrimento ou aborrecimento no que concerne a nossa condição.

Os mantras ajudam a equilibrar os humores biológicos de Vata, Pitta e Kapha, e suas contrapartidas sutis de Prana, Tejas e Ojas. Eles ajudam a harmonizar a consciência, a inteligência e a mente. E ajudam a eliminar impurezas sutis dos nervos e dos canais sutis (nadis), além de ajudar na concentração e no pensamento criativo.

A Aplicação do Mantra

Os mantras podem ser usados pelo agente de cura para energizar o processo de cura, ou pelo paciente, para aumentar sua própria cura. Os mantras podem funcionar como canais para infundir a energia vital cósmica em nossos métodos de cura. Eles conferem certo espírito às formas que fornecemos, possibilitando um processo de cura total.

Os mantras ajudam a purificar o local do tratamento. O mantra OM é eficaz para criar um espaço de cura. HUM é apropriado para dissipar energias negativas que podem estar impregnando o local do tratamento. RAM pode ser usado para levar a Luz Divina e a energia vital cósmica ao cômodo onde se dá a cura. Esses mantras podem ser entoados mentalmente pelo agente de cura para o paciente a fim de purificá-lo num nível psíquico. Mantras como KRIM ou SHRIM podem ser usados para energizar o poder de cura das ervas ou dos remédios.

Para problemas mentais ou nervosos, é importante que o paciente ou o cliente entoe o mantra apropriado. Por exemplo, SHAM alivia a dor, os tremores e a intranqüilidade mental; HUM restaura a função nervosa, impede a paralisia e melhora a expressão, e SOM ajuda na reconstituição do líquido cérebro-espinhal e abastece a mente mais profunda.

Os mantras devem ser pronunciados com propriedade, o que talvez requeira instruções para a pessoa. Devem ser feitos com cuidado, na forma de um ritual sagrado, não como simples passatempo. Para ser eficaz, um mantra deve ser repetido pelo menos cem vezes ao dia durante um período de no mínimo um mês. A magia do mantra só vem à luz depois de o termos repetido por algum tempo. Em geral, um mantra só se torna repleto de energia depois de suas sílabas terem sido repetidas pelo menos cem mil vezes.[67]

Os mantras podem ser repetidos não só durante a meditação, mas também durante qualquer momento do dia em que a pessoa não esteja ocupada mentalmente. Convém repetir os mantras antes de dormir, para que o sono e os sonhos sejam bons, e depois de acordar pela manhã, para que a atividade mental seja perfeita durante o dia. Períodos prolongados para a repetição do mantra podem ser realizados como um jejum mental ou como purificação para a consciência. Repetir um mantra por um período longo proporciona à mente um banho de mantras, e purifica-a de todo pensamento e impressão negativos. Trata-se da melhor coisa para purificar a mente, a qual, de outra forma, se acha impura demais por causa dos seus pensamentos egocêntricos para se voltar a algo mais. A mente não purificada pelo mantra dificilmente terá a lucidez necessária para a paz psicológica e muito menos o desenvolvimento espiritual necessário.

Mantras Originais

OM: é o mais importante dos mantras, e representa o próprio Verbo Divino. Serve para energizar todas as coisas e todos os processos, bem como para conferir-lhes força. Portanto, todos os mantras começam e terminam com OM. Este purifica a mente, abre os canais e libera Ojas. Trata-se do som da afirmação que nos permite aceitar quem somos e nos abrir às forças positivas do universo. OM é o som de Prana e o som da luz interior que conduz nossa energia espinha acima. Desperta a energia vital positiva (Prana) necessária para que a cura ocorra. Ele realiza todos os potenciais da consciência.

RAM: é um mantra excelente para atrair a luz protetora e a graça do Divino. Esse mantra transmite força, serenidade, repouso, paz, e é particularmente bom para casos de alta concentração de Vata e problemas mentais, incluindo a insônia, os pesadelos, o nervosismo, a ansiedade, o medo despropositado e o pavor. RAM fortalece e tonifica Ojas e o sistema imunológico.

HUM: um mantra excelente para dissipar influências negativas que nos atacam, sejam elas agentes patogênicos, emoções negativas, seja até mesmo a magia negra. Esse mantra é o melhor para despertar Agni, como o fogo digestivo ou o fogo da mente. É bom para dissipar as toxinas, física ou psicologicamente, e para purificar os canais. Aumenta Tejas e a capacidade de percepção da mente (Buddhi) e faculta o controle sobre nossa natureza volitiva. É consagrado a Shiva, o Deus da transformação, e é o som da ira divina.

AIM: um mantra indicado para melhorar a concentração, o pensamento correto, os poderes da razão e para melhorar a fala. Desperta e aumenta a inteligência (Buddhi), particularmente em sua função ligada à criação e à expressão (coordenação de Buddhi-Manas). É indicado nos problemas mentais e nervosos, para restaurar as faculdades da fala, da comunicação e para fazer com que o processo de aprendizagem tenha prosseguimento. Ajuda no controle dos sentidos e da mente. Trata-se do som sagrado da Deusa da Sabedoria, Sarasvati.

SHRIM: um mantra importante para promover a saúde, a beleza, a criatividade e a prosperidade em geral. SHRIM fortalece o plasma e os fluidos da reprodução, abastecendo os nervos, e aumenta a saúde e a harmonia como um todo. Torna a mente aguda e sensível, ajudando-nos no que concerne ceder à verdade.

HRIM: um mantra da purificação e da transformação. Transmite energia, alegria e êxtase, mas, no início, causa uma compensação e uma nova ordem das coisas. Ajuda em qualquer processo de desintoxicação. É o principal mantra da Deusa ou Mãe Divina, e assegura todas as suas bênçãos.

KRIM: possibilita a capacidade para o trabalho e para a ação, além de conferir força e eficácia ao que realizamos. Melhora a nossa capacidade de fazer mudanças positivas na vida. É apropriado para entoar quando da preparação dos alimentos e das ervas, porque esse mantra permite que eles tenham uma ação maior.

KLIM: proporciona força, vitalidade sexual e controle da natureza emocional. Aumenta Kapha e Ojas. Integra-nos e proporciona o equilíbrio. Também estimula o talento artístico e a imaginação.

SHAM: um mantra da paz que pode ser usado em geral para promover a serenidade, o desapego e a satisfação. É indicado no caso de perturbações mentais e nervosas de natureza rajásica: tensão, angústia, emoções de perturbação, tremores e palpitações. É particularmente útil em perturbações degenerativas do sistema nervoso.

SHUM: aumenta a vitalidade, a energia, a fertilidade e o vigor sexual. Estimula as capacidades criativas e artísticas da mente.

SOM: aumenta a energia, a vitalidade, a alegria, a satisfação e a criatividade. Aumenta Ojas e fortalece a mente, o coração e os nervos. É bom para as terapias de rejuvenescimento e de tonificação.

GAM: propicia o conhecimento, a inteligência, o bom desempenho na matemática e na ciência, a lógica, a habilidade com a palavra, o equilíbrio da mente, a paciência e a resignação. Transmite Ojas à mente e fortalece Buddhi.

HAUM: transmite força, poder, sabedoria, transcendência e transformação. Aumenta Prana e Tejas. É também um mantra consagrado a Shiva.

O Mantra e os Elementos

Os cinco elementos, e os seus respectivos órgãos do sentido e da ação, são purificados, fortalecidos e harmonizados pelos seus respectivos mantras. Estes se relacionam com os chakras (ver tabela seguinte).

Mantra	Chakra	Elemento	Órgão do sentido	Órgão da ação
LAM	Raiz	Terra	Olfato	Órgãos de Eliminação
VAM	Sexo	Água	Paladar	Órgãos de Reprodução
RAM	Umbigo	Fogo	Visão	Pés
YAM	Coração	Ar	Tato	Mãos
HAM	Garganta	Éter	Audição	Fala
KSHAM	Terceiro Olho		Mente-espaço	Mente
OM	Cabeça		Espaço da Consciência	Consciência

Em cada caso, o som *a* é curto, como o som da vogal na palavra inglesa *the*. Esses mantras também fortalecem os sistemas por eles regidos.

O Mantra e os Tecidos do Corpo

Mantras semelhantes se relacionam com os sete tecidos (dhatus) do corpo físico e podem ser usados para fortalecê-los. Novamente, o som de *a* é curto, exatamente como o som da vogal no artigo *the* em inglês. Se determinado tecido apresenta deficiência, o mantra respectivo pode ser usado para supri-lo. Se determinado tecido é instável, o mantra pode estabilizá-lo. O mantra SHAM acalma a mente por meio do fortalecimento do sistema nervoso. O mantra SAM acalma a natureza emocional por meio do fortalecimento do tecido reprodutor.

1) Plasma, Ar .... YAM
2) Sangue, Fogo .... RAM

3) Músculo, Terra .... LAM
4) Gordura, Água .... VAM
5) Osso .... SHAM
6) Nervo .... SHAM
7) Reprodutor .... SAM

Mantras, Formas e Cores

Os mantras podem ser combinados com formas e cores para uma eficácia maior. As principais formas usadas refletem os cinco elementos. As formas e suas configurações elementais respectivas aumentam os elementos envolvidos e diminui os de qualidades opostas.

1) LAM	Terra	quadrado amarelo
2) VAM	Água	lua crescente branca
3) RAM	Fogo	triângulo vermelho com um dos vértices voltado para cima
4) YAM	Ar	estrela de seis pontas de cores escuras
5) HAM	Éter	círculo, azul-escuro na cor
6) KSHAM	Mente	ponto, azul-escuro na cor

Para desenvolver o equilíbrio da mente e a serenidade das emoções, e para favorecer as atividades, a pessoa deve visualizar um quadrado amarelo no chakra da raiz ou da terra em que o mantra LAM está ressoando.

Para desenvolver a receptividade, a criatividade, o equilíbrio emocional e a capacidade de assimilar influências positivas, a pessoa deve visualizar uma lua crescente branca no chakra do sexo ou da água em que o mantra VAM está ressoando.

Para desenvolver a vontade, a aspiração, a coragem e a vitalidade, a pessoa deve visualizar um triângulo vermelho no chakra do umbigo ou do fogo em que o mantra RAM está ressoando.

Para o amor, a devoção e a compaixão, a pessoa deve visualizar uma estrela de seis pontas acinzentada e escura no chakra do coração ou do ar em que o mantra YAM está ressoando.

Para o espaço da mente, o apego, a pureza e a sabedoria, a pessoa deve visualizar um círculo azul-escuro no chakra da garganta ou do éter em que o mantra HAM está ressoando.

Para desenvolver a concentração, a percepção e a introvisão, a pessoa deve visualizar uma estrela azul-escuro ou um ponto no terceiro olho ou chakra da mente em que o mantra KSHAM está ressoando.

Mantras e Yantras

Os mantras podem ser usados com contrapartidas geométricas específicas chamadas Yantras. Estes podem ser úteis também nas perturbações psicológicas; contudo, esse é um tema mais técnico, que foge ao escopo deste livro.[68]

Dos diversos yantras, a estrela de seis pontas, que combina triângulos de vértices voltados para cima e para baixo, é a mais indicada para buscar a harmonia. O Sri Yantra ou Sri Chakra é o mais complexo e o mais energizante dos yantras. Estes são tratados de modo mais específico na abordagem tântrica.

Os Mantras e os Humores Biológicos

VATA: os mantras para Vata deveriam ser cálidos, suaves, confortantes e relaxantes. Os tipos Vata não devem entoar os mantras em voz alta e por muito tempo, já que isso pode ter um efeito de esgotamento sobre sua energia. Depois de alguns minutos de salmodia, esses tipos devem entoar os mantras silenciosamente.

OM em excesso nem sempre é bom para Vata, de vez que tende a aumentar o espaço ou éter na mente, que, no caso dessas pessoas, já é por demais elevado. RAM, de um modo geral, é o melhor mantra para esses tipos, já que é confortante, relaxante e transmite à pessoa a impressão de estar protegida. HRIM é relaxante e energizante ao coração sensível dessas pessoas.

PITTA: os mantras para Pitta deveriam ser frios, suaves e relaxantes. OM é excelente no que diz respeito a isso, e também AIM, SHRIM e SHAM, que esfriam respectivamente a mente, as emoções e os nervos.

KAPHA: os tipos Kapha se dão bem com muita salmodia e canto. Para eles, os mantras deveriam ser quentes, estimulantes e ativadores. HUM é excelente, além de OM e AIM, que expandem a consciência e a percepção.[69]

Os Mantras e a Consciência

Os mantras ajudam em todas as funções da mente.

A Mente Exterior (Manas)

A Terra, a Água e Ojas são mantras predominantes; como KLIM ou SHRIM, fortalecem a mente exterior. Entoar e cantar os mantras é importante nesse nível, de vez que é a repetição do mantra em voz baixa.

Inteligência (Buddhi)

Os mantras predominantes de Fogo e Tejas são bons para a inteligência, como HUM ou HRIM. Meditar sobre o sentido dos mantras leva-os ao nível da inteligência interior.

A Consciência (Chitta)

Os mantras predominantes do Ar, do Éter e de Prana são bons para a nossa consciência mais profunda, particularmente o OM. HRIM é um mantra específico para Chitta, porque ajuda a abrir e purificar o coração, que é o lugar de Chitta. A repetição prolongada de mantras é mais importante aqui, principalmente durante o sono ou nos momentos de indolência no dia. Os mantras só alcançam o nível mais profundo de nossa consciência quando eles prosseguem automaticamente na mente, incluindo o estado do sono. O mantra deveria acompanhar cada respiração e movimento nossos.

Precaução

Os mantras deveriam ser feitos com um objetivo espiritual e de cura, não para satisfazer nossos desejos nem para fazer mal aos outros. Eles requerem que sigamos um regime ético favorável na vida. Depois do mantra, a pessoa deve praticar a meditação. Antes do mantra, é conveniente estudar algumas doutrinas espirituais. O mantra é um instrumento para energizar a mente, e não deveria ser usado como um sucedâneo da verdadeira reflexão ou como uma fuga de nossos problemas. Ele precisa ser integrado numa abordagem abrangente, ou pode não proporcionar todos os seus benefícios.

Shiva, o Senhor dos Yogues

Parte IV

Aplicações Espirituais da Psicologia Ayurvédica: Os Caminhos da Yoga

O bem-estar mental e emocional não é um fim em si mesmo. É o começo da vida espiritual. De mais a mais, esta traz em si muitos instrumentos para aumentar nossa paz de espírito e nossa felicidade. Nesta seção do livro, mostraremos de que forma essas práticas espirituais são importantes de um ponto de vista psicológico. As pessoas com formação em Yoga encontrarão a abordagem da Yoga usada e explicada de uma perspectiva ayurvédica.

Especificamente, examinaremos os métodos da Yoga e o modo como eles se relacionam com a psicologia, particularmente segundo a visão do Ayurveda. Este primeiro capítulo se ocupa do pano de fundo da Yoga e de suas práticas exteriores, de seus fundamentos éticos e de suas disciplinas da Asana e do Pranayama, das posturas da Yoga e dos exercícios de respiração. O segundo capítulo versa sobre as práticas interiores e mais profundas da Yoga. Esta, no verdadeiro sentido, nos leva além da psicologia comum até a psicologia espiritual, além de nossos problemas comuns e típicos de ser humano até o problema fundamental da existência — como ir além de todo sofrimento.

15. Terapias Espirituais

Aplicações Espirituais da Psicologia

A psique (mente) tem raízes no espírito (Eu Superior). A espiritualidade é a essência da psicologia, que, de outra forma, terá de continuar a ser superficial e limitada. A verdadeira felicidade e bem-estar são alcançados apenas na consciência interior e em nossa alma imortal, e não no mundo exterior, de incertezas eternas. Por essa razão o Ayurveda sempre nos leva à Yoga e às suas práticas de meditação; entretanto, o termo espiritualidade é usado atualmente de modo vago, e pode significar um sem-número de coisas. A espiritualidade, no sentido da Yoga e do Ayurveda, é o empenho de unir-se a Deus ou ao Eu Superior. Ela inclui a atividade religiosa comum, baseada na fé, nos rituais e na oração, mas apenas como uma parte inicial de uma busca interior para a compreensão de si mesmo por meio da meditação. A vida espiritual tem prosseguimento através de dois fatores principais: a devoção a Deus e ao conhecimento de si mesmo.

A devoção é a atitude básica da alma, o nosso amor espontâneo do Pai Divino e da Mãe do universo. A busca do autoconhecimento é a orientação mais elevada da inteligência, a busca do conhecimento da nossa verdadeira natureza fora da nossa identidade exterior mutável. Desses dois fatores, a devoção é o mais importante, porque ela é o alicerce para o conhecimento de si mesmo, que, de outra forma, continua a ser tão-somente pessoal ou conceitual. A prática da devoção é o néctar que pode curar todos os males. Sem ela, a psicologia é estéril, pessoal, intelectual. Com ela, a psicologia passa a ser arte, júbilo e assombro.

A Devoção e o Lugar de Deus

Como pode haver um sistema de cura que não reconheça Deus e não se empenhe em melhorar nosso relacionamento com o Criador? O Ayurveda enfatiza a importância de Deus (Ishvara), o criador ou senhor cósmico, a partir do qual este universo vem à luz como a fonte máxima da cura. Deus é o aspecto manifesto da Divindade ou Absoluto (Brahman) que rege a criação do espaço-tempo. Segundo a visão védica, Deus é uma realidade interior, nosso próprio guia interior. Entrar em contato com Ele é a chave para conhecer nosso Eu interior e a fonte do bem-estar e da felicidade.

Como Ser Supremo, Deus, obviamente, não se limita a nenhuma forma particular. Deus é apenas "Ele". Ele (Ishvara) é também Ela (Ishvari). Sua contrapartida feminina é o seu poder de criação e preservação, a graça divina ou Shakti. Deus não é apenas masculino e feminino, é também animado e inanimado, existindo em toda a Natureza, inclusive nos animais, nas plantas, nas rochas, nos planetas e nas estrelas. Ele é, a um só tempo, pessoal e impessoal, informe e contido em todas as formas.

Deus é o ser que atua por meio da Inteligência Cósmica, que é a sua mente. Ele reverencia a inteligência, e está sempre aberto à nossa comunicação e às nossas perguntas. A maneira de entrar em contato com Ele é a meditação, com a mente e o coração abertos. Enquanto existimos no domínio da manifestação, estamos sob o comando dEle e temos de prestar-Lhe homenagens. Estar em sintonia com Sua vontade eleva-nos ao cume do mundo natural, a partir de que podemos com facilidade ter acesso à percepção transcendente. A vontade divina é a vontade da verdade e do desenvolvimento da consciência. Ela ajuda todos os seres no seu desenvolvimento, independentemente dos nomes e das formas que assuma esse desenvolvimento.

A Importância da Devoção

A maior parte dos problemas psicológicos advém de certa falta de amor na vida. O amor é a força que torna a vida digna de viver, que lhe confere cor, profundidade e calor, que nos permite sentir as coisas de maneira intensa e nos deixa muito felizes. O amor depende do relacionamento. Todos estamos buscando a felicidade no relacionamento. Estar isolado é motivo de sofrimento. A união e os relacionamentos proporcionam alegria; no entanto, quando limitamos ou personalizamos nossos relacionamentos, eles causam o isolamento e trazem a dor. Unimo-nos a uma pessoa ou a um grupo e nos separamos dos outros, que passam a ser nossos inimigos.

O desejo é um estado de carência, a necessidade de ser amado. Trata-se de uma lacuna, de uma deficiência que busca ser preenchida de fora. O amor é um estado de plenitude, uma capacidade de doar. Trata-se de um estado de plenitude e excesso, que deriva seu poder do interior e transcende nosso contato com todo ser humano em particular. A verdadeira pergunta que devemos fazer a nós mesmos não é onde encontrar o amor, mas como dar amor. Se nos esforçamos para dar amor, este deve vir até nós porque o estamos encarando como algo inerente a nós. Se procuramos o amor fora de nós, ele deve se afastar de nós porque o estamos encarando como algo que ainda não nos pertence.

Muitas pessoas procuram o amor fora delas: nos parceiros sexuais, na família e nos amigos. Procuramos ser amados de um modo pessoal em vez de amar de um modo universal. Isso põe o amor a distância, em algum objeto ou pessoa diferente de nós, a quem precisamos conquistar para que venha a nos amar. Temos sempre de procurar o amor, mas nunca podemos conservá-lo. Esse amor foge de nós porque não é intrinsecamente nosso, mas depende das circunstâncias de nossos relacionamentos, sempre mutáveis.

A razão pela qual o relacionamento humano atualmente é um problema é que falta-nos devoção. Estamos procurando a realização nesse relacionamento com os nossos semelhantes, e ele só é possível por meio de um relacionamento com o Divino. Nosso verdadeiro relacionamento, que é eterno, é com o Divino. Nossos relacionamentos humanos são apenas formas temporárias desse relacionamento mais profundo. A não ser que tenhamos o relacionamento apropriado com o Divino, com a consciência ou verdade universais, não poderemos nos relacionar propriamente com a vida ou com nós mesmos.

Atualmente, as pessoas estão procurando um relacionamento de importância ou duradouro. Todos os nossos relacionamentos humanos são secundários porque são limitados pelo tempo e devem acabar. Eles só se tornam relacionamentos de importância quando vemos Deus dentro do outro. Sem algum reconhecimento do Ser Eterno por trás de todos os relacionamentos, não pode haver realização em nenhum relacionamento. Nascemos sozinhos e morremos sozinhos, e jamais logramos a união física e mental, exceto por breves momentos.

Nunca estamos, porém, verdadeiramente sós. Embora possamos nascer e morrer num corpo único, em nós existe a consciência de todo o universo, para que escolhamos olhar para dentro. Podemos descobrir todos os mundos e todos os seres em nós mesmos. O verdadeiro relacionamento implica ver o Divino nos outros e em toda a vida. Ele requer que nos relacionemos com nossa origem verdadeira, com nossos pais, o Pai Divino e a Mãe do universo, e não apenas com os corpos e formas exteriores.

A falta de devoção é a raiz de todos os problemas psicológicos. Por outro lado, uma pessoa que tenha devoção não pode ter problemas psicológicos de natureza significativa porque o Divino nunca está ausente, nunca está longe dessa pessoa.

A Entrega de Si Mesmo

Mediante nossa capacidade pessoal, não podemos resolver nossos problemas psicológicos. Nossos esforços obstinados para controlar a vida e ter domínio sobre o nosso destino levaram-nos a um estado de tensão e de agitação a que estamos procurando alívio. Se tivéssemos tido condições de resolver nós mesmos os nossos problemas, com certeza teríamos feito isso há muito tempo. Tampouco é de grande importância figurar os pormenores de nossos problemas psicológicos. O egoísmo, que é falta de devoção, e a procura do amor exteriormente, deixam-nos estéreis e descontentes.

Temos de aprender a renunciar a nossos problemas pessoais; fazendo isso, eles não poderão aderir a nós. Nossos problemas pessoais são apenas manifestações do eu pessoal. Não há solução para eles no domínio do eu pessoal. Só desistindo desse eu é que os problemas causados por ele podem ir-se embora. A renúncia é a chave para isso. Apesar de tudo, não somos responsáveis pelo modo como nosso corpo funciona, pelo movimento do tempo, nem pela ordem maravilhosa do universo. Não houvesse um comando superior, sequer poderíamos respirar. Assim, paremos de fingir que somos responsáveis pelas coisas ou que temos a capacidade de mudá-las. Entreguemo-nos ao Poder que está sempre no comando das coisas — o amor que jaz no mais fundo do nosso coração.

A entrega é o modo mais rápido de transcender todos os nossos problemas; entretanto, não se trata de entregar-se a uma pessoa ou a uma crença. Trata-se, em vez disso, de entregar-se ao bem inato e à consciência da vida que todos sentimos quando estamos livres de motivações egoístas. Essa entrega conquista todas as coisas; contudo, a entrega em geral requer uma forma. É possível que tenhamos de nos entregar ao Divino por meio de um amigo, de um mestre ou de uma forma de Deus. A saudação hindu "Namasté" quer dizer "Presto reverência a nossa entrega ao Divino em você".

Compaixão

Devoção e compaixão são dois aspectos da mesma capacidade de sentimento superior que é o uso correto da emoção. Deveríamos sentir devoção para com o Divino e para com as pessoas que encarnam qualidades divinas, como nossos guias espirituais. Deveríamos sentir compaixão por todas as criaturas, em particular pelas que são menos favorecidas do que nós.

Compaixão, contudo, não é piedade, que é uma emoção que faz mal aos outros e que envolve falta de humildade. A compaixão implica empatia ou sentimentos comuns — considerar o outro como sendo você mesmo. A compaixão não envolve apenas tentar ajudar os outros, mas reconhecer que os sofrimentos e alegrias deles são também nossos.

Sem compaixão pelas outras criaturas, a devoção para com Deus pode vir a ser uma ilusão da pessoa. Dedicar-se a Deus significa sentir compaixão por todas as criaturas, incluindo as que podem prestar culto a Deus de modo diverso, ou que talvez não prestem a Ele culto nenhum. A compaixão é um reconhecimento da presença divina em todos os seres. Por outro lado, sem devoção, a compaixão tende a se tornar arrogância. Como pessoas, não podemos salvar o mundo, sobretudo pelo fato de ainda não nos termos salvado. Tentar ajudar os outros sem primeiro termos o conhecimento de nós mesmos é como tentar salvar as outras pessoas no mar enquanto nós mesmos estamos nos afogando.

No entanto, independentemente do estágio em que nos encontremos na vida, sempre podemos prestar serviços aos outros, reconhecendo as limitações do que podemos conhecer e deixando que uma graça superior atue por intermédio de nós. A forma mais elevada de compaixão é também a devoção. Ela envolve a busca da origem da graça divina para benefício de todos.

Formas de Devoção

Deus ou o Criador é o mentor fundamental, o supremo guru e também o médico ou curador original de todo o universo. Podemos reconhecê-lo da forma que quisermos, de vez que Ele assume qualquer aspecto que seja caro à pessoa, mas jamais encontraremos a cura interior sem a Sua graça.

O Divino pode ser reverenciado em muitos nomes e formas diferentes. Com efeito, devemos prestar culto a Deus de um modo pessoal, ou nossa relação com Ele não será imediata. Devemos escolher o relacionamento com o Divino que é mais fácil seguir — pai, mãe, amigo, irmão, irmã ou entes queridos. A mãe, por ser o mais importante e o mais íntimo dos relacionamentos, em geral é o mais fácil.

Deus talvez seja cultuado de maneira melhor na representação feminina de Mãe Divina. Ela traz em si todo o amor, toda a beleza, alegria e graça. Seu poder dá-se por meio da Natureza, na forma da grande beleza e do encanto da criação, bem como na forma de força evolutiva que nos faz procurar o desenvolvimento do espírito. Deus também pode ser visto como Pai Divino e a Natureza como Mãe Divina. No que concerne a isso, a Natureza não é matéria grosseira, mas a inteligência criadora que a molda e orienta.

A devoção a Deus faz parte da busca que envolve saber quem realmente somos, o que é Deus. Quando tomamos conhecimento de nosso Eu interior, transcendemos tanto a Natureza como Deus (o Criador) como realidades que estão fora de nós. Tornamo-nos uma coisa só com o Divino e com a consciência pura que está por trás do universo.

Como Aumentar a Devoção

A melhor forma de aumentar a devoção é escolher uma forma particular de Deus a que prestar culto. A devoção funciona de maneira mais fácil quando começa com o uso de uma forma. Apesar de tudo, é o apego à forma que constitui a base do funcionamento da mente e de seus problemas. Há certos indicadores que podemos seguir. A principal coisa é ter uma forma específica do Divino a que prestemos culto numa base regular.[70]

1. Escolha um relacionamento particular para cultivar Deus na forma do pai, da mãe, de um ente querido ou de um amigo, na forma do criador, do preservador ou destruidor do universo, o que quer que esteja mais próximo do seu coração.

2. Escolha uma forma particular a que prestar culto como Shiva, Krishna, Buddha, Cristo, Kali, Tara, Kwan Yin ou a Madona, que o inspire mais. Essa forma pode ser uma imagem de Deus, masculina ou feminina, ou a de um grande mentor ou avatar. É possível usar também a figura de um grande guru ou mestre.

3. Escolha o nome Divino ou mantra da forma da Divindade para entoar, como Om, Ram, Namah Shivaya, Hare Krishna e assim por diante.

4. Faça os rituais, as oferendas e as orações diariamente a essa Divindade escolhida. Medite sobre ela como o seu verdadeiro Eu.

Rituais

Os rituais são importantes para consagrar nossas práticas de cura. Constituem práticas de cura fundamentais em si mesmos, além de ser parte da terapia espiritual do Ayurveda. Eles nos propiciam o modo de pensar correto para receber as energias de nossa consciência mais profunda. Os rituais compõem a base da maior parte das práticas de devoção, os quais devem, contudo, ir além delas rumo à meditação.

Os rituais são importantes no tratamento psicológico porque instauram no corpo e nos sentidos do paciente o processo de cura. Eles servem para fornecer impressões positivas que alimentam e curam a mente. Bem úteis são os rituais do fogo,[71] em que a negatividade psicológica é oferecida no Fogo Divino para a purificação. O puja hindu mais característico, ou o culto de devoção, consiste em ofertas a todos os cinco sentidos: um óleo aromático como sândalo para a terra, alimento líquido para a água, vela de manteiga para o fogo, incenso para o ar e uma flor para o éter. Trata-se de um ritual organizado para purificar o corpo e a mente. Os rituais são as práticas de devoção mais importantes. Devemos ofertá-los a Deus, independentemente da forma de Deus a que preferimos prestar culto. Eles abrem terreno a todas as outras práticas.

A Oração e o Mantra

Orações são súplicas feitas à Divindade pedindo amparo, amor ou orientação. Devemos aprender a nos comunicar com Deus, que, aliás, é o nosso próprio Eu interior. Temos de desenvolver uma linha de comunicação não apenas com Deus mas com toda a criação, honrando a consciência divina inerente a tudo o que existe. Podemos orar ao Divino e pedir ajuda com relação a nossos problemas psicológicos ou físicos. Deus jamais rejeita a solicitação sincera, embora não atenda aos meros desejos egoístas das pessoas.

A Divindade também tem um nome ou mantra. O nome é o fator mais importante no culto de devoção. Devemos nos valer do hábito de repetir o Nome

Divino toda vez que nossa mente fica agitada ou quando ficamos confusos. Se fazemos do Nome Divino o nosso fiel companheiro, nada de fato pode nos perturbar na vida. Temos de conservar constantemente Seu Nome na nossa mente e repeti-lo sempre que pudermos; entretanto, devemos evocar o Divino sem motivos dissimulados. Deus ou a Verdade existe, não para nosso benefício pessoal, mas para o bem de todos, em quem nosso bem mais elevado habita.

Como primeiro passo, devemos meditar sobre a forma da Divindade, mas devemos também nos esforçar para ver essa forma em toda parte. É necessário que aprendamos a vê-la nos outros, no mundo da Natureza e em nós mesmos. Temos de começar a falar a essa forma e a buscar-lhe a orientação. Também temos que tentar compreender a forma e o que ela quer dizer no nível interior.

Junto à forma das divindades nas tradições hindu e budista, um tipo de energia, yantra ou mandala, como Sri Yantra (ver ilustração), é retratado. A pessoa pode meditar nesses yantras. Diversos símbolos também podem ser usados.

As Divindades e a Psicologia

A psicologia moderna tende a considerar o culto às divindades como primitivo ou ingênuo, mas ele é, na verdade, o produto de uma psicologia espiritual profunda. As divindades podem energizar os grandes arquétipos e as forças do cosmos na nossa psique os quais, sozinhos, têm o poder sobre os níveis mais profundos de nossa consciência, tanto a instintiva como a intuitiva.

As divindades yogues são personificações das grandes forças da consciência que apresentam contrapartidas psicológicas e cósmicas. O uso das divindades coléricas pode nos ajudar a superar a raiva e as emoções negativas, quer as nossas quer as de outras pessoas. O uso de divindades benfazejas ou de paz pode ajudar-nos a acalmar a mente, a gerar satisfação e a despertar nossas capacidades espirituais e criativas mais profundas.

O Hinduísmo cultua várias divindades que representam os poderes da mente cósmica. Para lidar com perturbações psicológicas em geral, a principal divindade no Ayurveda é o Senhor Shiva, a personificação da Divindade Suprema (Mahadeva). Shiva significa paz, e seu culto assegura a paz de espírito. Shiva tem o poder de controlar todas as forças negativas da mente, e comanda todas as forças elementais e as sombras do passado que podem nos perturbar. Ele pode neutralizar toda a negatividade. É possível prestar culto a ele repetindo o seu mantra:

Om Namah Shivaya! Om, Reverência a Shiva!

Podemos simplesmente repetir o nome de Shiva diversas vezes. Ou podemos simplesmente repetir seu mantra-seminal SHAM, que é o som original da paz.

Para lidar com a raiva, podemos cultuar o Senhor Shiva na sua forma de Rudra, que controla a ira divina. Para lidar com o medo, podemos prestar culto à Deusa Kali, que nos livra do tempo e da morte, aquilo de que mais temos medo. Para lidar com o apego, podemos meditar sobre a Deusa Lakshmi, que conserva todo o bem como o fruto da devoção. Para o amor e para a alegria, podemos cultuar o Senhor Krishna, que é a encarnação do amor e da bênção divinos. Para ter coragem, podemos prestar culto ao Senhor Rama, que representa a intrepidez divina.

Ganesha, o deus com cara de elefante, propicia a capacidade da inteligência constante, do pensamento sereno e do juízo correto. Ajuda a desenvolver a inteligência (Buddhi) da maneira adequada. Hanuman, o deus macaco e devoto de Rama, assegura-nos o poder e a energia vital (Prana) que eleva a mente e aumenta nossa devoção. Todas as divindades do Hinduísmo se prestam a um uso psicológico. Esses são apenas alguns exemplos para dar uma idéia de sua aplicação psicológica.[72]

O Budismo, particularmente o Budismo tibetano, apresenta divindades chamadas de Bodhisattvas.[73] As divindades de muitas outras religiões antigas, como as da Grécia antiga, do Egito e da Babilônia, foram usadas de modo semelhante. Por exemplo, o grego Apolo, a exemplo do Deus-Sol védico, foi cultuado para que se desenvolvessem as potências da inteligência, da criatividade e da iluminação. Esse é um tema complexo por si mesmo, e sua importância não deve ser subestimada.

A Devoção sem Forma

Algumas pessoas não se sentem inclinadas a prestar culto a forma nenhuma e preferem cultuar o Divino sem forma. Um modo de fazer isso é sentir o relacionamento de Deus como pai, como mãe, como ente querido ou senhor, mas sem atribuir-lhe nenhuma forma. Conquanto a devoção talvez não requeira a forma, ela é impossível sem uma relação com o Divino. Ela também requer comumente o uso de diversos nomes ou mantras divinos.

Outro modo de desenvolver a devoção sem forma é venerar qualidades divinas como verdade, amor, paz, e contentamento. Estas podem ser alvo da meditação, ou podem ser transformadas em nomes divinos. Todas as qualidades que admiramos na vida, nós as criamos em nós mesmos.

Em geral, é melhor combinar a devoção com orientação para a forma e a destituída de forma, porque as duas são complementares. Ver o informe na forma é o modo mais elevado, o que equivale a ver Deus na Natureza e na humanidade. Os que têm devoção por Deus numa forma particular devem aprender a ver essa Divindade em todas as formas. Os que têm devoção pelo Divino sem forma devem também ver o mundo em Deus.

Como Aumentar a Compaixão

A maior parte de nossos problemas pessoais desaparece quando consideramos os maiores problemas do mundo. Na verdade, nenhum de nós tem problemas pessoais. Temos apenas a nossa forma pessoal de problemas humanos, a qual, em última análise, é o problema do eu separado. Há várias práticas que podemos realizar para desenvolver a compaixão.

Faça as orações ou os cânticos diariamente pela paz do mundo e pelo alívio do sofrimento a todas as criaturas, como esta: "Possam todos os seres ser felizes. Possam ter paz. Possam ver-se livres das doenças. Que nenhuma criatura sofra a dor."

Envolva-se com algum trabalho filantrópico, que pode ser na área da educação, da cura, da política ou da ecologia.

A Devoção e a Mente

As pessoas altamente intelectualizadas amiúde não apreciam a devoção, que consideram uma forma de fraqueza em termos de emoção; no entanto, a devoção é a própria seiva que vitaliza a mente. Se não temos devoção por algo, a mente se torna estéril, vazia e autodestrutiva. Mesmo quando somos muito sensatos ou inteligentes, a devoção é essencial. Para usar uma metáfora, a mente é como o pavio, o conhecimento é a chama, mas a devoção é o óleo que alimenta o pavio. Sem ela, o conhecimento, até mesmo o conhecimento espiritual, consumirá a mente.

O Conhecimento de Si Mesmo

A verdadeira psicologia, ou o conhecimento da psique, significa conhecer a si mesmo. Mas, quem somos nós? Somos apenas este corpo, esta mente, a criatura deste nascimento? Seria o conhecimento de nós mesmos o mesmo que o conhecimento das particularidades da química do nosso corpo, da forma da memória, de nosso condicionamento social ou de algo ainda mais profundo?

Toda psicologia é uma tentativa de saber quem realmente somos, mas os sistemas da psicologia apresentam concepções distintas do eu. A maior parte aceita a validade do ego — a identidade do Eu-sou-o-corpo desse determinado nascimento — como nosso verdadeiro Eu. O Ayurveda, muito além disso, enxerga a nossa identidade na percepção imutável que transcende o corpo e a mente.

O conhecimento de si mesmo significa entender toda a extensão do nosso ser. Não se trata apenas do eu físico, mas do eu mental e do eu individual, que persistem de nascimento a nascimento. O verdadeiro conhecimento de si mesmo implica entrar em contato com a missão de nossa alma na encarnação. O que estaria nossa alma procurando realizar nesta vida para se ajudar ao longo de sua jornada rumo à Divindade?

O conhecimento de si mesmo envolve o conhecimento do cosmos. Funcionamos por meio das grandes forças da Natureza, que são também os poderes de nossa consciência mais profunda. Conhecer a nós mesmos equivale a conhecer o universo, não como fenômeno físico, mas como jogo da consciência. Tudo o que vemos, desde as belas montanhas até os atos criminosos, é um aspecto de nós mesmos. Enquanto não entendermos essas coisas em nós mesmos, continuaremos ignorando quem de fato somos.

O conhecimento de si mesmo é a forma mais elevada do conhecimento. Constitui a base de todas as outras formas de aprendizagem. É a única coisa através da qual tudo o mais é conhecido. Para descobri-lo, é preciso que voltemos a mente à sua origem e a reeduquemos quanto a ver o mundo, não como uma realidade exterior, mas como uma revelação interior. O mundo exterior existe para a experiência interior e para o conhecimento de si mesmo. Quando abordamos diretamente qualquer coisa na Natureza, com lucidez, descobrimos que, no nível mais profundo, essa coisa é intrinsecamente uma com nossa própria consciência. Vemos a nós mesmos na Natureza, e esta em nós mesmos. Essa é a revelação de nosso Eu Superior.

Como Aumentar o Conhecimento de Si Mesmo

Para aumentar o conhecimento de si mesmo, temos de aprender a nos observar, o que requer meditação. Não temos de aceitar a idéia do ego condicionado de quem somos, porém, precisamos mergulhar fundo na mente e ver de que modo estamos ligados a toda a existência. Devemos rastrear nossa idéia do eu, o eu-sou, até identificar-lhe as origens no âmago do espírito. Temos de aprender quem somos, não apenas o que nos constitui o nome ou o emprego, mas a natureza de nossa consciência livre de todos os fatores de condicionamento exterior.

O pensamento sempre tem duas partes: o "Eu" e aquilo com que se identifica, como quando se diz "Eu sou isso" ou "isto me pertence". O sujeito, ou "Eu", liga-se a um objeto ou se identifica com ele. Todos os nossos problemas advêm da porção do objeto, limitada pelo tempo e pelo espaço. Temos alguns problemas com ser isto ou aquilo, ou com ter uma ou outra coisa, mas não temos problemas quanto a ser. Isso não é difícil a ninguém. Trata-se do que existe por si mesmo, do que é dado. É no ser alguma coisa ou outra que os problemas vêm à luz.[74]

Voltar ao puro "Eu sou" é a raiz de toda paz e de toda felicidade. A psicologia deveria nos ajudar a entender as camadas exteriores do nosso ser, do nosso corpo físico, de nossos impulsos vitais e mentais, não nos prender nessas coisas, mas harmonizá-las para que o nosso ser mais profundo possa se manifestar e funcionar por meio delas.

O conhecimento de si mesmo requer certa calma e serenidade da mente. Se estamos padecendo de perturbações psicológicas, em geral, é mais fácil desenvolver a devoção primeiramente, ou lidar com aspectos exteriores mais acessíveis em nossa vida, como mudar nossa alimentação ou nossas impressões. É inútil dizer a alguém que passa por grave crise emocional para que medite, seja desapegado ou procure entrar em contato com o Eu Superior. Pessoas nessas condições precisam de algo mais prático; orientá-las para a meditação é algo importante. Por essa razão, o conhecimento de si mesmo pertence mais propriamente à senda espiritual do que ao tratamento psicológico; contudo, o autoconhecimento é a única forma de ir além de todo sofrimento, que resulta de não sabermos quem de fato somos.

16. O Método Óctuplo da Yoga I Práticas Interiores: Modo de Vida Dhármico, Asana e Pranayama

O Maior Sistema da Yoga

Toda a vida é Yoga, que significa unificação. Todos estamos lutando de acordo com o nosso conhecimento para nos unir ao real, ao bem e à fonte da felicidade. Toda vida individual almeja, conscientemente ou não, a reintegração na vida cósmica. Todos estamos nos empenhando em expandir as fronteiras e aumentar nossos vínculos a fim de encontrar a completude e a paz. A Yoga não é um novo caminho a seguir, mas um caminho para se tornar consciente do ímpeto original da vida. A Yoga é o movimento e a evolução da Vida em si mesma.

Todos os problemas psicológicos afloram, em última análise, do uso incorreto da energia da consciência. Em vez de nos unirmos à realidade interior eterna, em que se acha a alegria duradoura, apegamo-nos a objetos exteriores efêmeros, cujas flutuações causam a dor. A prática da Yoga, ou a integração interior, reverte todos os problemas psicológicos, fazendo a mente se fundir de novo em sua fonte imutável de consciência pura em que habita a paz perfeita. Por essa razão, a Yoga é uma parte integral e importante do Ayurveda, a ciência da vida, particularmente para tratar de problemas psicológicos.[75]

O *Yoga Sutras*,[76] o principal texto clássico sobre Yoga, define-a como "o abrandamento das operações da consciência". Uma vez mais, o termo que designa consciência ou mente é Chitta, com referência a todos os potenciais do pensamento consciente e inconsciente. "Abrandamento" quer dizer eliminar todos os condicionamentos negativos abrigados na mente e no coração. Levar a efeito a calma plena requer controle das diversas funções da consciência por meio da inteligência, da mente e do ego, junto com o desapego da energia vital e do

O Método Óctuplo da Yoga I: Práticas Interiores

corpo físico. Essa é uma definição mais densa e profunda do que a idéia da Yoga hoje em dia, que talvez seja a de que ela é pouco mais do que exercício ou alívio para o *stress*. As normas para o desenvolvimento da Yoga, que podem tratar igualmente de desequilíbrios psicológicos, são as seguintes:

1) A consciência (Chitta) precisa ser acalmada e esvaziada.

2) A inteligência (Buddhi) precisa ser reorientada e aguçada.

3) A mente (Manas) e os sentidos precisam ser controlados e interiorizados.

4) O ego (Ahamkara) precisa ser dissolvido.

5) A força vital (Prana) precisa ser equilibrada e intensificada.

6) O corpo precisa ser purificado.

Esses processos diferentes se unem; sem um, os demais não podem ser bem-sucedidos. Analisamos esses fatores em vários capítulos do livro. Neste, resumiremos alguns aspectos e nos aprofundaremos em outros.

1. Como Abrandar Nossa Consciência Mais Profunda

A nossa consciência mais profunda conserva os diversos traumas emocionais e dores que nos perturbam, a maioria dos quais permanece oculta ou reprimida. Essas perturbações devem ser abrandadas e liberadas. A paz deve ser levada ao âmago da mente. Isso implica esvaziá-la de seus conteúdos, de seus hábitos, tendências e apegos profundamente arraigados, renunciar ao medo, à raiva e ao desejo em todos os níveis; entretanto, a mente é calma e pura por natureza. Só precisamos deixar que volte ao seu estado natural, que equivale a conservá-la livre das influências exteriores que a perturbam.

2. Nova Orientação e Aguçamento de Nossa Inteligência

A inteligência precisa ser redirecionada de sua orientação para o mundo sensorial exterior, e concentrada no mundo interior da consciência. Temos de aprender a diferenciar o eterno do transitório, o real do irreal, o nosso verdadeiro Eu da massa de aparências do ego. Isso requer que percebamos os três gunas, nos apeguemos a Sattva e ponhamos de lado Rajas e Tamas. Trata-se de uma chave para esvaziar a consciência. Só por meio de uma nova orientação para a inteligência é que podemos dirigir nossa percepção além do conteúdo da consciência, que é limitado pelo tempo.

3. O Controle da Mente

Precisamos controlar nossa mente e os nossos sentidos e não ser mais impelidos por eles para buscar satisfação exterior. Isso requer o cultivo do autocontrole, do caráter e da força de vontade. Enquanto a mente leva impressões exteriores para a consciência, esta não pode esvaziar-se. De modo semelhante, enquanto estamos olhando para fora através da mente, não podemos redirecionar nossa inteligência interiormente.

4. A Dissolução do Ego

A raiz de toda expansão da consciência está em dissolver o ego ou a idéia do eu isolado, que é limitadora. O eu separado cria um vazio interior que procuramos preencher com o envolvimento externo. Ele leva a efeito julgamentos errôneos, por meio de que criamos a dor e o sofrimento. Enquanto estivermos presos no ego, não conseguiremos controlar nossa mente, nossa inteligência continuará exteriorizada e nossa consciência interior permanecerá em tumulto. Isso requer abnegação, entrega a Deus, e o despertar de nosso eu interior e do sentido da alma.

5. Equilíbrio e Intensificação da Energia Vital

Nosso Prana ou energia vital torna-se limitado pelo apego e pelo envolvimento que nos perturbam. Para libertar a mente, esse Prana também deve ser liberado. Nossa energia vital (Prana) deve ser libertada de sua fixação em objetos exteriores, que o fragmentam e dispersam. De outro modo, nossa mente deve ser levada para fora, e a energia de nossa atenção deve perder-se. Sem a vitalidade apropriada, nada podemos fazer, e decerto não podemos controlar a mente e os sentidos. Isso requer ligar-se às fontes saudáveis, internas e externas, da vitalidade por meio da mente, dos sentidos, da respiração e do corpo.

6. A Purificação do Corpo

O corpo precisa ser purificado das toxinas e excessos dos humores biológicos de Vata, Pitta e Kapha. Um corpo com toxinas ou fraco, diminuirá o desempenho da mente e enfraquecerá a energia vital. O corpo é o repositório de nossas ações e conserva seus efeitos de longo prazo. Não podemos ignorar-lhe a função no trabalho com a mente ou consciência mais profunda.

Oito Membros da Yoga: Ashtanga Yoga

A Yoga clássica fornece uma abordagem óctupla (Ashtanga) para lograr seu objetivo de integração. Esses oito "membros" não são apenas passos ou estágios, embora obedeçam a certa seqüência. Eles são como os membros do corpo ou as partes de uma casa, cada qual apresentando sua própria função, ainda que nem todas sejam de igual importância. Examinaremos os oito membros da Yoga na forma de tratamentos psicológicos e mostraremos de que modo as diversas terapias analisadas no livro se relacionam com eles.

Os Oito Membros da Yoga

1. Yama — Regras de Conduta Social
2. Niyama — Regras de Conduta Pessoal
3. Asana — Posturas Físicas: Orientação Correta do Corpo Físico
4. Pranayama — Controle da Respiração: Uso Correto da Energia Vital
5. Pratyahara — Controle da Mente e dos Sentidos
6. Dharana — Concentração: Controle da Tensão
7. Dhyana — Meditação: Reflexão Correta
8. Samadhi — Absorção: União Correta

Os primeiros dois passos (Yama e Niyama) constituem o fundamento ético da vida humana, os princípios da conduta social e pessoal. Sem esses, não teremos a base correta para um desenvolvimento saudável. Eles constituem as regras fundamentais do "Dharma" ou da vida reta.

As primeiras cinco etapas (Yama, Niyama, Asana, Pranayama e Pratyahara) são chamadas de "apoios externos" na YOGA SUTRAS. Eles harmonizam os aspectos externos da nossa natureza: comportamento, corpo, respiração, sentidos e mente. Os últimos três estágios (Dharana, Dhyana e Samadhi) são chamados de "apoios internos". Constituem a parte central da Yoga do modo como está incorporada ao processo de meditação. Em conjunto, são chamados de Samyama ou concentração, a capacidade de se tornar uno com os objetos de nossa percepção; todavia, Pratyahara pode ser incluído nos apoios interiores, e assim procederemos neste livro.

O Fundamento Dhármico da Vida Humana

De acordo com os sábios védicos, a vida deve basear-se no Dharma para que logremos algo real ou duradouro. O Dharma é a lei natural em atividade que está por trás deste universo consciente. O Dharma inclui o nosso Dharma social, ou responsabilidades sociais, e o nosso Dharma individual, nossas responsabilidades pessoais. Descobrir o nosso Dharma significa aprender o que é bom para nós individualmente, de acordo com a nossa função na sociedade, com o nosso estágio na vida e com o nosso desenvolvimento espiritual.[77] O Dharma é o fundamento necessário para que a Yoga tenha prosseguimento de modo genuíno.

Yama — o Primeiro Membro da Yoga

No Ocidente, muitas pessoas acham que a Yoga é uma coisa pessoal, ou até mesmo um sinal de preocupação consigo mesmo. Na verdade, a Yoga, no seu sentido verdadeiro, requer uma noção exata de responsabilidade social e de comportamento ético definidos pelas cinco Yamas ou regras de conduta social. As Yamas são as cinco atitudes necessárias para estabelecer um correto relacionamento com o mundo exterior.

1) não-violência (ahimsa)

2) veracidade (satya)

3) controle da energia sexual (brahmacharya)

4) não roubar (asteya)

5) não-possessividade (aparigraha)

A primeira e mais importante Yama é a não-violência: não desejar mal a nenhuma criatura, em pensamentos, em palavras ou obras. A não-violência é a atitude mais importante para ter um relacionamento correto com o mundo e para impedir as energias negativas de se apossarem de nós. A violência é o maior fator de desvirtuamento na vida. Desejar mal às outras pessoas é a causa fundamental da intranqüilidade mental porque introduz uma energia de violência na mente, onde deve gerar o desvirtuamento e ter como conseqüência a ação torpe.

A veracidade nos mantém em harmonia com as forças da verdade no mundo que nos cerca, e nos aparta das influências da falsidade e da ilusão. Confere paz de espírito e equilíbrio, além de nos permitir descobrir o que é real. Veracidade significa fazer o que dizemos e dizer o que fazemos. Mentir, enganar, dissimular e ser desonesto desvirtua a mente e nos leva ao juízo enganoso. A não-violência e a veracidade devem andar lado a lado. A veracidade não deve ser cruel nem violenta. A não-violência não deve estar separada da verdade, ou é apenas apaziguamento ou conciliação. Devemos falar a verdade, mas de um modo tão agradável quanto possível.

O sexo é a energia mais poderosa que nos liga ao mundo e é a principal fonte de atitudes erradas na vida. Sem controlar nosso impulso sexual, caímos na tristeza e no conflito. O controle da energia sexual, a mais poderosa das energias vitais, nos liberta das complexas relações emocionais desnecessárias e compõe o poder interno, necessário para levar a mente a um nível superior de consciência. Os desequilíbrios mentais sempre envolvem algum desvirtuamento da energia sexual, que é a energia fundamental dos sentidos e da mente. A energia sexual não controlada ou mal orientada desvirtua nossas funções físicas e mentais. Leva a uma grande perda de energia, bem como a embaraços profundamente arraigados.

Não roubar significa não tomar o que por direito pertence aos outros. Isso inclui não só as propriedades dos outros, mas também o trabalho deles, ou qualquer crédito que se lhes deva. Isso estabelece a nossa verdadeira relação com outras pessoas e nos mantém livres da inveja e do ciúme. Não roubar não é apenas uma simples questão de evitar o furto; requer honestidade sobre quem somos e sobre o que fizemos, e não tomar algo que não nos pertença por direito. Tudo o que tomamos dos outros gera o desencanto e perverte a mente, além de inibir a compreensão correta das coisas.

Não-possessividade significa não ser possessivo quanto a coisas exteriores, nem mesmo com aquilo que podemos adquirir por direito. Não-possessividade requer não sentir que possuímos as coisas, mas considerar que somos guardiães dos recursos que pertencem a todos. Esse princípio representa a simplicidade material e o ato de não cobiçar bens materiais. A não-possessividade nos dá liberdade quanto ao mundo. Trata-se de um tipo de observância particularmente importante no mundo moderno de riquezas, em que temos tantas posses ou somos tão sequiosos de riquezas e propriedades. O que pensamos que possuímos, na verdade, nos possui.

Não-possessividade não significa que tenhamos por força de nos desfazer de todas as nossas posses, mas significa que não devemos acumular coisas desnecessárias. Ter coisas demais gera muitos aborrecimentos, para os quais a única solução talvez seja desfazer-se dessas coisas. Há muitas conseqüências psicológicas negativas de ter muitos bens. Essas incluem dúvidas e apego, os quais conferem gravidade e uma atitude defensiva à mente.

Não roubar e a não-possessividade andam lado a lado. As posses inadequadas, quer materiais, quer mentais, como a gravidade, nos mantêm "para baixo", ou nos ligam aos objetos envolvidos. A não ser que mudemos nosso ambiente material e nossa atitude mental com relação a isso, é possível que não sejamos capazes de mudar a mente. Temos de purificar nosso ambiente exterior para interiorizar a mente. Posses demais ou inadequadas criam uma força psíquica negativa que impede que a nossa consciência se expanda. Por meio dessa observância yogue, não criaremos mais um ambiente material limitador à volta da nossa consciência.

Quando não mantemos uma relação honesta, sincera e de desapego com o mundo e com as outras pessoas, não podemos ter a harmonia do corpo e da mente. A conduta social indevida é a base da maioria das doenças psicológicas e de muitas enfermidades físicas. A conduta social correta é um instrumento importante para tratar toda doença. Antes que nos concentremos para tratar da mente ou para desenvolver nossa consciência, temos de criar os fundamentos de um relacionamento correto com o mundo que nos cerca, não apenas em nossos pensamentos, mas em nossas ações.

Niyama — o Segundo Membro da Yoga

As regras da Yoga quanto à conduta da pessoa concernem às nossas práticas diárias e ao nosso estilo de vida. Essas regras constituem os principais exercícios ou regimes que devemos seguir a fim de fazer que a consciência evolua. Os cinco Niyama são:

1) contentamento (santosha)

2) pureza (shaucha)

3) estudo das doutrinas espirituais (svadhyaya)

4) autodisciplina (tapas)

5) entrega a Deus (Ishvara pranidhana)

O contentamento vem primeiro. Isso significa encontrar a felicidade em nós mesmos, em vez de no mundo exterior. Enquanto estivermos infelizes e formos presas da distração, não teremos a paz e a coerência suficientes para olhar dentro de nós mesmos. A Yoga não é o movimento da mente perturbada que busca o entretenimento, mas o movimento da mente serena que busca a verdade interior.[78] Temos de cultivar o contentamento cultivando as fontes interiores da criatividade e da percepção. Isso é mais uma chave para a paz de espírito.

A pureza e a limpeza são as práticas mais importantes que devemos seguir na vida. Devemos purificar o corpo por meio de um regime alimentar apropriado, à base de vegetais, paralelamente a exercícios corretos, e temos de purificar a mente por meio das impressões, emoções e pensamentos adequados. A impureza no nível psicológico acarreta problemas mentais, e a impureza no nível físico gera problemas físicos. Essas impurezas da mente incluem as contrariedades, a maledicência, a imaginação perturbada e o ciúme.

O estudo das doutrinas espirituais implica o exame das doutrinas que nos ajudam a compreender quem somos e a natureza do universo em que vivemos. Para isso, precisamos de uma doutrina genuinamente espiritual ou iluminadora, baseada nas obras dos sábios que se compreenderam a si mesmos. As doutrinas espirituais transmitem à mente pensamentos superiores, e nos ensinam uma linguagem por meio da qual podemos compreender nossa própria consciência superior. O estudo de si mesmo inclui a repetição dos mantras, que ajudam a pessoa a penetrar a sua mente mais profunda. Não se trata de um estudo de ordem intelectual, mas ele requer a contemplação do que examinamos. Temos de estudar as grandes verdades espirituais em nossa vida e em nosso caráter, e ver de que modo criamos nosso destino.

A autodisciplina é necessária para levar a cabo o que quer que seja significativo, nas artes, nos esportes, no mundo dos negócios ou na prática espiritual. Temos de aprender a coordenar e a dirigir nossas ações de um modo significativo rumo a um objetivo superior ou ideal. Isso significa que devemos estar dispostos a sacrificar o que não é útil a nossa meta, como o envolvimento superficial e as distrações. A autodisciplina é necessária para controlar a mente. A Yoga, como toda grande realização, requer esforço e dedicação; caso contrário, não se pode avançar muito nela.

Por fim, não devemos nos esquecer de ter um sentimento de reverência com respeito às forças do universo. Temos de reconhecer a inteligência que orienta este cosmo vasto, e nos entregar a ela, sem a qual não poderíamos sequer respirar. Isso implica amar a Deus, a vida universal, os amigos e mestres que nos guiam e ajudam. Enquanto estivermos abertos a essa ajuda e orientação, não poderemos padecer de solidão e de alienação, que causam tantos problemas.

Se o nosso estilo de vida não reflete esses princípios da verdade, é provável também que nos inclinemos à intranqüilidade; todavia, essas formas de disciplina devem ser cultivadas dia a dia durante algum tempo. Suas conseqüências não ocorrem de uma hora para outra. Temos de estabelecer cuidadosamente as bases da conduta correta a fim de ter estabilidade em nossa vida e em nossa mente. A conduta social correta e pessoal favorece o correto funcionamento de todos os aspectos de nossa consciência. Ajuda particularmente na orientação apropriada da inteligência, mas também ajuda a controlar a mente e os sentidos, além de purificar o corpo. Sem esses fundamentos dhármicos, o que construirmos na vida provavelmente não durará.

As Disciplinas Exteriores da Yoga

Com esses fundamentos dhármicos, podemos começar as práticas exteriores da Yoga. Estas consistem em reorientar o corpo e a energia vital de acordo com os princípios da Yoga. O processo envolve duas partes, Asana e Pranayama, o terceiro e quarto membros da Yoga.

Asana — o Terceiro Membro da Yoga

Asana consiste na realização de posturas físicas que liberam a tensão e o *stress*. As posturas corretas aumentam a energia vital, que é bloqueada em função de uma postura errada, e acalmam a mente, que sofre a tensão da postura incorreta. As Asanas também ajudam a equilibrar os humores biológicos que se acumulam nas diversas partes do corpo. Elas podem visar certos órgãos ou regiões que apresentam debilidade no corpo e, por meio de uma circulação melhor, favorecer a cura nessas áreas.

No sentido mais amplo, Asana inclui cada exercício correto além de modalidades que envolvem mais vigor, como correr ou fazer longas caminhadas pelo campo. O corpo necessita de certa quantidade de exercícios para seu funcionamento adequado. A falta de atividade, bem como a atividade excessiva ou inadequada, pode agravar ou causar problemas psicológicos. Quaisquer adaptações psicológicas amiúde requerem que mudemos nosso modo de nos exercitar ou de movimentar o corpo.

Asana, no sentido mais específico, concerne às posturas para a meditação com a pessoa sentada, que são as Asanas principais mencionadas nos textos yogues. Para qualquer exame real de nós mesmos, temos de ser capazes de nos sentar tranqüilos e à vontade, com a espinha ereta. Isso permite o fluxo ascendente da energia por meio da qual a mente pode esvaziar-se e abrir-se às camadas mais profundas da consciência.

Asanas específicas, incluindo as posturas em que a pessoa não está sentada, podem ajudar trazendo à tona pensamentos reprimidos e facilitando-lhes a liberação, quando a mente está preparada para lidar com eles. A prática da Asana pode ajudar a liberar a tensão psicológica por meio da liberação dos bloqueios físicos e prânicos que a conservam. Há muitas informações sobre Asanas nos diversos livros de Yoga. Não trataremos do assunto neste livro.

Pranayama — o Quarto Membro da Yoga

O pranayama é comumente chamado de "controle da respiração" — acalmar a agitação da respiração, que perturba a mente e os sentidos. Isso inclui todas as formas de energizar a força vital por meio do corpo, dos sentidos e da mente. Não se trata de conter a respiração, que só nos fará morrer, mas do desenvolvimento da expansão da energia da força vital além dos seus limites comuns. Pranayama é um método ayurvédico importante para promover a cura em todos os níveis.

Falando de um modo simples, Prana é a nossa energia, particularmente a que deriva da respiração. Se não temos energia suficiente, nada podemos fazer na vida, mesmo que saibamos o que devemos fazer. Se o cérebro não recebe a quantidade certa de oxigênio, não temos a energia vital suficiente para nos desenvolver e mudar. Perdemos o controle de nossa vida, e passamos a ser vítimas de nosso condicionamento. Hábitos antigos dominam a mente e nos mantêm agrilhoados a lembranças e a formas de apego. Somos incapazes de reagir criativamente com relação ao presente. Em última análise, o cérebro envelhece e se atrofia, e a derradeira conseqüência disso é a senilidade.

O Pranayama fornece essa energia necessária para o corpo e para a mente. Ele dá força aos nossos pensamentos e intenções para que possamos realizar o que de fato procuramos. Num nível psicológico, transmite a energia para sondar o inconsciente e liberar a energia emocional e vital (prânica) ali aprisionada. Quando as células de nosso cérebro se enchem de Prana adicional, temos com facilidade idéias agudas para enfrentar nossos problemas psicológicos e encontrar modos criativos de superá-los. Num nível mais profundo, Pranayama nos fornece a energia necessária para a verdadeira meditação. Sem Prana suficiente, a meditação só consiste em dar voltas em nossos pensamentos e habitar um espaço vazio na mente, em que nossa consciência não está, de fato, mudando-se.

Há diversos tipos de Pranayama, a maior parte dos quais consiste no aprofundamento e na dilatação da respiração, até que ela leve a um estado de relaxamento energizado. Quando a respiração é tranqüila, a energia vital se acalma, e os sentidos, com as emoções e com a mente, são postos para descansar. Nossos impulsos vitais deixam de nos perturbar com seus desejos e temores.

A mente e a respiração estão ligadas como um pássaro a duas asas. O pensamento se move com a respiração e esta, em seu movimento, gera o pensamento. Não podemos respirar sem pensar, nem pensar sem respirar. Por essa razão, a respiração pode ser usada como uma corda para tolher a liberdade da mente. Se nos concentramos na respiração, a mente se torna internalizada. É afastada dos sentidos e da orientação para o mundo exterior e se volta para dentro. Dessa forma, o Pranayama é um dos melhores meios do Pratyahara, ou afastamento das distrações dos sentidos.

A percepção da respiração, contudo, não é um fim em si mesma. É uma via de acesso aos níveis mais profundos na mente. À proporção que a mente se concentra na respiração, as camadas mais profundas da consciência aos poucos se abrem, liberando o subconsciente e tudo o que nele está oculto. À proporção que a mente absorve mais energia por meio de Pranayama, os pensamentos mais profundos afloram, incluindo os problemas emocionais com que teremos de lidar através da meditação, caso contrário, sua energia nos perturbará e nos impedirá de nos aprofundarmos.

Pranayama do So'ham

So'ham é o som natural da respiração. O som do ar entrando nas narinas produz um som de "ess". O som do ar exalado das narinas produz um som de "agá". Observe isso por si mesmo. A raiz sanscrítica "sa" significa assentar-se, existir, conservar e, portanto, inalar. A raiz "ha" quer dizer partir, abandonar, negar e, portanto, exalar. Sa significa Ele ou o Espírito Supremo. Ham significa aham ou "Eu sou". So'ham é o som natural da respiração proclamando "Eu sou Ele" ou "Eu sou o *Self* de todos os Seres". Esse som nos leva além da mente, rumo a nossa natureza mais profunda como percepção pura.

O Pranayama do So'ham é fácil e natural. A pessoa não tenta manipular nem controlar a respiração, mas tão-somente deixa que ela se aprofunde por si mesma, seguindo a corrente sonora de volta ao cerne da percepção.

Alguns grupos de Yoga usam Hamsa — valendo-se de ham para a inalação e de sa para a exalação — em vez de So'ham. Essa é mais uma versão da mesma abordagem, com sons contrários. So'ham trabalha para energizar a respiração à medida que aprofunda seu fluxo normal. Por outro lado, Hamsa trabalha para aquietar a respiração à proporção que se opõe ao seu fluxo normal. So'ham é mais indicado para fortalecer a respiração, Hamsa para acalmá-la.

Os Nadis

O corpo sutil, como o físico, é constituído de vários sistemas de canais chamados nadis, que, literalmente, significam fluxos. Existem setenta e dois mil nadis. Desses, catorze são relevantes, e três importam a todas as práticas yogues.

Sushumna: este é o mais importante dos nadis, e corresponde ao canal da espinha vertebral no corpo físico. Ele controla todas as funções dos chakras entrelaçados como o lótus sobre ele. Os chakras, por sua vez, regem as funções do corpo-mente em sua atividade comum. Quando estão ativados ou abertos, realizam o desenvolvimento dos estados superiores da consciência e da superconsciência. Sushumna é chamado de Chitta-Nadi na literatura yogue,[79] o canal do Chitta ou consciência mais profunda. Trata-se do fluxo energético de todo o campo mental, o fluxo da consciência.

Voltar o nosso Prana e nossa atenção a Sushumna é a chave para acalmar a mente. Sushumna tem a natureza do éter e é equilibrado em termos de humores biológicos e Pranas. A Kundalini, ou Prana Shakti, que é fogo (Tejas) predominante, o ativa. Concentrar a energia da respiração, dos sentidos e da mente em Sushumna faz com que a Kundalini desperte. Isso requer grande concentração e desapego para assim reunir as energias. Isso jamais deve ser tentado voluntariamente ou à força, mas como parte de um processo de aprofundamento da paz interior e da equanimidade. A Kundalini é a força para desenvolver os níveis superiores da consciência. Lidar com ela satisfatoriamente requer o fundamento apropriado de Yamas e Niyamas em primeiro lugar.

Ida e Pingala: à esquerda e à direita de Sushumna passam dois nadis principais, cujos movimentos se entretecem como uma série de "oitos", apoiando-se uns na parte superior dos outros, como no caduceu. Esses nadis começam na base da espinha e se movem de um lado para outro, de chakra a chakra. O nadi esquerdo termina na narina esquerda, o nadi direito na narina direita. Ambos regem todos os outros nadis principais e são responsáveis pela predominância do hemisfério esquerdo ou direito do cérebro. O nadi esquerdo ou lunar domina a atividade no hemisfério direito, orientado para a emoção. O nadi direito ou solar domina a atividade do hemisfério esquerdo, voltado para a racionalidade.

Ida é o nadi esquerdo ou lunar que apresenta a energia da lua. Sua cor é branca, é feminina, sua natureza (Kapha) é a da água, é fria, úmida e macia. Ida significa literalmente alimento, alívio e inspiração. Sua atividade é maior durante a noite, e ela favorece o sono e os sonhos. Fisicamente, Ida conserva os tecidos do corpo que, predominantemente, são água (Kapha). Psicologicamente, Ida estimula a imaginação, a sensação e a emoção — funções da mente exterior.

Pingala, que quer dizer vermelho, é o nadi direito ou solar, e apresenta a energia do sol. É masculino, tem a natureza do fogo (Pitta), é quente, seco e estimulante. Sua atividade é maior durante o dia, e ele favorece a vigília e a atividade. Fisicamente, Pingala rege a digestão e a circulação. Psicologicamente, gera a razão, a percepção, a análise e a discriminação — funções da inteligência (Buddhi).

Esses dois canais, num sentido oposto, se relacionam com os hemisférios direito e esquerdo do cérebro. As pessoas em quem predomina o hemisfério direito apresentam o sentimento e o potencial intuitivo de Ida, o nadi lunar esquerdo. As pessoas em quem se dá o predomínio do hemisfério esquerdo têm o potencial racional e crítico de Pingala, o nadi lunar direito.

A respiração flui primeiramente num desses dois canais, alternando-se de poucas em poucas horas de acordo com o clima, o ambiente, a idade e a constituição física. Podemos determinar a condição física e psicológica de uma pessoa observando a narina se mexendo em qualquer dado momento. Quando o ar do lado direito prevalece, o aspecto ligado ao fogo, à agressividade ou o lado racional de nossa natureza predomina. Quando ocorrem mais movimentos na narina esquerda durante a passagem do ar, o lado feminino, com a natureza da água, de receptividade e sentimento de nossa natureza tem predominância. Quando o Prana ou a força vital se acha em equilíbrio, e a energia nos nadis solares e lunares se acha equalizada, a mente é levada a um estado de serenidade e de percepção aumentada.

O Método Óctuplo da Yoga I: Práticas Interiores

Assim como os canais de circulação no corpo físico, os nadis podem ser perturbados por um fluxo de energia inadequado através deles. Fluxo excessivo através do nadi solar acarreta a atividade excessiva da mente e do corpo. Psicologicamente, isso acarreta excesso de racionalização, de raiva, propensão a se fazer críticas, e autoritarismo (desequilíbro do Tejas). Fisicamente, provoca insônia, tontura, febre e sensação de calor na cabeça (desequilíbrio de Pitta).

O fluxo excessivo no nadi lunar faz com que a pessoa se torne emocionalmente vulnerável, prejudica a sua imaginação e torna-a presa das influências astrais. Fisicamente, causa sono e sonhos em excesso, congestões e aumento de peso incomum (desequilíbrio de Kapha).

O fluxo nos nadis é alterado pelas emoções negativas, pelo egoísmo, pela assimilação insatisfatória de impressões e pelos pensamentos inadequados. Os fatores físicos incluem o regime alimentar impróprio, particularmente alimentos muito pesados ou gordurosos como carne, queijo, açúcar ou óleos, falta de exercícios, hábito de respirar pouco e sexo em demasia. Reprimir a emoção é o principal fator para o bloqueio. Remédios ou exercícios vigorosos, práticas de respiração ou meditação são outros fatores que podem agravar esse estado de coisas. Tudo isso cria toxinas que atrapalham ou bloqueiam o fluxo da energia nesses canais sutis.

Alternar as Narinas na Respiração

Uma chave importante para a saúde mental e física é manter os nadis sem bloqueios e conservar um fluxo equilibrado entre Ida e Pingala. Isso também ajuda a equilibrar Prana, Tejas e Ojas, além de ser bom para a mente e para as emoções. A meditação, os mantras, a absorção das impressões benéficas, medidas de prevenção física como Asana, o trabalho com o corpo, as ervas e o regime alimentar ajudam a purificar os nadis. Pranayama, não obstante, é o método principal, particularmente a alternância de narinas na respiração, a que se chama nadi shodhana ou "purificação dos nadis".

Já que a narina esquerda é lunar ou apresenta predomínio de Kapha, respirar por ela tonifica nossos tecidos corporais, aumenta Ojas e alimenta a mente exterior (Manas). A respiração com a narina esquerda dá combate à febre, à insônia, à angústia, à raiva, à atividade excessiva e à hipersensibilidade. O Pranayama frio ou lunar é o melhor para o temperamento Pitta, e para seus problemas de calor e agitação excessiva.

Visto que a narina direita e solar apresenta predomínio de Pitta, realizar a respiração por meio dela aumenta Tejas, a coragem, a motivação e Buddhi (inteligência). A respiração com a narina direita dá combate à má digestão, à má circulação, à falta de motivação, à depressão, à indolência e à estagnação. É indicada para os problemas característicos de Kapha, envolvendo peso excessivo e apego às coisas.

Aumentar a respiração igualmente nas duas narinas acalma Vata, aumenta

Prana e harmoniza a nossa consciência mais profunda (Chitta). Isso melhora o estado Vata com seus medos, sua angústia, sua indecisão e confusão, porém, a fim de que tenha eficácia, temos de realizar essa prática paralelamente a um regime alimentar rico e nutritivo, com óleos e líqüidos apropriados. Pranayama ajuda na conversão da alimentação e da água, que ajuda a constituição Vata a ganhar peso e a abastecer o sistema nervoso, mas ele precisa vir acompanhado da devida alimentação e água para que possa fazer isso.

17. As Práticas Interiores do Método Óctuplo da Yoga II: Meditação, Samadhi e Transformação da Consciência

Todos estamos procurando a felicidade infinita e uma paz duradoura na vida. Só isso pode trazer a satisfação para a nossa mente e para o nosso coração; contudo, independentemente do que tentemos no mundo exterior, isso nunca é o bastante, por melhor que seja o nosso relacionamento com os outros, o êxito em nossa carreira e nas coisas do espírito. Estamos sempre buscando algo maior, mais puro, perfeito ou sagrado, intocado pelas flutuações e imperfeições do tempo e das circunstâncias. A Yoga nos ensina como realizar isso. Examinaremos esse segredo da Yoga neste capítulo.

As práticas interiores da Yoga consistem nos quatro níveis superiores de sua prática: Pratyahara, Dharana, Dhyana e Samadhi — recuo dos sentidos, da concentração, da meditação e da absorção. Nesse nível, estamos trabalhando diretamente com a mente, até o seu âmago mais profundo no coração. Isso só é possível a partir do estabelecimento dos estágios anteriores da Yoga, de um estilo de vida ético (Yama e Niyama), do controle do corpo (Asana) e do controle da respiração e da força vital (Pranayama). Por meio desse estabelecimento, começamos a ter acesso aos recessos misteriosos do coração em que nossa tristeza e nossa alegria estão escondidas, e onde podem ser compreendidas.

Pratyahara — o Quinto Membro da Yoga

Pratyahara talvez seja o aspecto menos compreendido da Yoga, embora represente o aspecto mais importante para qualquer tratamento psicológico. Pratyahara freqüentemente é traduzido como "afastamento com relação aos sentidos". Uma tradução mais exata seria "afastamento com respeito às distrações", o que significa fazer com que a mente se desapegue dos impulsos que derivam dos sentidos. A distração é a nossa vulnerabilidade ao estímulo exterior, a nossa capacidade de sermos condicionados pelas forças ambientais.

Cada órgão dos sentidos tem seus próprios impulsos, e sua própria programação. Cada qual é como uma criança insubordinada, exigindo nossa atenção constantemente e buscando a gratificação. Cada órgão dos sentidos influencia a mente e tenta impor-lhe seus gostos e aversões. A consciência do olhar nos estimula a buscar o agradável e a evitar as sensações visuais de dor. A energia vital ou Prana no olho nos impele a realizar atos que proporcionam sensações visuais. O ego trabalhando por meio dos olhos tenta manter nossa atenção neles, e tornam as sensações visuais a parte mais importante da identidade. O mesmo se dá com os outros órgãos dos sentidos e os órgãos motores.

Estes, particularmente os órgãos da fala e da reprodução, são mais difíceis de controlar do que os órgãos dos sentidos. Os órgãos motores têm uma força vital maior e mais urgência quanto a sua expressão. Trata-se de órgãos que se prestam sobretudo à atividade, que requerem mais atenção. No entanto, os órgãos motores só expressam o que se integra neles por meio dos órgãos dos sentidos. Podemos também controlar os órgãos motores por meio do controle dos órgãos dos sentidos.

Sem o controle apropriado dos sentidos, a mente se fragmenta em cinco direções. As flutuações sensoriais, que podem ser muito grandes, desequilibram a mente e podem levar aos problemas psicológicos e à perda do autodomínio. Enquanto somos dominados pelos sentidos, a noção que temos da gravidade permanece além do nosso alcance, e não temos estabilidade interior nem força de caráter. Ficamos à mercê das circunstâncias, e reagimos ao que quer que nos aconteça à volta.

Pratyahara é o controle dos sentidos, que inclui o uso correto das impressões. Implica conservar a mente apartada dos sentidos e no controle de seu *input*. Não se trata da supressão dos sentidos, mas de seu uso correto, ou seja, na forma de instrumentos da percepção em vez de como os árbitros do que percebemos. De acordo com o Ayurveda, todas as doenças afloram do uso impróprio dos sentidos, que pode ser excessivo, deficiente ou insatisfatório. O modo como usamos nossos sentidos determina o tipo de energia que assimilamos do mundo exterior, desde o alimento até as emoções. Pratyahara inclui todas as técnicas sensoriais do Ayurveda, particularmente as que analisamos acerca do uso correto das impressões, da cor e da terapia dos mantras.

As técnicas de Pratyahara são fundamentalmente de dois tipos: isolar os sentidos, como fechar os olhos ou tapar os ouvidos, ou usar os sentidos com atenção em vez de distrair-se. Tapar os olhos e os ouvidos é uma prática, como o jejum para o corpo. O jejum das impressões faculta à capacidade digestiva da mente de renovar-se, assim como jejuar, no que concerne aos alimentos, possibilita ao corpo purificar-se digerindo as toxinas. Também faz com que as impressões sejam conhecidas, como os sons e as luzes interiores. Pode-se fazer isso fechando simplesmente o olhos ou ficando num lugar escuro e tranqüilo.

Pratyahara também pode ser praticada durante a percepção sensorial. Isso ocorre quando testemunhamos as impressões sensoriais, quando habitamos a percepção pura em vez de reagir com preferências e aversões. Isso requer que deixemos de projetar nomes e definições para nossas impressões e consideremos os objetos sensoriais pelo que são, o que equivale a um jogo da energia sensorial. Um modo de fazer isso é não se concentrar nos próprios objetos, mas nas impressões sensoriais — os sons e as cores que as constituem. Uma outra maneira é olhar o espaço entre os objetos em vez de pôr os olhos nos próprios objetos. Talvez o mais importante seja meditar com os olhos da mente abertos enquanto a atenção se volta para dentro.[80]

Pratyahara pode usar objetos interiores para afastar a nossa atenção dos objetos exteriores. No que concerne a isso, o mais importante são os mantras e a visualização, que dirigem para dentro a energia dos sentidos, constituída essencialmente pelo som e pela luz. Dessa forma, usamos criativamente a energia dos sentidos num nível interior. Isso também ajuda a abrir as fontes sensoriais, a luz e o som interiores.

Pratyahara sucede ao Pranayama. Neste, reunimos nosso ar e o Prana. Em Pratyahara, valemo-nos desse Prana concentrado e o afastamos do campo dos sentidos para o campo da consciência. Podemos visualizar o afastamento de nosso Prana estágio por estágio, desde nossos membros, nossos órgãos e nossa mente, fazendo-o deter-se no coração.

Pratyahara é favorecido quando se cria um ambiente especial que proporciona impressões diversas e melhores. Isso pode envolver o retiro num lugar afastado, como numa cabana na montanha, onde a pessoa se vê ao abrigo das distrações comuns. Pratyahara pode requerer que se construa um altar ou um cantinho para a cura dentro de casa, o que, de modo semelhante, nos resguarda das impressões comuns e desenvolve em nós as de natureza superior. Um espaço sagrado como esse ajuda-nos contra a vulnerabilidade a influências do mundo exterior. Os métodos de Pratyahara são particularmente importantes para pessoas hipersensíveis, impressionáveis e facilmente influenciadas.

Pratyahara é o método principal para fortalecer o sistema imunológico mental e sua capacidade de evitar as impressões, as emoções e os pensamentos negativos. Pratyahara talvez seja o aspecto mais importante da Yoga para problemas psicológicos porque resgata o relacionamento correto entre a mente e o mundo exterior. Impede a recepção das influências negativas do mundo exterior e possibilita a recepção das influências positivas que vêm de dentro. Isso protege o campo mental das influências negativas para que a cura possa ocorrer. A maioria das terapias sensoriais do Ayurveda enquadra-se sobretudo nessa categoria, tal como analisamos acerca do processo correto de assimilação de impressões e do uso dos mantras, do som e da cor.

Dharana — o Sexto Membro da Yoga

Dharana é a concentração ou a atenção adequada, e isso equivale à capacidade de voltar toda a nossa energia mental para o objeto que está sendo examinado. A qualidade de nossa atenção na vida determina as condições de nossa mente. A atenção é a coluna que sustenta nossa mente e nosso caráter e que confere energia a tudo o que fazemos.

O problema é que voltamos nossa atenção para o mundo exterior, à procura de aprovação ou alegria. Não aprendemos a controlar nossa atenção, mas, em vez disso, a nos tornar vulneráveis ao condicionamento social, por meio do sexo, da propaganda e do entretenimento. A maior parte dos problemas psicológicos advém da falta de atenção, situação em que deixamos que alguma força exterior, ou alguma influência subconsciente, nos domine. Consentimos que outros nos digam quem somos, o que fazer ou até mesmo o que pensar.

As técnicas de Dharana consistem em métodos diferentes para tornar a mente determinada, incluindo a concentração em objetos específicos. Alguns desses métodos são os mesmos do Pratyahara. Neste, a meta é negativa: recuar da distração dos sentidos, caso em que a natureza do objeto em si não é importante. Dharana, a meta é positiva: concentrar-se no objeto particular, no qual a natureza do objeto pode ser fundamental. Daí Pratyahara levar a Dharana. O primeiro reúne a energia da mente; o segundo a concentra.

Os métodos simples de Dharana envolvem voltar o olhar a vários objetos, como uma lamparina de manteiga derretida, uma vela, uma estátua ou um quadro, ou algum aspecto da Natureza, como o céu, o oceano, uma árvore, uma montanha ou um córrego. Os métodos interiores de Dharana envolvem concentrar-se em luzes e sons interiores, ou na visualização de divindades, mantras e yantras. Dharana pode realizar-se nos elementos, nos chakras e nos gunas. Dharana sem forma pode realizar-se em várias verdades cósmicas, como concentrar a mente no caráter efêmero de todas as coisas ou na unidade de toda a existência.

No tratamento psicológico, essas técnicas de desenvolvimento da atenção podem ser ensinadas a pacientes para ajudar no controle da mente e no desenvolvimento da memória. Essas técnicas incluem coisas simples, como concentrar-se num único objeto ou treinar a memória no que concerne a fixar-se em algum pensamento particular. É possível usar dessa forma também a matemática e a aprendizagem das línguas. Essas técnicas ajudam a treinar a mente quanto a funcionar objetivamente e afastá-la da subjetividade própria às emoções que lhe estorva a função.

Dharana é a maneira pela qual a mente (Manas) é controlada, e a inteligência interior (Buddhi) é despertada. A mente concentrada tem a capacidade de estabelecer metas, valores e princípios. Ela nos leva à verdade. Resgatar o controle da mente e ser capaz de orientá-la ao bel-prazer é a chave para o êxito.

Técnicas de Pratyahara e de Dharana

As que se seguem são algumas técnicas práticas de Pratyahara e Dharana.

Meditação Sobre os Cinco Elementos

Elemento Éter: O Céu

Procure um lugar fora de casa em que você possa ter uma visão clara do céu. Deite-se no chão e olhe para o céu por pelo menos vinte minutos, tendo o cuidado de não ficar olhando fixamente o sol. Medite, considerando sua mente como o céu. Quando recobrar a percepção normal das coisas, descobrirá que seu campo mental purificou-se e renovou-se.

Você pode se exercitar no mesmo método à noite, preferivelmente quando não se vir a lua, numa área onde não há interferência das luzes da cidade. Você pode começar logo depois do pôr-do-sol e, aos poucos, observar as estrelas despontando. Isso requer cerca de duas horas. Ou você pode esperar até que o céu esteja escuro, e olhar para as estrelas continuamente por cerca de vinte minutos. Isso deixará a mente tranqüila e ativará as faculdades superiores da percepção e dos instintos. Essa meditação é mais eficaz no chakra do éter ou da garganta, além de favorecê-los.

Elemento Ar: Nuvens

Encontre um lugar fora de casa em que possa ter uma clara visão do céu, evitando também olhar para o sol. Escolha um dia meio cinzento, em que você pode observar nuvens brancas e escuras se formando e movendo. Medite acerca dos seus pensamentos e sentimentos como sendo semelhantes ao movimento das nuvens no espaço infinito da percepção. Uma vez mais, reserve pelo menos vinte minutos. Essa meditação é mais eficaz no chakra do ar ou do coração, e ajuda no seu desenvolvimento.

Elemento Fogo: Uma Vela, Uma Lamparina de Manteiga Derretida ou Fogo

Coloque uma vela ou uma lamparina de manteiga derretida num altar ou num lugar especial, num cômodo tranqüilo. Olhe para a chama por quinze minutos. Tente não piscar. Se for preciso, fique assim, mesmo que os seus olhos fiquem cheios de água. Deixe que sua mente se funda com a chama. Considere a luz exterior como a sua luz interior.

No caso do fogo, olhe para ele e apresente em oferta a ele seus pensamentos e sentimentos negativos para purificação. Deixe que o fogo os purifique e os expanda numa energia positiva de amor e de alegria para o universo inteiro. Essa meditação é mais eficaz no chakra do fogo ou do umbigo, e ajuda em seu desenvolvimento.

O Elemento Água: O Oceano, um Lago ou um Córrego

Encontre um lugar onde tenha uma boa visão da água. Sente-se confortavelmente e olhe para a água. Deixe que sua mente se purifique e se funda na água, com todos os movimentos da mente semelhantes ao movimento das ondas ou ao fluxo de um córrego. Faça isso por pelo menos vinte minutos. Os efeitos disso podem ser melhores num dia claro, em que a transparência da água pode ser observada. Sinta a sua mente como algo frio e fresco, e o seu coração como estando alegre e vibrante. Essa meditação é mais eficaz no chakra da água ou do sexo, e ajuda no seu desenvolvimento.

Elemento Terra: Uma Montanha

Suba ao alto de uma montanha ou de uma colina, preferivelmente onde você tenha a visão de outras colinas ou montanhas. Sente-se e concentre a mente nos declives mais baixos da montanha, e nos montes e vales distantes. Sinta a terra dentro de você. Sinta-se tão equilibrado e estável como uma montanha e como estando voltado para o céu. Sinta que você e a Natureza são a mesma coisa e sinta, sobretudo, como são mínimos os problemas da humanidade. Faça isso durante pelo menos vinte minutos. Essa meditação é mais eficaz no chakra da terra ou da raiz, e ajuda em seu desenvolvimento.

OUTRAS TÉCNICAS DE MEDITAÇÃO

Cores Particulares

Olhe ou visualize determinadas cores, como o azul-escuro, a cor de açafrão, o dourado ou o branco. Estas podem ser combinadas com mantras ou divindades. Veja a seção com a rubrica terapia da cor para mais informações.

O Quadro de um Grande Mestre ou Divindade

Medite usando o quadro ou uma estátua de uma divindade ou de um grande mestre, tentando fazer contato com o seu espírito e ligar-se à sua graça e sabedoria. Deixe que a figura se comunique com você por meio do quadro. Memorize o ensinamento que lhe for dado e veja como ele se aplica a você. É importante que a mente esteja quieta e receptiva. Não se deve estimular a imaginação.

Mantras

Tudo o que foi ensinado sobre os mantras é útil aqui. Escolha um mantra e se concentre nele. Repita-o em voz alta por cinco minutos, depois murmure-o suavemente por dez minutos. A seguir, repita-o mentalmente por vinte minutos. Faça isso de manhã e à noite durante um mês, e verá como esse procedimento favorece sua capacidade mental.

Figuras Geométricas, Yantras e Mandalas

Concentre-se num yantra, como Sri Yantra. Visualize-o na sua mente e memorize-o. Atente para a vibração do mantra OM nele. Faça isso durante pelo menos um mês, como se fosse um mantra.

Sons Interiores

Quando tapa os ouvidos, você pode ouvir vários sons interiores. Alguns são produzidos fisiologicamente, ao passo que outros afloram de níveis mais profundos da consciência. A pessoa pode concentrar-se nesses sons e nas vibrações que vêm por meio deles. Os sons ocorrem como o oceano, um tambor, uma flauta ou outro instrumento musical. Ouça esses sons e tente ligar-se às forças superiores e às energias que fluem através deles.

Luz Interior

Uma luz pode ser vista na região do terceiro olho. Ela pode ser fraca a princípio, esbranquiçada ou dourada, ou como uma massa de metal derretido. Concentre-se nisso, não como um objeto exterior, mas como uma ligação com o Divino que há dentro de nós. Deixe que essa esfera de luz na forma do poder da consciência cósmica venha até você e lhe inunde o coração num ímpeto.

Afirmações

As afirmações envolvem afastar a mente de seus pensamentos comuns e concentrá-la num objetivo determinado; todavia, devemos afirmar a verdade interior de nosso ser, e não tentar alimentar nosso ego ou reforçar a natureza do desejo. Devemos afirmar a completude de nossa natureza interior, não os desejos de nossa natureza exterior.

Para Pratyahara, há afirmações especiais como: "Na minha natureza como consciência pura sou naturalmente livre da necessidade de objetos exteriores e de prazeres." Para problemas psicológicos, uma boa afirmação: "No meu verdadeiro Eu, estou acima da mente e dos problemas dela. Que eles venham e se vão. Não podem me afetar."

Para Dharana, há outras afirmações como: "No meu verdadeiro Eu, estou no controle da minha mente e posso concentrá-la em tudo o que preciso entender." As afirmações também podem ser um tipo de Pranayama, em que a energia vital é aumentada, tal como: "Estou em contato com a energia vital do cosmos, que me alimenta e fornece energia para tudo o que preciso fazer."

Dhyana — o Sétimo Membro da Yoga

Dhyana é meditação no sentido estrito, ou seja, capacidade de conservar a atenção voltada durante longo tempo para o objeto de nosso estudo. Dharana volta nossa atenção para um determinado objeto; Dhyana conserva-a nele.

Dharana conservado no tempo passa a ser Dhyana. Em geral, Dharana deve prosseguir por pelo menos uma hora para que Dhyana de fato ocorra.

Já que a mente é capaz de se concentrar num objeto, ela recebe automaticamente conhecimento desse objeto. Tudo aquilo para o que voltamos a nossa atenção aos poucos desenvolverá seu sentido para nós. Permanecer nesse conhecimento é meditar. Meditação não é apenas um pensamento cheio de ansiedade; nem envolve tão-somente sentar-se e tentar controlar os próprios pensamentos (o que é, no melhor dos casos, uma tentativa de meditar). A meditação se dá por meio da atenção continuada.

A meditação pode ser praticada com uma forma ou sem; o primeiro modo de fazer isso nos prepara para o segundo. A meditação com o uso da forma vale-se das mesmas técnicas de Pratyahara e de Dharana, conservando a mente num objeto determinado, durante um longo período. Qualquer objeto que chame a atenção pode ser usado: uma forma natural, uma divindade, um guru, um yantra ou um mantra. Os estados sem forma de Dhyana envolvem a meditação sobre os princípios da verdade, como "tudo é o Eu"; ou a meditação sobre o Vazio, que transcende toda objetividade.

A meditação pode ser passiva ou ativa. A primeira envolve a mente que reflete sobre um objeto, uma forma ou uma idéia. Ela cria uma consciência de testemunha em que podemos observar involuntariamente todos os movimentos da mente. Propicia o espaço em que nossa consciência superior (Chitta) pode abrir-se. A pessoa simplesmente habita no estado do Profeta.

Dhyana em atividade é constituída de diversas formas de exame por meio das quais olhamos para a verdade das coisas, usando a mente concentrada como instrumento. O exame de si mesmo, tal como foi explicado na seção sobre Conhecimento de Si Mesmo, é o método de atividade mais importante característico de Dhyana. Dhyana em atividade desperta a inteligência interior (Buddhi). Em geral, os métodos ativos de meditação são mais eficazes do que os passivos, mas ambos caminham juntos. Para a mente, é fácil gerar um espaço em branco ou ver-se presa em certo nível com a meditação passiva. O exame conserva a mente no seu processo de sondagem. As meditações ativa e passiva podem ser combinadas, como quando alguém alterna exame e contemplação passiva. Quando a mente se cansa de uma coisa, ela deve ser dirigida para outra. Quando se cansa de ambas as coisas, deve passar aos mantras ou voltar a Pranayama.

Os estados superiores de meditação implicam ir além de todo pensamento. Isso ocorre quando a consciência é esvaziada de seu conteúdo por meio da compreensão da natureza e do desenvolvimento desse conteúdo. A verdadeira meditação (Dhyana) não pode ser alcançada pela mente intranqüila e emocionalmente perturbada. A meditação requer concentração com desenvolvimento satisfatório, o que repousa no controle dos sentidos do corpo, da força vital e da mente. Estes dependem de certa predominância do guna Sattva em toda a nossa natureza. Por essa razão, primeiro temos de purificar nossa vida e nossa mente. De outra forma, tentar simplesmente não pensar é criar em nós mesmos um espaço em branco, em que nossa consciência não é transformada mas tão-somente levada ao sono. Não devemos permanecer satisfeitos em nenhum estado mental, mas procurar ir à raiz de quem somos.

As Práticas Interiores do Método Óctuplo da Yoga II

Grande parte do que é chamado de meditação atualmente é, de modo mais preciso, Pratyahara (como visualização) ou Dharana (técnicas de concentração). Semelhante meditação é útil para acalmar a mente nas perturbações psicológicas. O efeito de alívio do *stress* típico da meditação foi pesquisado e reconhecido recentemente. O *stress* é um acúmulo de tensão na mente. A meditação, expandindo o campo mental, a diminui. Essas formas básicas de meditação, como os mantras ou os exercícios de concentração, são úteis nos problemas psicológicos porque qualquer pessoa pode fazê-los. As formas superiores de meditação só são possíveis para os que já ultrapassaram os problemas humanos e os apegos comuns, o que não é fácil, na febre do nosso mundo moderno.

A Meditação sobre a Morte e sobre o Eu Imortal

Uma das melhores formas de meditação é meditar sobre a morte. Isso não envolve nenhuma morbidez; trata-se apenas de encarar a realidade máxima da nossa vida. Isso é muito benéfico a todos os nossos problemas psicológicos que giram em torno de nossos problemas pessoais passageiros.

Sente-se ou deite-se confortavelmente. Imagine que o seu corpo agoniza. Volte a sua atenção do seu corpo, dos seus sentidos e da sua mente para o seu coração. Imagine que você é uma chamazinha crepitando no coração dessa grande cidade do corpo. Dê em oferta todos os seus pensamentos e sentimentos a essa chama imortal. Considere-a o Eu Verdadeiro, o Eu-sou-aquilo-que-sou. Esqueça tudo o mais. Banhe-se, purifique-se e transforme-se nessa luz pura da percepção. Veja todo o universo, todo o tempo e espaço contidos nela.

Samadhi — o Oitavo Membro da Yoga[81]

Samadhi é o último membro da Yoga, e também o mais importante. Ele é o aspecto central da prática yogue. De fato, a Yoga se define nos Sutras da Yoga sobretudo como Samadhi.[82] Este é a capacidade que a consciência tem de passar a ser a mesma coisa que é o objeto da percepção, por meio da qual é conhecida a natureza da Realidade máxima. Samadhi talvez possa ser traduzido como "absorção". Trata-se da capacidade de se fundir com as coisas na consciência, e Samadhi proporciona a alegria e a satisfação máximas na vida. Essa condição é o estágio mais elevado da meditação, o qual nos leva à natureza divina que está por trás de todas as coisas. Trata-se da consequência natural da verdadeira meditação. A meditação ininterrupta resulta em Samadhi.

Há dois tipos de Samadhi: com ou sem forma, que é o mesmo que qualidade, assim como a meditação. Os Samadhis preliminares envolvem a percepção aumentada, o pensamento e a contemplação profundos, e estão com a forma ou com o pensamento. Os Samadhis superiores envolvem transcender o pensamento em favor da consciência pura despojada até mesmo de seus pensamentos e experiências mais elevados; no entanto, é bem difícil, se não impossível, alcançar os Samadhis livres de pensamentos sem ter antes desenvolvido os Samadhis do pensamento profundo e do exame minucioso. A contemplação profunda é necessária para desenvolver Samadhi. Este não é algo que venha num dia ou mesmo num ano, e pode envolver décadas de prática para que se manifeste de verdade.

Abordar Samadhi no sentido da Yoga não é possível para aquele cuja mente não está desenvolvida ou padece de desequilíbrios psicológicos. A purificação psicológica deve vir primeiro, ou a mente não poderá refletir o estado harmonioso de Samadhi. A respeito disso, a psicologia ayurvédica assenta os alicerces para os Samadhis da Yoga.

Samadhi é o modo principal pelo qual nossa consciência interior (Chitta) se desenvolve, o que se dá por meio das funções superiores da inteligência (Buddhi). Em Samadhi, voltamos a essa consciência nuclear (Chitta) e podemos perceber-lhe todas as funções. Daí Samadhi nos ajudar a entender de que modo a mente funciona e como alterá-la. O conhecimento adquirido com Samadhi acrescenta uma dimensão muito superior a qualquer tratamento psicológico. O conhecimento ayurvédico tem essa eficácia para tratar a mente porque ele adveio originariamente de Samadhi, a compreensão dos antigos rishis.

Samadhis Menores e Maiores

Estamos todos buscando Samadhi ou absorção em uma ou em outra forma. Não existem apenas os Samadhis superiores da Yoga, mas também os Samadhis comuns. Só estamos felizes quando nos vemos tão absortos em algo que nos esquecemos de nós mesmos, porque o eu separado é tristeza. Os Samadhis são experiências-de-pico em que nos perdemos no objeto da nossa percepção. A inspiração, o arrebatamento em função de uma música, o envolvimento com um filme ou a entrega às experiências sexuais são Samadhis de menor importância.

A Yoga ensina que há cinco níveis de consciência (Chitta):

1) de ilusão (mudha)

2) de distração (kshipta)

3) de imaginação (vikshipta)

4) de concentração ou de determinação (ekagra)

5) de calma (nirodha)[83]

Existem Samadhis em todos os níveis da consciência, mas a Yoga, como disciplina espiritual, só está envolvida com os Samadhis dos últimos dois níveis, que são puramente sáttvicos (espirituais) em sua natureza. Chega-se a esses por meio do desenvolvimento de nossa percepção superior, e se encontram sob o domínio de nossa inteligência mais profunda. Compõem os Samadhis maiores ou da Yoga.

Os Samadhis da mente determinada envolvem o uso de uma idéia ou de um apoio, desde contemplar um objeto na Natureza até refletir sobre a essência da

Realidade máxima. Eles estão concentrados num objeto particular que pode ser exterior ou interior. Aqui, a mente voluntariamente se concentra no objeto, e a verdade cósmica é revelada. Os yogues usam esse tipo de Samadhi para descobrir os segredos do cosmos e da psique.[84] Estes são uma extensão dos métodos de Pratyahara, Dharana e Dhyana, já analisados neste livro.

O Samadhi da mente serena está além de todos os objetos e pensamentos, e envolve abrandar ou silenciar nossa consciência em todos os níveis. Esse tipo de Samadhi é necessário para transcender o mundo exterior e para a compreensão de si mesmo. Em geral, a pessoa deve desenvolver os Samadhis da mente determinada a fim de desenvolver os da mente calma ou silenciosa.

Os Samadhis menores, ou não pertencentes à Yoga, são efêmeros por natureza e não podem transmitir permanentemente a paz ao campo mental. Eles ocorrem quando a mente não purificada fica sob o domínio temporário de um dos três gunas e através disso se funde de novo em seu âmago (Chitta), que é o nível dos gunas. Quando um guna predomina, há uma absorção nesse guna; porém, em tempo, os outros gunas devem se afirmar, e o Samadhi chega ao fim. Esses Samadhis menores estão além do controle da nossa percepção e dependem das circunstâncias. Esses Samadhis inferiores são a principal causa de perturbações mentais, porque eles geram o apego e o vício a eles mesmos.

Samadhis da Mente com Ilusões

Os Samadhis da mente com ilusões incluem o sono, o coma e o estado provocado pelo álcool ou pelas drogas, em que prevalece a qualidade de Tamas ou torpor. Aqui, a mente é absorvida no espaço em branco em que a consciência do corpo se anula ou até mesmo se perde. A pessoa perde o controle da mente e vê-se absorvida num estado sem pensamentos nem sentimentos, ou vê-se tomada da sensação de que não existe movimento, como um bêbado em estado semiconsciente, deitado no chão.

Samadhis da Mente Presa da Distração

Os Samadhis da mente presa das distrações ocorrem quando ela está tão envolvida com uma atividade ou situação externa que chega a esquecer de si mesma. Aqui, prevalece a qualidade de Rajas ou movimento energético. Esse tipo de absorção ocorre na atividade sexual, nos esportes — como o prazer de correr rápido — ou assistindo a um filme (atividade que envolve certo elemento de Tamas, sendo, contudo, uma fruição predominantemente sensorial e passiva). A mente é serenada pela intensidade dos estímulos sensoriais. Isso ocorre quando estamos às voltas com nosso trabalho, e eis por que o trabalho excessivo pode ser um vício. Perdemo-nos tanto no que estamos fazendo, que nos esquecemos de nós mesmos. Essa condição mental está por trás da maioria das realizações comuns na vida, em que imaginamos uma meta para nós mesmos, e então a procuramos. A realização de objetivos tais como dinheiro ou fama é um tipo de experiência de Samadhi, a absorção do sucesso.

Os Samadhis da mente presa das distrações pode ocorrer num nível negativo, quando a mente se inclina a uma forte sensação de medo ou sofrimento. Qualquer emoção forte, incluindo a violência, cria um drama em que a mente fica concentrada, um tipo de Samadhi.

Os Samadhis da Mente Imaginativa

Os Samadhis da mente imaginativa ocorrem quando ela está tão absorta em suas próprias projeções que se esquece dela mesma. Isso ocorre sobretudo quando a qualidade de Sattva predomina. São esses os Samadhis da mente inspirada ou do gênio. São essas as visões dos artistas, as cogitações dos filósofos e as grandes descobertas dos cientistas. Isso inclui muitas experiências passageiras e espontâneas, de caráter religioso ou místico.

Enquanto Sattva predomina nesse Samadhi, Tamas e Rajas não foram eliminados, e, assim, afirmam-se a si mesmos depois de certo período de tempo. No que concerne a isso, a Yoga não considera esses Samadhis produtos da criação ou do intelecto como os máximos, como é a tendência da cultura ocidental, voltada que está para o intelecto e para a glorificação do gênio como o tipo humano superior. A Yoga baseia-se nos Samadhis superiores e, enquanto reverencia esses Samadhis da mente inspirada, compreende que eles não bastam para purificar a mente, em particular o subconsciente. Eles não podem sobrepujar os outros gunas Rajas e Tamas que de novo enfraquecem a mente e a fazem sofrer. Esses Samadhis inspirados são como uma janela com vistas sobre os Samadhis superiores, mas que não pode nos levar a eles. Isso requer mais do que o cultivo do intelecto; requer certo treinamento do tipo da Yoga. Não requer imaginação, mas compreensão.

Há Samadhis de natureza mista em que os três Samadhis inferiores se combinam porque os três gunas que estão por trás desses estados estão sempre flutuando. Em geral, os Samadhis da mente presa de distrações nos levam a um estado tamásico, em que somos esgotados por eles, assim como a alegria de participar de uma corrida leva ao prazer do sono profundo.

Os Samadhis menores incluem todas as experiências fortes da vida a que nos apegamos e que nos causam tristeza. A mente vê-se presa da influência dessas experiências-de-pico ou momentos de intensidade, que servem para influenciá-la e distorcê-la. Todas as experiências que mais impressionam a mente conferem-nos uma noção mais exata da absorção ou da perda de si mesmo, determinam nossa condição mental fundamental e as condições exteriores que criaremos para nós mesmos. Por exemplo, a mente, dominada pelo prazer do sexo, desenvolverá certa consciência e um tipo de vida que implicará a busca do sexo. A mente dominada pela alegria da inspiração artística viverá à procura disso. Graves perturbações mentais envolvem Samadhis inferiores mas de forte impacto.

Esquizofrenia

A esquizofrenia é um Samadhi de tipo inferior, em que geralmente predominam Tamas ou a ilusão. É possível que a pessoa entre em transe, tenha alucinações, ouça vozes ou tenha outras ilusões de fenômenos sensoriais nas quais a mente se turva. O louco é tomado de fantasias que ninguém mais percebe. Essas coisas não são apenas aberrações que ocorrem no cérebro. Elas podem incluir sensibilidade ou capacidades mediúnicas, mas estão além do controle da pessoa. Esta pode fazer contato com o plano astral e perder contato com a realidade física. Em casos como esse, a mente é absorvida no torpor ou no espaço em branco, e vez por outra uma entidade astral penetra-a para dela fazer uso. Todos os distúrbios mentais graves envolvem esse tipo de influências ou entidades, no qual perdemos o controle consciente da mente.[85]

Samadhis Espirituais e Não-Espirituais

Pode haver uma combinação de Samadhis superiores e inferiores. Esses incluem experiências fortes, místicas e duradouras, que se confundem com o egoísmo. A pessoa tem verdadeiramente uma experiência profunda, mas o ego a falseia. Sentimos que somos o avatar, Jesus Cristo ou alguma outra criatura santa, ou que Deus está fazendo uma revelação especial por meio de nós. Alguns dos cultos religiosos que causaram problemas no mundo baseiam-se nessas experiências místicas que foram autênticas mas de natureza mista. Entrar em contato com uma pessoa nesse tipo misto de Samadhi pode ser bem prejudicial, sobretudo às pessoas ingênuas e sem preparo. A autenticidade desse Samadhi faz os outros acreditarem nas ilusões do ego dessas pessoas.

Os Samadhis inferiores são dirigidos para o exterior e se baseiam no desejo. Os Samadhis superiores são produzidos pela mente quando ela transcende o desejo. Existem alguns Samadhis intermediários nos quais existe o desejo, mas de natureza mais sutil, tal como ocorre na viagem astral, em que podemos encontrar formas sutis de prazer nos mundos que estão além do físico. Esses também estão abaixo dos Samadhis da mente determinada, mas podem ser mistos por natureza.

Samadhi e Prana

Sempre ocorre algum tipo de Samadhi quando a mente se absorve de todo no Prana ou energia vital, e em suas funções. Nossas funções vitais atraem e conservam a mente. Além disso, é necessário um Prana extra para conservar a mente, que apresenta muita mobilidade, em qualquer condição de absorção. Se não temos a energia para concentrar a mente, ela se dispersará. No Samadhi, a mente se absorve no Prana ou na energia de uma experiência, o que deixa uma impressão forte na psique. Só as experiências fortes que apresentam uma grande quantidade de Prana podem deter a mente. A respeito disso, o Prana também é de três tipos — sáttvico, rajásico e tamásico.

O Prana tamásico ocorre no sono, na letargia, no coma, sob a influência de drogas — os Samadhis da mente com ilusões. A mente se absorve nesse Prana tamásico e se acalma. Entretanto, os problemas da pessoa não foram resolvidos, mas tão-somente acobertados pela ignorância.

O Prana rajásico dá-se durante as atividades motoras, como comer, beber, excretar, fazer sexo, ou durante esforços físicos como correr ou trabalhar, e durante atividades sensoriais que causam confusão, como experiências envolvendo muito prazer, dor, alegria, tristeza, medo ou apego. São esses os Samadhis da mente com perturbações.

As experiências prânicas em geral têm a predominância de Rajas, e, assim, todas as atividades prânicas mais intensas exercem certo efeito sobre o nível da mente rajásica. Toda função vital (prânica) envolve pelo menos uma absorção temporária da mente, mesmo comendo ou defecando. O Prana ativo conserva a mente com o propósito de liberar suas funções sem interferência de outras atividades. A mente está em suspensão até que o Prana alcance o objetivo de sua atividade. Sempre que Prana realiza uma função vital, a mente deve ser levada a um estado de dormência durante o período em que essa função é liberada, mesmo que seja apenas uma ocasião. Sempre que o Prana age, a mente é absorvida em algum grau. Observe de que modo sua mente se interioriza, pelo menos um pouco, durante as refeições ou as outras atividades vitais.

O Prana sáttvico dá-se durante os estados de inspiração, como a inspiração dos artistas e dos gênios, e qualquer tipo de idéia aguda e criativa ou invenção, em áreas que vão da ciência à filosofia. Essa sensação de inspiração é uma forma de Prana. Ele advém do ato de concentrar nossa energia vital em alguma obra criativa. Em certo grau, o Samadhi de um Prana sáttvico ocorre durante todas as nossas percepções sensoriais, particularmente na visão e na audição, porque a mente deve estar absorvida temporariamente num estado sáttvico de iluminação para que a percepção ocorra. Esses Samadhis sensoriais, contudo, duram apenas alguns instantes e se vão, a menos que a mente já seja muito sutil e pura.

Os Samadhis da Yoga requerem, de modo semelhante, uma energização especial do Prana que os ative, e ocorrem quando a mente e Prana estão unidos conscientemente. Por essa razão, Pranayama é muito importante na criação dos Samadhis da Yoga. Sem desenvolver uma energia aumentada de Prana, é muito difícil chegar a esses Samadhis da Yoga. Prana e Chitta, a energia vital e nossa consciência mais profunda estão ligados, como já observamos em nossa análise de Chitta. Não se deve esquecer a função de Prana em Samadhi, de natureza superior ou inferior.

A psicanálise às vezes fracassa porque não chega ao nível de Prana e Chitta — a mente subconsciente em que se alojam nossas inquietações — e o Prana que estas conservam. Liberar o Prana que está por trás de nossa condição psicológica não é um exercício do intelecto. Uma das melhores formas de fazer isso é praticar Pranayama. À proporção que ele é praticado, o subconsciente se energiza, e padrões de comportamento profundamente arraigados vêm à luz. Se a pessoa respira consciente e profundamente, essas inquietações de imediato se liberam, mesmo que a pessoa não atente para a circunstâncias externas que originariamente as possibilitaram. Dessa forma, o Prana pode ser usado para purificar nossa consciência mais profunda e levar-nos a estados superiores de absorção.

Samadhi e a Psicologia Ayurvédica

A psicologia ayurvédica examina os Samadhis inferiores ou de ilusão, e usa os seus métodos, desde o regime alimentar até a meditação, para ajudar a debelar essa condição na mente. Na forma de estados de Samadhi, seu impacto sobre a psique pode ser muito grande e difícil de anular. A regra geral é: Só quando o Samadhi superior é desenvolvido é que os efeitos de um Samadhi inferior podem ser completamente neutralizados. De fato, todas as práticas espirituais verdadeiras desenvolvem Samadhis superiores (espirituais) para fazer face aos Samadhis inferiores (comuns) e ao apego destes.

As práticas da Yoga desenvolvem uma forma superior de Samskara (inclinação da mente) valendo-se de posturas, exercícios de respiração, mantras e meditação para criar um estado de consciência baseado no amor, na paz e na sabedoria. Só um Samskara sáttvico ou superior pode dar combate aos efeitos de Samskaras rajásicos e tamásicos inferiores. Só isso pode impedir nossas tendências comuns com sua impressão de Samadhis menores baseados no desejo, na perturbação e na ilusão. Quando esses Samskaras superiores são desenvolvidos, eles nos levam à vida espiritual em que podemos até mesmo transcendê-los a um estado de consciência pura.

Perturbações mentais de menor importância comumente envolvem o apego a um Samadhi inferior, como o vício com relação ao sexo, ao álcool ou mesmo o vício de comer. Enquanto a pessoa não aprender um tipo superior de absorção, os Samskaras desses Samadhis inferiores atrairão a mente e recriarão seu tipo de comportamento; no entanto, nem sempre é possível fazer com que as pessoas passem dos Samadhis inferiores aos superiores. Vez ou outra, é necessário proceder por etapas, desenvolvendo os Samadhis da mente presa de distrações para enfrentar os da mente com ilusões e, então, os Samadhis da mente imaginativa para enfrentar os da mente com ilusões.

Alguns dos Samadhis inferiores da mente imaginativa ou distraída podem ser úteis no tratamento. Se uma pessoa emocionalmente perturbada pode desenvolver a absorção em alguma atividade útil, isso pode ajudar a acalmar-lhe a mente. Levar os pacientes a adotar algum programa de exercícios físicos constantes (desenvolver certo Samadhi da mente presa da distração), e usufruir a alegria disso, pode ajudar a impedir o aparecimento de problemas psicológicos. De modo semelhante, fazer com que se interessem pela expressão artística (os Samadhis da mente imaginativa), pode ajudá-los ainda mais.

Ajudar uma pessoa com perturbações psicológicas a descobrir mais Samadhis saudáveis é a chave para o tratamento. Esse é o objetivo das terapias psicológicas do Ayurveda, especialmente as terapias dos sentidos sutis, dos mantras e da meditação. Temos de aprender quais são os locais certos para deixar que nossa mente seja absorvida. Esses locais deveriam representar influências sáttvicas, caso contrário, a mente continuará no seu estado de ignorância e de perturbação. Temos de aprender a desenvolver os Samadhis superiores para que não sejamos presa dos inferiores. Temos de aprender a desenvolver os estados interiores de absorção que são duradouros, ou nossa mente continuará presa de absorções exteriores e da dor de elas chegarem ao fim.

Resumo do Caminho Óctuplo da Yoga

Os oitos membros da Yoga refletem o processo pelo qual nossa mente funciona, o qual tem de visar o modo certo de se chegar à paz de espírito.

1. Primeiro, temos certos valores de conduta social que determinam como nos relacionamos com o mundo (Yamas). O mais importante é a violência que aceitamos na nossa vida (ahimsa), o quanto somos sinceros, como usamos nossa energia sexual, que bens conservamos à nossa volta, a coisa pela qual temos mais apego. Tudo isso cria a nossa atmosfera psicológica.

2. Segundo, estritamente ligado a isso estão as normas de nossa conduta pessoal e do nosso estilo de vida (Niyamas). Temos determinado modo de agir, no qual descobrimos a nossa grande felicidade. Organizamos nossa vida exterior de certo modo. Temos uma maneira característica de olhar para nós mesmos e para quem somos. Seguimos alguma disciplina ou rotina peculiar. Temos um modo pessoal de buscar ajuda ou o favor dos outros. Isso determina o modo como vivemos.

Por exemplo, se você quiser fazer dinheiro, terá de associar sua busca de felicidade a essa meta. Deverá organizar sua vida exterior conformemente, eliminando as coisas que impedem a obtenção do dinheiro. Isso lhe confere certa identidade ou sentido do eu. Cria uma disciplina — como uma ocupação no mundo dos negócios. Você também deverá conseguir a ajuda dos que podem garantir-lhe o que busca, como os que ocupam um cargo de poder.

Tudo o que resolvemos fazer, mesmo que seja a busca de prazeres, cria certos valores e disciplinas. Temos de desistir de alguma coisa a fim de conseguir algo mais. A vida sempre envolve escolhas, e a ação sempre envolve alguma metodologia para alcançar as metas que escolhemos.

Essa orientação básica para o estilo de vida constitui o fundamento da nossa psicologia. Valores e práticas equivocadas que vêm à luz dessa orientação causam perturbações psicológicas. Por vezes, o valor é equivocado, como procurar causar danos aos outros. Às vezes, a abordagem é que está errada, como buscar o amor, mas de maneiras que nos põem em contato com pessoas que nos exploram. A orientação equivocada para a vida faz a mente ficar suscetível a fatores de perturbação e tristeza; no entanto, todo tipo de ação que procuramos requer alguma orientação básica de nossas energias, desde fazer uma viagem até planejar uma carreira.

3. Terceiro, baseados em nossa orientação na vida, temos uma maneira de nos movimentar que conserva o corpo numa posição particular. A busca de prazer sexual faz com que usemos o corpo de uma maneira, a busca da excelência nos esportes, de uma outra maneira e assim por diante. Certos modos de orientar o corpo aumentam o *stress* e a tensão, cau-

sam debilidade e doença ou, de outras formas, contribuem para o aparecimento de problemas psicológicos.

4. Quarto, temos um modo específico de usar nossa energia vital (Pranayama). Tudo o que resolvemos fazer dirige o nosso Prana para essa meta particular. Tudo o que fazemos envolve a nossa vitalidade e, por sua vez, molda essa mesma vitalidade. Se estamos à procura da arte, dos esportes, dos negócios ou da espiritualidade, cada uma dessas coisas acarretará uma orientação particular da energia vital.

5. Quinto, temos determinada maneira de concentrar nossa mente e nossos sentidos (Pratyahara). Em qualquer dado momento, há inúmeras impressões sensoriais penetrando a mente, e temos de selecionar algumas que devem ser consideradas com base nas escolhas que fizemos na nossa conduta. Quer seja assistir à tevê, trabalhar na escrivaninha de nosso escritório ou apenas andar pela rua, estamos nos afastando de certas sensações para nos concentrar em outras. Se as sensações em que nos concentramos são nocivas (rajásicas e tamásicas), a mente será desvirtuada no decorrer desse processo.

6. Sexto, temos de dirigir nossa atenção a um sentido específico (Dharana). O que escolhemos fazer na vida cria certo foco de atenção. Não só elimina os outros objetos de nossa atenção como também nos concentra no objeto escolhido. Se esse objeto ou meta é nocivo, a energia de nossa mente concentrar-se-á de maneira dolorosa.

7. Sétimo, temos certas coisas sobre que refletimos profundamente (Dhyana) — os alvos mais constantes de nossos pensamentos. Estamos sempre pensando acerca de alguma coisa. Nossos pensamentos circulam em torno das metas que estamos buscando, nossos divertimentos básicos, conquistas e realizações. Se os principais objetos sobre os quais refletimos são perturbadores, limitados ou confusos, o campo mental também será deturpado.

8. Oitavo, temos de absorver nossa mente nas coisas que mais buscamos. Isso ocorre em algumas experiências-de-pico (Samadhi) no final de nosso esforço. Até a obtenção de objetos que dão prazer, como sexo ou comida, é o ponto máximo de certos valores e disciplinas que raramente vêm sem esforço. O mesmo é verdadeiro para outros objetivos na vida; contudo, se o objeto que buscamos tem as tintas da cobiça, nossa absorção nele deve ser passageira, e faz com que nos sintamos vazios, por mais feliz que seja o momento da absorção.

A Yoga é a maneira de realizar esse processo conscientemente, no qual logramos a absorção em Deus ou na nossa própria natureza. As perturbações psicológicas ocorrem quando se faz isso de maneira errada ou inconscientemente, quando nos absorvemos em influências negativas que nos fazem perder o controle sobre a consciência (perder nossa paz interior). Quando compreendermos esse processo, não procuraremos mais as coisas que nos trazem sofrimento. Isso requer compreender verdadeiramente nossa consciência e de que modo funciona. Sem compreender e sem pôr em prática os grandes princípios da Yoga e do Ayurveda, não podemos fazer isso.

Possa o leitor avançar rápido e sem obstáculos nessa grande estrada da vida imortal!

Yantra Principal

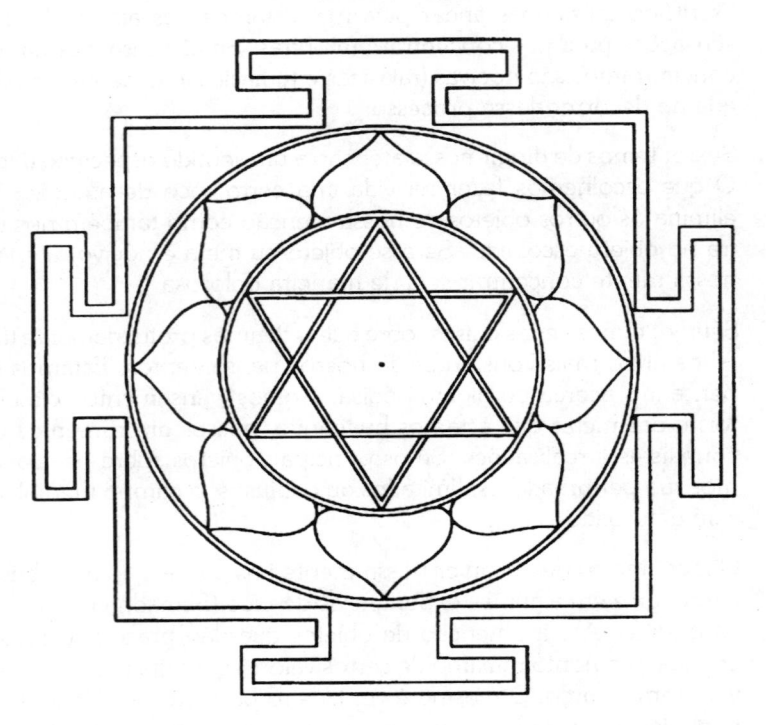

Apêndice 1

As tabelas seguintes fornecem não só um resumo mas também um conhecimento mais abrangente da nossa natureza psicofísica e de seu lugar no universo da consciência. Os tópicos abordados são os três corpos, os cinco invólucros, os sete níveis do universo, os sete chakras, os cinco Pranas, uma tabela de funções da mente e um diagrama da evolução cósmica.

Tabela A
Os Três Corpos

O nosso eu verdadeiro, cuja natureza é a Consciência Pura, se acha envolvido em três corpos ou trajes. Apenas o corpo grosseiro ou físico é um corpo no sentido comum da palavra. O corpo sutil (astral) é constituído a partir das impressões derivadas da mente e dos sentidos. O corpo causal é constituído pelas nossas tendências mais profundas, conservadas nos três gunas Sattva, Rajas e Tamas. O Eu interior é o quarto fator que transcende os três corpos.

Corpo	Composição	Estado	Existência	Guna
Grosseiro (Físico)	elementos grosseiros derivados da comida	Vigília	Física	Tamas
Sutil (Astral)	elementos sutis derivados das impressões	Sonho	Astral	Rajas
Causal	Elementos causais derivados dos gunas	Sono profundo	Causal ou ideal	Sattva
Transcendente	Não-modificada	Transcendente	Não-manifesta	
Além do Eu (Consciência Pura)	Consciência	(turiya)	Absoluta	Gunas

O corpo físico funciona durante o estado de vigília, no qual vivemos num mundo de objetos físicos, cada qual com sua forma e localização específica no tempo e no espaço. Para que esse corpo exista, temos de comer e absorver elementos grosseiros que o compõem.

O corpo astral funciona durante o sonho e os pensamentos de inspiração, em que vivemos num mundo composto de nossas próprias impressões. Ele define o tempo e o espaço em vez de ser por eles definido. Ele é conservado pelas impressões e pelos elementos sutis, que são o seu alimento. Nele predomina a mente emocional ou dos sentidos (Manas).

O corpo causal funciona durante a meditação e o sono profundos, em que vivemos em nossa própria consciência despojada de objetos exteriores, percebidos ou imaginários. Ele não está localizado como uma forma ou impressão no espaço e no tempo, mas existe como uma idéia que cria o tempo e o espaço de acordo com suas qualidades. Ele é conservado pelos pensamentos, os elementos causais, que são o seu alimento. Nele predomina a consciência mais profunda (Chitta). Nosso verdadeiro Eu e ser imortal transcende os três corpos e estados da consciência. Só nisso repousa a nossa liberdade quanto ao tempo e ao espaço, ao nascimento e à morte.

Os Três Corpos e as Perturbações Psicológicas

Temos de determinar o nível de nossa natureza do qual nossos problemas psicológicos derivam a fim de tratá-los com propriedade. Se sua causa é física, como um regime alimentar impróprio, ela deve ser tratada nesse nível. Se a causa é astral, como impressões negativas, estas devem ser alteradas para melhorar a condição da pessoa. Se o problema é de ordem causal, como Rajas e Tamas arraigados no espírito, eles são difíceis de debelar e sua ocorrência pode se dar em função do karma de uma vida passada. Tratar Rajas e Tamas fisicamente e no nível dos astros desenvolve-os indiretamente. É difícil chegar ao nível causal diretamente, porque isso requer o controle dos corpos inferiores e a capacidade de meditar.

Os fatores físicos da doença, como comida ou água de má qualidade, afetam o corpo astral indiretamente, de acordo com as impressões que deles derivam. Da mesma forma, as impressões no corpo astral afetam o corpo causal indiretamente, em conformidade com seus gunas. Os três corpos estão envolvidos, de qualquer forma, independentemente de sua condição.

Com relação à cura, nosso mundo físico pode ser alterado com a mudança dos objetos em torno dos quais vivemos, e principalmente através de uma mudança quanto ao que ingerimos (alimentos, ar e água). Nosso mundo astral pode ser mudado com uma alteração de nossas impressões e idéias. Nosso mundo causal pode ser alterado com a mudança de nossas crenças e desejos mais profundos (os gunas a que nos apegamos).

Apêndice 1

Tabela B
Os Cinco Invólucros e a Mente

Os três corpos constituem os cinco invólucros ou camadas da matéria, desde o físico grosseiro até o causal.

Camada	Invólucro	Função	Composição
Chitta (Consciência ou mente interior)	Bênção, Anandamaya kosha	amor ou aspiração espiritual	Samskaras (Impressões de guna a partir de tanmatras)
Buddhi (Inteligência)	inteligência, Vijnanamaya kosha	razão ou discernimento	atividades mentais (Vrittis)
Manas (Mente exterior)	sensorial, Manomaya kosha	reúne sensorial e dados	impressões (tanmatras)
Prana (Força vital)	vital, Pranamaya kosha	anima os corpos físico e astral	cinco Pranas
Físico	alimento, Annamaya kosha	permite a corporificação	cinco Elementos

Os três corpos são formados por cinco invólucros. O invólucro prânico serve de mediador entre os corpos físico e astral; o invólucro da inteligência serve de mediador entre o astral e o causal. As três funções principais da mente (Chitta, Buddhi e Manas) constituem os três invólucros mais sutis. O campo de nossa consciência nuclear compõe o invólucro da beatitude (Anandamaya kosha), em que conservamos nossas alegrias e tristezas mais profundas, nossos karmas e Samskaras, que estão impressos nos gunas. A consciência é beatitude, com o amor ou o desejo predominando, até mesmo buscando a felicidade e a alegria. Ela rege o estado do sono profundo em que todos os pensamentos e impressões manifestos desaparecem e em que temos paz e alegria.

O campo da inteligência constitui o invólucro da inteligência, em que conservamos nosso conhecimento mais profundo, nossos julgamentos e nosso discernimento da verdade. Isso permite que tenhamos acesso ao invólucro da bênção, se nossa sabedoria é espiritual, ou a mantém apartada de nós, se nosso conhecimento limita-se apenas ao mundo exterior. Essa é a situação da maior parte de nossas atividades mentais (vrittis), particularmente as que se relacionam com a determinação da verdade e da realidade.

O campo da mente constitui o invólucro mental, em que conservamos nossas várias impressões, sensoriais e mentais. Estas nos facultam o acesso ao invólucro da inteligência, se a tivermos entendido e assimilado, ou dela nos apartam, se nos vemos presas dos divertimentos exteriores.

O aspecto inferior (tamásico) do Pranayama kosha torna-se os Pranas físicos; seu aspecto superior (rajásico) torna-se os Pranas sutis e as emoções (a mente e os sentidos) e constitui o corpo emocional. De modo semelhante, o invólucro da inteligência é dual em sua natureza. Sua função inferior (rajásica) é o intelecto ou o pensamento dirigido para o mundo exterior, que funciona com os sentidos e com parte do corpo astral. Sua função superior (sáttvica) é a inteligência verdadeira, ou discriminação dirigida para a parte eterna do corpo causal, e transcende os sentidos.

TABELA C
OS SETE NÍVEIS DO UNIVERSO

O universo é uma entidade orgânica ou Pessoa Cósmica criada pela Inteligência Cósmica e ocorre em diversas camadas desde o Ser Puro até a matéria física grosseira. Os cinco invólucros correspondem aos primeiros cinco níveis do universo.

1. MATÉRIA .... Anna

2. ENERGIA .... Prana

3. EMOÇÃO .... Manas

4. INTELIGÊNCIA .... Vijnana

5. BEATITUDE .... Ananda

6. CONSCIÊNCIA .... Chit

7. SER .... Sat

Ser e Consciência, os dois últimos, não têm invólucros porque estão além de todas as manifestações. Eles são a realidade fundamental e o pano de fundo de todos os outros princípios, que podem ser vistos como uma série de círculos concêntricos, com o físico no meio como o fator mais limitado. Eles criam sete mundos, lokas ou planos da existência.

Ananda, a Beatitude, apresenta uma natureza dual, com seu aspecto superior além da manifestação e seu aspecto inferior como a fonte da manifestação.

Apêndice 1   233

Junto com os dois outros princípios superiores, compõem Sacchidananda, Ser-Consciência-Beatitude, como a realidade transcendente tríplice de Brahman ou Atman, o Absoluto ou Eu.

Tabela D
Os Sete Chakras

Os Chakras são campos de energia no corpo sutil, e governam os elementos sutis, os órgãos dos sentidos e os órgãos motores. Apresentam campos de energia correspondentes no corpo físico, o plexo dos nervos, que de modo semelhante regem os elementos grosseiros, os órgãos dos sentidos e os órgãos motores. A Nova Era tende a confundir a função exterior ou física dos chakras com sua função interior ou espiritual, que é bem diferente e só entra em cena durante as práticas avançadas de meditação.

Elemento	Localização	Qualidade do Sentido	Órgão do Sentido	Órgão Motor
Consciência	Cabeça	Som Causal	Audição Causal	e Fala
Mente	Terceiro Olho	Som Sutil	Audição Sutil	e Fala
Éter	Garganta	Som	Ouvidos	Órgãos Vocais
Ar	Coração	Tato	Pele	Mãos
Fogo	Umbigo	Visão	Olhos	Pés
Água	Sexo	Paladar	Língua	Órgãos Reprodutores
Terra	Raiz	Olfato	Nariz	Órgãos Excretores

A perturbação da mente reflete-se na desarmonia dos chakras e em suas funções, e no mau funcionamento do chakra superior. Os cinco chakras inferiores em sua função exterior se relacionam com os órgãos físicos dos sentidos e com os órgãos motores. Em sua função elevada ou espiritual, eles despertam os órgãos sutis sensoriais e motores com que se relacionam, dando-nos a experiência dos mundos sutis e dos estados superiores da consciência.

Os problemas psicológicos se relacionam com seus chakras respectivos e inibem a sua função. A falta de controle dos órgãos dos sentidos impede que seus respectivos chakras se abram, fazendo-os funcionar de modo insatisfatório e desequilibrado. Por exemplo, a atividade sexual em excesso enfraquece o chakra da água e o impede de se abrir, ao passo que medo em demasia prejudica o chakra da terra. O controle dos sentidos faz a energia da consciência voltar-se para dentro com vistas ao desenvolvimento de seus aspectos superiores. O papel do terceiro olho é fundamental no que diz respeito a isso, porque, por meio dele, os sentidos se concentram e se dirigem para o interior.

A psicologia ayurvédica equilibra Vata, Pitta e Kapha no corpo, e aumenta Sattva na mente para harmonizar as funções inferiores do chakra, e cria os fundamentos para a realização de seu potencial superior. Tejas ajuda a abrir os chakras inferiores, e corresponde à Kundalini. Ojas ajuda no desenvolvimento dos chakras superiores da cabeça e do terceiro olho. Prana ajuda o chakra do coração (ar) a abrir-se. O controle dos Manas nos confere o domínio dos cinco chakras inferiores. O desenvolvimento de Buddhi faz com que o terceiro olho se desenvolva. A purificação de Chitta abre o chakra da coroa e o coração espiritual mais profundo. O esvaziamento do ego (Ahamkara) é a chave do processo, porque o ego cria a constrição de energia que impede que os chakras funcionem a contento.

Tabela E
Os Cinco Pranas e a Mente

O Prana é dividido em cinco partes, conforme seu movimento e função.

Prana	localização física	função física	função sutil
Vyana Vayu — força vital difusa	coração e membros, perpassa o corpo	movimento e circulação	circulação mental e expansão
Udana Vayu — força vital de movimento ascendente	garganta, parte superior do peito	fala, exalação, crescimento	aspiração, entusiasmo, esforço, desenvolvimento mental
Prana Vayu — força vital de movimento para dentro	coração e cérebro	engolir, inalação e percepção sensorial	energização da mente e receptividade

Samana Vayu — força vital de equilíbrio	umbigo	digestão e metabolismo, homeostase	digestão da mente e homeostase
Apana Vayu — força vital de movimento descendente	abaixo do umbigo	excreção, reprodução, imunidade	eliminação na mente e imunidade

Os cinco Pranas são variações do elemento ar, sua contrapartida sutil (tanmatra ou qualidade sensorial do tato) e o guna Rajas. Os cinco Pranas são comuns a todos os elementos, órgãos, koshas e funções da mente. Servem para energizar e ligar nossas atividades em todos os níveis.

Prana realiza a energização. Samana fornece o alimento. Apana é responsável pela eliminação. Vyana rege a circulação. Udana cria condições para o esforço e para a capacidade de trabalhar. Por exemplo, no nível físico, Prana é responsável pela ingestão do alimento, Samana pela sua digestão, Vyana pela circulação dos nutrientes em todos os tecidos, Apana pela eliminação das propriedades dispensáveis na comida e Udana permite que usemos a energia derivada da alimentação no trabalho físico.

No nível da mente, Prana é responsável pela absorção de impressões e de idéias, Samana por sua digestão, Vyana pela circulação dessas informações, Apana pela eliminação das propriedades descartáveis (pensamentos e emoções negativos) e Udana pela nossa realização de trabalhos e atividades positivas de ordem intelectual.

De um modo generalizado, Prana energiza todos os koshas, Samana conserva-lhes a relação, a coesão e o equilíbrio, Apana absorve energia para eles, do sutil ao grosseiro, Udana lhes leva a energia do grosseiro ao sutil e Vyana promove a circulação nos cinco koshas e é responsável pela diferenciação deles.

As Perturbações Psicológicas e os Pranas

As perturbações psicológicas envolvem desequilíbrios nos Pranas ou energias que regem a mente. Primeiro, Prana ou a energização é prejudicado pelas impressões, emoções ou pensamentos negativos. Segundo, Samana ou a digestão se desequilibra por meio de impressões negativas e da falta de discernimento. Depois, os três Pranas são prejudicados. Apana realiza o aumento dos materiais dispensáveis na mente. Vyana ou a circulação é prejudicado, acarretando a estagnação em nossa consciência mais profunda. Udana, ou nossa força de vontade positiva, é enfraquecido, e somos incapazes de nos esforçar para mudar ou melhorar nossa situação.

Prana Vayu é a capacidade que temos de absorver impressões e pensamentos positivos, bem como a capacidade que a energia vital tem de controlar o nosso equilíbrio. Perturbado, ele nos impede de assimilar impressões positivas e compromete todo o nosso equilíbrio. Esse Prana da orientação liga-se a Agni ou o princípio do fogo, e, juntos, eles vitalizam a mente e os sentidos.

Apana Vayu é nossa capacidade de afastar a negatividade, a força da gravidade na nossa mente. Quando sua função é prejudicada, ficamos deprimidos ou absorvemos energias de estagnação e declínio. Podem ocorrer vários fluxos de energia vital descendente desordenados.

Samana Vayu, a energia vital do equilíbrio, é enfraquecido quando são prejudicadas a paz mental e a harmonia. Fisicamente, isso prejudica o sistema digestivo e enfraquece a absorção, abrindo o caminho para a formação de toxinas. Isso gera a congestão psicológica e o apego, a par da incapacidade de ficar sozinho. Graves problemas psicológicos podem acarretar perturbações sérias de Samana Vayu, com prejuízo para o sistema nervoso e com o desequilíbrio mental duradouro.

Vyana Vayu é a parte expansiva da energia vital, responsável pelo movimento e atividade dirigidos para fora. Vyana Vayu nos torna felizes, independentes e expansivos. Quando apresenta perturbações, causa tremores no corpo ou intranqüilidade da mente. Nesta, causa alienação e isolamento, e nos impede de acompanhar outras pessoas.

Udana Vayu é o nosso entusiasmo crescente, a nossa força de vontade e a nossa motivação. Ele faz com que nos sintamos privilegiados, orgulhosos ou enaltecidos. Enfraquece com a depressão. Quando estamos deprimidos, nossa energia é incapaz de fluir para cima, e se afunda. A incapacidade de falar ou de se expressar indica que Udana Vayu está fraco. É provável que muitas vezes o fluxo de energia vital com perturbações seja ascendente, como acessos de tosse ou falta de controle na fala, quando o Prana apresenta perturbações. Se for excessivo, Udana Vayu nos torna fátuos, dominadores e intolerantes.

Esses cinco Pranas são um dos aspectos mais profundos do pensamento ayurvédico. Por ora, só damos deles uma introdução, porém, o papel que desempenham não deve ser subestimado. É necessário um livro só para esse assunto.

Tabela F
Funções da Mente

Ser ou Alma .... **Jivatman**
Elemento .... Aspecto Éter do Ar Sutil e do Éter
Guna .... Condição não-manifesta dos Gunas
Invólucro .... Invólucro da Beatitude ativado plenamente
Funções .... Percepção de si mesmo
Sentido .... Compreensão de si mesmo

Apêndice 1

Estado da Percepção .... Vigília contínua
Estado do Tempo .... Presente Eterno
Reino da Natureza .... Yogue ou Sábio
Natureza .... Conhecimento Puro

Consciência .... Chitta
Elemento .... Aspecto Éter do Ar Sutil e do Éter
Guna .... Fonte dos Gunas
Invólucro .... Invólucro da Beatitude em geral
Funções .... Memória, Sono, Samadhi
Sentido .... Instinto/Intuição
Estado do Tempo .... Passado
Estado da Percepção .... Sono Profundo
Reino da Natureza .... Vegetal (inferior), Deus ou anjo (superior)
Natureza .... Amor, Desejo

Inteligência .... Buddhi
Elemento .... Aspecto Fogo do Ar Sutil e do Éter
Guna .... Sattva
Invólucro .... Invólucro da Inteligência
Funções .... Percepção, Razão, Determinação
Sentido .... Órgãos dos Sentidos, particularmente a audição
Estado do Tempo .... Presente
Estado da Percepção .... Vigília
Reino da Natureza .... Humano (Sábio, quando ativado plenamente)
Natureza .... Conhecimento, Superior e Inferior

Mente .... Manas
Elemento .... Aspecto Água do Ar Sutil e do Éter
Guna .... Rajas
Invólucro .... Invólucro da Mente
Funções .... Sensação, Volição, Imaginação
Sentido .... Órgãos Motores, especialmente as mãos
Estado do Tempo .... Futuro
Estado da Percepção .... Sonho
Reino da Natureza .... Animal
Natureza .... Ação

Ego .... Ahamkara
Elemento .... Aspecto Terra do Ar Sutil e do Éter
Guna .... Tamas
Invólucro .... Corpo físico
Funções .... Noção de si mesmo, propriedade
Sentido .... Eu ou ego
Estado do Tempo .... Passado
Estado da Percepção .... Sono profundo
Reino da Natureza .... Elemental
Natureza .... Ignorância

Apêndice 2

Notas

1. Em sânscrito, isso é chamado de Yoga-chikitsa. A Yoga como prática espiritual é chamada de Yoga-sadhana.
2. De modo semelhante, os textos clássicos de Yoga usam a terminologia ayurvédica para descrever os efeitos fisiológicos das práticas yogues.
3. O Ayurveda, como a Yoga, baseia-se na filosofia de Sankhya, que deriva dos Upanishades.
4. Isso acompanha as atribuições dos elementos e as capacidades sensoriais que observaremos no decorrer do livro.
5. Para mais informações sobre Prana, Tejas e Ojas, ver o meu livro *Tantric Yoga and the Wisdom Goddesses: Spiritual Secrets of Ayurveda*, pp. 193-226. Inclui os sinais e as condições de Prana, Tejas e Ojas elevados, baixos ou satisfatórios. O livro traz uma seção sobre como desenvolvê-los e conservá-los em equilíbrio.
6. Para um exame mais tradicional, embora mais complexo, dos tipos mentais sáttvicos, rajásicos e tamásicos do Ayurveda, ver *Caraka Samhita, Sarirasthana IV*, 36-40.
7. A psiquiatria, com o uso que faz de drogas químicas, pode ser uma terapia tamásica. Ela é útil sobretudo em casos de Rajas excessivo, nos quais o paciente pode causar danos a si mesmo ou aos outros. As drogas podem ser úteis a curto prazo em outras condições com alta quantidade de Rajas, como no caso de dores fortes e de angústia, que podem exigir sedação forte. Como as drogas são tamásicas por natureza, seu efeito a longo prazo envolve inibir Sattva. Elas só devem ser usadas como último recurso ou como medida temporária.
8. Em geral, a psicanálise é uma terapia rajásica. Ela nos leva das emoções reprimidas (Tamas) para a expressão (Rajas); contudo, talvez não nos leve a Sattva, a não ser que sejam acrescentadas ao processo outras terapias. A análise deve levar à ação prática. A análise excessiva pode impedir uma pessoa de mudar realmente, assim como pensar demais num problema pode nos impedir de resolvê-lo.
9. A psicanálise moderna, com seus métodos de ação e comunicação, é essencialmente um processo rajásico. Ela visa liberar emoções reprimidas (tamásicas). A análise ajuda a fazer com que a mente passe de um estado tamásico (reprimido) a um estado rajásico (de concentração, atividade e motivação).
10. O que é chamado de Yoga do karma em sânscrito.
11. Essa atitude de testemunha é chamada de Sakshi-bhava em sânscrito, e constitui a base da maioria das formas vedânticas de meditação.
12. Isso é o Atman do pensamento vedântico.
13. De acordo com o *Yoga Sutras* III, 33, a meditação sobre o coração confere conhecimento à mente.
14. Ver Patanjali, *Yoga Sutra* I,2. "A Yoga é o domínio de todas as operações da consciência (Chitta)."
15. Na escola Yogachara Budista, essa consciência mais profunda é chamada de Alaya Vijnana ou "consciência de armazém", por reter todas as tendências kármicas.
16. O Chit não-condicionado que se reflete na matéria (Prakriti ou Maya) torna-se chitta condicionado; todavia, devemos notar que nas doutrinas budistas, como o Lankavatara

Sutra, o termo chitta pode referir-se ao chitta condicionado ou ao Chit não-condicionado. Este é chamado chitta não-condicionado ou a natureza pura da Mente. A Mente Una do Budismo, Eka Chitta, referindo-se à Consciência Una não-condicionada, se parece com o Eu Uno ou Atman, do pensamento vedântico.

17. Predominância de Iccha, em sânscrito.
18. O Ayurveda analisa a importância da memória verdadeira de modo pormenorizado em *Caraka Samhita, Sarirasthana I*,147-151, como um meio de saúde e de libertação.
19. Ver seção sobre Samadhi no capítulo do livro sobre Yoga, para mais informações.
20. O Ayurveda analisa o papel do uso equivocado da inteligência no termo Prajnaparadha ou falha da sabedoria. Ver *Caraka Samhita, Sarirasthana I*,102-109.
21. O *Bhagavad Gita*, as grandes escrituras yogues do avatar Krishna, enfatiza a Buddhi Yoga, a Yoga da Inteligência, através da qual podemos conservar a equanimidade nas situações difíceis da vida.
22. Em sânscrito, chama-se a isso de viveka.
23. Essa Inteligência Cósmica é chamada de Mahat em sânscrito. Trata-se da contrapartida cósmica de Buddhi.
24. Chamados de Brahma, Vishnu e Shiva no pensamento hindu.
25. Esse é o aspecto superior de Agni ou Fogo Cósmico.
26. Em sânscrito, antarayami.
27. Comparado à consciência (Chitta) em sua forma original, mesmo o aspecto superior da inteligência parece rajásico. Por esse motivo, alguns yogues relacionam Chitta com Sattva, e Buddhi com Rajas. Outras vezes, no entanto, Chitta e Buddhi são identificados, porque ambos são predominantemente sáttvicos, e esse é o ponto de vista do Samkhya clássico. Da mesma forma, a Inteligência Cósmica e a Consciência Cósmica são por vezes consideradas a mesma coisa.
28. Por essa razão, sua localização é indicada como sendo na garganta, ou entre a cabeça e o coração.
29. Jnana predominante, em sânscrito.
30. Isso é chamado de Prajnaparadha em sânscrito, e é uma das principais causas do processo da doença, de acordo com o Ayurveda.
31. Essa vontade de chegar à verdade é chamada de Kratu nos Vedas, o que implica sacrifício ou negação de si mesmo. Isso só ocorre na inteligência que nega nossos desejos exteriores. Requer o equilíbrio da inteligência e da mente, em que os desejos desta são dirigidos para dentro, por meio da renúncia. O Vedanta posterior chama isso de Samkalpa Shakti, ou força de vontade verdadeira, fazer o que dizemos ou dizer o que fazemos.
32. A seção sobre Samadhi no capítulo sobre consciência também é importante aqui.
33. Essa imersão da inteligência (Buddhi) no coração (Chitta) é chamada de Bodhichitta, ou consciência iluminada no pensamento budista.
34. Manas ocorre como um termo geral que designa a mente na literatura vedântica, caso em que a palavra é sinônimo de chitta, e inclui todas as outras funções da mente sob a sua competência. Na literatura budista, Manas pode referir-se a todas as funções da mente. O Manas não-condicionado pode referir-se à natureza de Buddha ou percepção iluminada, como o Atman do Vedanta. Como a maioria das atividades mentais ocorre no campo de Manas, isso pode ser considerado como a parte mais característica do que normalmente chamamos de mente.
35. Os atores aprendem a jogar com esses sentimentos e emoções profundas, ao que se chama rasas ou essências em sânscrito. Eles também são mencionados como bhavas

ou estados de sentimento, os quais, por sua vez, refletem relações variadas. O sentimento é orientado para o relacionamento. Trabalhar com esses sentimentos e relacionamentos no nível consciente é o caminho da devoção, a Bhakti Yoga.
36. Alguns yogues classificam Manas como Tamas em comparação a Buddhi como Sattva, porque Manas apresenta uma energia para fora, e Buddhi, para dentro. Manas traz em si certo componente de Tamas, e Rajas em geral leva a Tamas. O Samkhya clássico torna Manas uma conseqüência de Ahamkara ou ego, derivando-o de seus aspectos sáttvicos ou rajásicos. Isso reflete a relação entre Manas e os órgãos sensoriais e motores, que estão relacionados a Sattva e a Rajas respectivamente. Todas as funções da mente necessitam de algum Sattva para funcionar claramente.
37. Kriya em sânscrito.
38. Os tipos Vata, contudo, apresentam mais atividade mental e perturbações de um modo generalizado. Isso se deve ao fato de que são pessoas mais sensíveis, e de que sua consciência (Chitta) está mais exposta por meio dos atos do corpo e da mente.
39. Samkalpa e vikalpa em sânscrito. No entanto, aqui, trata-se de samkalpa comum, ou intenção da ação, com o corpo e os sentidos, não da vontade superior ou samkalpa, a vontade da verdade, o que requer harmonia com o Buddhi e com o Eu.
40. Chamado de Samkalpa Shakti em sânscrito, a força de vontade ou intenção. Cultivá-la significa que impusemos metas espirituais para nós mesmos, como controlar a raiva e então realizar essas metas, independentemente do esforço que possamos fazer.
41. Isso é chamado de Aham-dhi ou Aham-buddhi em sânscrito, mostrando que é um erro ou uma idéia falsa da inteligência ou Buddhi.
42. Isso foi uma crítica vedântica de certos sistemas budistas.
43. Esses são chamados ahamtva e mamatva em sânscrito.
44. Esses dois fatores são analisados no capítulo sobre Métodos Espirituais de Tratamento.
45. A literatura ayurvédica apresenta análises aprofundadas da alma individual e da Alma Suprema e de sua relação. Observe *Caraka Samhita, Sarirasthana I*.
46. Ver sobretudo os ensinamentos do mestre moderno Ramana Maharshi e do antigo mestre Shankara para a doutrina de Advaita ou Vedanta não-dualista. Existem outras abordagens vedânticas, como o não-dualismo integral (Purnadvaita) de Sri Aurobindo, o não-dualismo qualificado (Visishtadvaita) de Ramanuja, e o Vedanta de Madhva, dualista.
47. Chitta-shuddhi em sânscrito.
48. Segundo a terminologia comum do Ayurveda, os Doshas de Vata, Pitta e Kapha em excesso prejudicam os tecidos ou dhatus do corpo, o que é dushti ou fator de dano. Na psicologia ayurvédica, Buddhi-dosha provoca Chitta-dushti, o funcionamento inadequado da inteligência prejudica a substância da nossa consciência.
49. Para um exame amplo dessas funções diversas da mente e de seus estados de acordo com os três gunas, ver *Science of the Soul*, de Swami Yogeshwaranand Saraswati, pp. 96-115.
50. Ver *Yoga Sutras* II, 33-34.
51. Ver a seção sobre a inteligência para mais informações acerca da função exata do Buddhi.
52. Esses três estados Vaishvanara, Taijasa e Prajna se relacionam, no pensamento vedântico. Vaishvanara é o fogo digestivo no corpo físico. Taijasa é o fogo digestivo no corpo sutil. Prajna é o fogo digestivo no corpo causal. Taijasa, o poder de Tejas, sendo o fogo digestivo no corpo sutil ou na mente, é mais importante na assimilação de impressões e na digestão da mente.

53. Ver seção sobre Pancha Karma mais adiante no livro, pp. 159
54. Ver *Caraka Samhita, Sarirasthana I*, 118-132 para um exame da função dos sentidos no processo da doença.
55. Por exemplo, meu livro *Ayurvedic Healing*, pp. 51-87, sobre o assunto.
56. Infelizmente, há muitas partes do corpo de animais nos alimentos, como óleo de fígado de peixe na forma de complemento vitamínico, coalho nos queijos ou osso de vaca usado para tornar branco o açúcar. Essas coisas devem ser evitadas.
57. Isso foi esboçado em *Ayurvedic Healing*, pp. 83-85.
58. Ver, a respeito disso, *Yoga of Herbs*.
59. Para uma *materia medica* das ervas mencionadas neste livro, consultar *Yoga of Herbs* e *Planetary Herbology*.
60. Ver *Yoga of Herbs*, pp. 23-25, para sua análise dos seis tipos de paladar.
61. Em sânscrito, são chamados de medhya rasayanas.
62. Essas cinco práticas são chamadas vamana, virechana, basti, nasya e raktamoksha, em sânscrito.
63. Ver *Caraka Samhita, Sutrasthana XI*, 54, em que as pedras preciosas estão arroladas entre as terapias espirituais do Ayurveda.
64. Mais informações sobre astrologia védica, inclusive sobre seus aspectos relacionados à cura, são dadas em *Astrology of the Seers*, sobretudo nas pp. 235-261.
65. Para mais informações sobre o uso ayurvédico das pedras preciosas, ver *Ayurvedic Healing*, pp. 308-312.
66. Ver *Caraka Samhita Sutrasthana XI*, 54, em que mantra é mencionado entre as terapias espirituais do Ayurveda.
67. Esse processo é chamado purascharana ou anusthana em sânscrito.
68. Esse tema é examinado em *Tantric Yoga and the Wisdom Goddesses*. Ver também *Tools for Tantra*, de Haresh Johari.
69. Ver *Tantric Yoga and the Wisdom Goddesses*, pp. 197-219, com vistas às maneiras de aumentar Prana, Tejas e Ojas, incluindo os mantras.
70. Essa forma escolhida de Deus é chamada de Ishta Devata em sânscrito. Há muitas obras sobre Bhakti Yoga ou a Yoga da Devoção, como o *Bhakti Sutras*, de Narada, *Srimad Bhagavatam*, o *Ramayana*, e os cânticos dos grandes santos como Mira Bai.
71. Esses são chamados homa, havana e Agnihotra em sânscrito.
72. Em *Tantric Yoga and the Wisdom Goddesses*, eu examinei a função de dez Deusas importantes a respeito disso.
73. Vagbhatta, o grande mestre ayurvédico budista, recomendava o uso de Bodhisattva Avalokiteshvara ou os Deuses Shiva e Vishnu (*Astangahrdaya Uttarasthana V*, 50-52). A consorte de Avalokiteshvara é a Deusa Tara, também chamada de Kwan Yin na tradição chinesa.
74. O conhecimento de si mesmo é o tema de Advaita ou Vedanta não-dualista. Seu proponente clássico é Shankaracharya. Seu proponente moderno mais famoso é Ramana Maharshi, o grande sábio de Tiruvannamalai, sul da Índia.
75. Para se ter uma idéia da importância da Yoga no Ayurveda tradicional, ver *Caraka Samhita Sarirasthana I*, 137-155.
76. *Yoga Sutras*, de Patanjali, Livro I, Sutra 2.
77. Chamados de varna e ashrama no pensamento védico. Os varnas são nossa ética social, que se divide em quatro por se basear no conhecimento, na honra, na riqueza ou trabalho. Os ashramas são os estágios da vida na condição de jovem, chefe de família, *retiree* e *renunciate*.

Apêndice 2

78. O verdadeiro objetivo da Yoga é a integração interior. Ela é feita para um objetivo espiritual e requer renúncia e altruísmo. A fruição, chamada de bhoga em sânscrito, não é o escopo da Yoga, que se orienta a um outro sentido; contudo, muitas pessoas fazem Yoga para se sentir melhor, o que é o objetivo de bhoga. Este por vezes desvirtua o verdadeiro sentido da Yoga e nos impede de nos beneficiar de suas práticas mais profundas.
79. Ver *Yoga Sutras I,12*. O comentário de Vyasa, para uma explanação de Chitta-Nadi. O fluxo exterior da mente por meio dos sentidos leva à servidão e à tristeza. O fluxo interior por meio do discernimento leva à paz e à libertação. Esse fluxo interior põe a Kundalini em funcionamento, o que é Chitta-Nadi despertado.
80. A isso se chama Shambahvi mudra no pensamento yogue. É usado em diversos sistemas da meditação budista.
81. Já analisamos Samadhi nas seções do livro sobre Chitta e Buddhi, e não nos ocuparemos de novo dessas informações aqui. É preciso que o leitor as tenha em mente.
82. Vyasa, o principal comentador dos *Yoga Sutras*, define Yoga como Samadhi. A primeira seção do livro é o Samadhi Pada ou seção relacionada com o Samadhi. A maioria dos versos no livro concerne a Samadhi ou Samyama.
83. Sânscrito — ver comentário de Vyasa sobre o primeiro verso de *Yoga Sutras*.
84. Esses Samadhis (Samyamas) são explicados pormenorizadamente em *Yoga Sutras*, particularmente na terceira seção.
85. Esses tipos de posse são explicados na psicologia ayurvédica. Examinei alguns desses em *Ayurvedic Healing*, pp. 254-257.

Glossário Sânscrito

Agni — fogo digestivo
Ahamkara — ego ou sentido do eu separado
Antahkarana — instrumento interior, mente em todos os níveis
Apana — Prana com movimento descendente
Asanas — posturas yogues
Atman — Eu verdadeiro, sentido do puro Eu sou
Ayurveda — ciência yogue de cura

Bhakti Yoga — Yoga da Devoção
Bija Mantra — mantras de uma sílaba, como OM
Brahman — realidade Absoluta
Buddhi — inteligência

Chakras — centros de energia do corpo sutil, que governam o corpo físico através do plexo do nervo
Chitta — consciência, mente interior, especialmente o subconsciente

Devi — a Deusa
Dharana — concentração
Dharma — a lei de nossa natureza
Dhyana — meditação

Gunas — três qualidades principais da Natureza de sattva, rajas e tamas
Guru — guia espiritual

Homa — oferendas védicas do fogo

Ishvara — Deus ou o Criador
Ishvari — Mãe Divina, aspecto feminino de Deus

Jiva — alma individual
Jnana Yoga — Yoga do Autoconhecimento

Karma — efeito de nossas ações passadas, incluindo as de nascimentos anteriores
Karma Yoga — Yoga de ritual, trabalho e serviço
Kundalini — energia latente do desenvolvimento espiritual

Mahat — Mente Divina ou Inteligência Cósmica
Manas — aspecto exterior ou sensório da mente
Mantra — sons seminais usados para a cura ou na Yoga
Marmas — pontos sensíveis no corpo

Apêndice 2

Niyamas — disciplinas yogues

Ojas — água num nível vital

Pitta — humor do fogo biológico
Plano Astral — mundo sutil das impressões puras, plano do sonho
Plano Causal — mundo da criação, domínio do ideal ou dos arquétipos, plano do sono profundo
Prakriti — natureza
Prana — força vital, respiração
Pranayama — controle ou expansão da força vital
Pratyahara — controle ou introversão da mente e dos sentidos
Puja — rituais hindus
Purusha — espírito interior, Eu

Raja Yoga — sistema da Yoga Integral de Patanjali nos Sutras da Yoga
Rajas — qualidade da ação e da agitação
Rajásico — da natureza de rajas

Samadhi — absorção
Samana — força vital de equilíbrio
Sattva — qualidade da harmonia
Sáttvico — da natureza de Sattva
Shakti — poder, energia, específico do nível mais profundo
Shiva — poder divino de paz e transcendência

Tamas — qualidade de escuridão e inércia
Tamásico — da natureza de Tamas
Tanmatras — potenciais sensórios que são os elementos sutis (audição, tato, visão, paladar, olfato)
Tantra — sistema energético para se trabalhar com nossos potenciais superiores
Tejas — fogo num nível vital

Udana — Prana de movimento ascendente

Vata — humor biológico do ar
Vayu — outro nome para Prana ou força vital
Vedas — antigo sistema espiritual hindu do Eu e do conhecimento Cósmico
Vishnu — poder divino de amor e proteção
Vyana — força vital expansiva

Yama — valores yogues
Yantras — formas geométricas de meditação
Yoga — ciência da reintegração com a realidade universal

Glossário de Ervas

Açafrão	*Crocus sativa*
Alcaçuz	*Glycyrrhizzra glabra*
Alho	*Allium sativa*
Amalaki	*Emblica officinalis*
Ashwagandha	*Withania sonnifera*
Assa-fétida	*Ferula asafetida*
Babosa	*Aloe vera*
Baga de loureiro	*Myrica spp.*
Bala	*Sida cordifolia*
Betônia	*Stachys betonica*
Cálamo	*Acorus calamus*
Camomila	*Anthemum nobilis*
Canela	*Cinnamomum zeylonica*
Cânfora	*Cinnamomum camphor*
Cardamomo	*Elettaria cardamomum*
Cedro	*Cedrus spp.*
Champak	*Michelia champaka*
Cipripédio	*Cyripidium pubescens*
Cravo-da-índia	*Syzgium aromaticum*
Crisântemo	*Chrysanthemum indicum*
Damiana	*Turnera aphrodisiaca*
Éledra	*Ephedra spp.*
Ênula	*Inula spp.*
Escutelária	*Scutellaria spp.*
Eucalipto	*Eucalyptus sp.*
Flor da paixão	*Passiflora incarnata*
Folha de limoeiro	*Cymbopogon citratus*
Gardênia	*Gardenia floribunda*
Gengibre	*Zingiberis officinalis*
Gokshura	*Tribulis terrestris*
Gotu kola	*Hydrocotyle asiatica*
Gualtéria	*Gaultheria procumbens*
Guggul	*Commiphora mukul*
Haritaki	*Terminalia chebula*
Heena	*Lawsonia alba*
Hissopo	*Hyssop officinalis*
Hortelã-pimenta	*Mentha piperita*
Hortelã verde	*Mentha spictata*
Íris	*Iris sp.*
Jasmim	*Jasminum grandiflorum*
Jatamansi	*Nardostachys jatamansi*
Kapikacchu	*Mucuna pruriens*
Lavanda	*Lavendula stoechas*

Apêndice 2

Lírio	*Lilum spp.*
Lúpulo	*Humulus lupulus*
Madressilva	*Lonicera japonica*
Ma huang	*Ephedra sinense*
Manduka parni	*Bacopa monnieri*
Manjericão	*Ocinum spp.*
Mirra	*Commiphora myrrha*
Noz-moscada	*Myristica fragrans*
Olíbano	*Boswellia carteri*
Pippali	*Piper nigrum*
Plumaria	*Plumeria rubra*
Rosa	*Rosa spp.*
Rosamaria	*Rosmarinus officinalis*
Salva	*Salvia officinalis*
Sândalo	*Santalum alba*
Sementes de lótus	*Nelumbo nocifera*
Sementes de sésamo	*Sesamum indica*
Sementes de sísifo	*Zizyphus spinosa*
Shankha pushpi	*Canscora decussata*
Shatavari	*Asparagus racemosus*
Shilajit	*Asphaltum*
Tamarindo	*Tamarindus indicus*
Tomilho	*Thymus vulgaris*
Valeriana	*Valeriana spp.*
Vetiver	*Andropogon muriaticus*
Vidari	*Ipomoea digitata*
Yohimbe	*Caryanthe yohimbe*

Bibliografia

Em inglês

Anirvan, Sri, *Antaryoga*, Voice of India, Nova Delhi, Índia, 1994.
Anirvan, Sri, *Buddhiyoga of the Gita and other Essays*, Samata Press, Madras, Índia, 1990.
Aurobindo, Sri, *Letters on Yoga*, Sri Aurobindo Ashram, Pondicherry, Índia.
Frawley, David, *Astrology of the Seers: A Guide to Hindu/Vedic Astrology*, Passage Press, Salt Lake City, Utah, 1990.
Frawley, David, *Ayurvedic Healing, A Comprehensive Guide*, Passage Press, Salt Lake City, 1989.
Frawley, David, *Beyond the Mind*, Passage Press, Salt Lake City, Utah, 1992.
Frawley, David, *From the River of Heaven: Hindu and Vedic Knowledge for the Modern Age*, Passage Press, Salt Lake City, Utah, 1990.
Frawley, David, *Tantric Yoga and the Wisdom Goddesses: Spiritual Secrets of Ayurveda*, Passage Press, Salt Lake City, Utah, 1994.
Frawley, David e Dr. Vasant Lad, *The Yoga of Herbs*, Lotus Press, Twin Lakes, WI, 1986
Lad, Vasant, Dr., *Ayurveda, The Science of Self-Healing*, Lotus Press, Twin Lakes, WI, 1984.
Lad, Vasant, Dr., *Ayurvedic Cooking for Self-Healing*, Ayurvedic Institute, Albuquerque, Novo México, 1994.
Ranade, Dr. Subhash, *Natural Healing Through Ayurveda*, Passage Press, Salt Lake City, Utah, 1993.
Yogeshwarananda, Swami, *Science of the Soul*, Yoga Niketan Trust, Nova Delhi, Índia, 1992.
Yogeshwarananda, Swami, *Science of the Soul*, Yoga Niketan Trust, Nova Delhi, Índia, 1992.
Yogeshwarananda, Swami, *Science of Prana*, Yoga Niketan Trust, Nova Delhi, Índia, 1992.
Yukteswar, Sri, *The Holy Science*, Self-Realization Fellowship, Los Angeles, Califórnia, 1978.

Textos Sânscritos

Astanga Hridaya de Vagbhatta.
Bhagavad Gita de Sri Krishna.
Caraka Samhita (três volumes), Varanasi, Chowkhamba, Sanskrit Series, Índia.
Daivarata Vaisvamitra, *Chandodarshana*.
Daivarata Vaisvamitra, *Vak Sudha*.
Ganapati Muni, *Uma Sahasram* com comentários de Kapali Sastri.
Mahabharata, Sanskrit, Gita Press, Gorakpur.
Patanjali, *Yoga Sutras* com comentários de Vacaspati Misra e Vijnana Bhiksu.
Sankhya Karika de Ishvara Krishna com comentários de Matharacarya e Samkaracarya.
Satapatha Brahmana
Susruta Samhita
188 Upanishads
Vedantasara

Apêndice 2   249

FONTES

American Institute of Vedic Studies

O American Institute of Vedic Studies fornece livros e realiza cursos sobre Ayurveda, Astrologia Védica e disciplinas védicas relacionadas sob a direção do Dr. Frawley. O instituto está ligado a diversas associações e instituições de ensino, inclusive o California College of Ayurveda e o New England Institute of Ayurvedic Medicine. O *site* na rede dá informações sobre esses temas.

Curso de Correspondência de Cura Ayurvédica

O Ayurveda é o sistema de cura natural e tradicional da Índia e a forma yogue da medicina. Atualmente, ele é reconhecido como um dos sistemas mais importantes do tratamento do corpo e da mente, e sua popularidade se estende mundo afora. O Ayurveda considera todos os aspectos da cura, desde o regime alimentar e das ervas até os mantras e a meditação como um sistema de medicina verdadeiramente holístico.

Esse programa prático e abrangente cobre todos os principais aspectos da teoria ayurvédica, diagnóstico e prática, com ênfase especial na medicina à base de ervas. Aprofunda-se na filosofia da Yoga e na psicologia ayurvédica, mostrando uma abordagem integral da medicina do corpo e da mente. O curso é destinado a Profissionais na Área da Saúde, bem como a estudantes interessados, e estabelece os fundamentos para que a pessoa se torne um praticante do Ayurveda. É dado um certificado aos alunos com bom desempenho nas provas e são fornecidas sugestões para um estudo mais aprofundado.

Atualmente, um curso especial na Psicologia Ayurvédica também está sendo planejado para os estudos avançados.

A Astrologia dos Videntes
Curso de Correspondência de Astrologia Védica

A astrologia védica, também chamada de "Jyotish", é a astrologia tradicional da Índia e faz parte do sistema maior de conhecimento yogue. A astrologia védica é um instrumento abrangente e eficaz da interpretação astrológica e das previsões, apresentando métodos para examinar todos os aspectos da vida, desde a saúde até a iluminação.

Esse curso abrangente explica a astrologia védica numa linguagem moderna e clara, fornecendo idéias práticas sobre como usar e adaptar o sistema. Para os que têm dificuldade para abordar o sistema védico, o curso fornece muitas chaves para esclarecer-lhe a linguagem e a metodologia para o estudante no Ocidente. Com mais de quinhentas páginas, o curso é uma explicação da astrologia védica que se vale de termos modernos e que diz respeito à astrologia ocidental, assegurando um acesso fácil a esse sistema por vezes misterioso.

O objetivo do curso é estabelecer as bases para que o estudante se torne um astrólogo védico por profissão. É dupla a orientação do curso: ensinar a linguagem e o modo de pensar da astrologia védica e apresentar a Astrologia da Cura do sistema védico. Dá-se um certificado do curso aos estudantes que tiverem bom desempenho nas provas, bem como são propostas sugestões para um estudo mais aprofundado.

Para mais informações, entre em contato com:

American Institute of Vedic Studies

Dr. David Frawley, Director
P. O. Box 8357
Santa Fe, NM 87504-8357
1-505-983-9385
1-505-982-5807 (Fax)
Email vedicinst@aol.com
Acesso pela rede: consciousnet.com/vedic

Centros de Ayurveda e Programas

American Institute of Vedic Studies

P. O. Box 8357
Santa FE, NM 87504-8357
1-505-983-9385
1-505-982-5807 (Fax)
Email vedicinst@aol.com
Acesso pela rede: consciousnet.com/vedic

The Ayurvedic Institute and Wellness Center

11311 Menaul, NE
Albuquerque, NM 87112
1-505-291-9698
1-505-294-7572 (Fax)

California College for Ayurveda

135 Argall Way Suite B
Nevada City, CA 95959
1-916-265-4300

The Chopra Center for Well Being

7590 Fay Avenue, Suite 403
LaJolla, CA 92037
1-619-551-7788
1-619-551-7811 (Fax)

Apêndice 2

Institute for Wholistic Education

33719 116th Street, Box AM
Twin Lakes, WI 53181
1-414-877-9396

New England Institute of Ayurvedic Medicine

111 N. Elm St. Suites 103-105
Worcester, MA 01609
1-508-755-3744

Rocky Mountain Ayurvedic Health Retreat

P. O. Box 5192
Pagosa Springs, CO 81147
1-800-247-9654
1-970-264-9224

Vinayak Ayurveda Center

2509 Virginia NE, Suite D
Albuquerque, NM 87110
1-505-296-6522
1-505-298-2932 (Fax)

Fornecedores de Ervas Ayurvédicas

The Ayurvedic Institute and Wellness Center

11311 Menaul, NE
Albuquerque, NM 87112
1-505-291-9698
1-505-294-7572 (Fax)

Bazaar of India Imports, Inc.

1810 University Avenue
Berkeley, Ca 94703
1-800-261-7662

Bio Veda

215 North Route 303
Congers, NY 10920-1726
1-800-292-6002

Internatural

33719 116th Street, Box AM
Twin Lakes, WI 53181
1-800-643-4221
Venda a varejo por reembolso postal

Lotus Brands, Inc.

P. O. Box 325-AM
Twin Lakes, WI 53181
1-414-889-8561
1-414-889-8591 (Fax)

Lotus Light Natural Body Care

P. O. Box 1008, Lotus Drive, Dept. AM
Silver Lake, WI 53170
1-414-889-8501 ou 1-800-548-3824
1-414-889-8591 (Fax)

Quantum Publication Inc.

P. O. Box 1088
Sudbury, MA 01776
1-800-858-1808

Vinayak Ayurveda Center

2509 Virginia NE, Suite D
Albuquerque, NM 87110
1-505-296-6522
1-505-298-2932

AYURVEDA

Saúde e Longevidade na Tradição
Milenar da Índia

Dr. Danilo Maciel Carneiro

"Danilo Carneiro é sem dúvida um dos maiores estudiosos da Fitoterapia em nosso país. Por meio de uma abordagem simples e direta ele nos ensina dicas preciosas de como usar as ervas brasileiras no dia a dia para aperfeiçoar nossa saúde. E todo esse conhecimento é baseado na sabedoria milenar do Ayurveda – o sistema de promoção de saúde mais antigo do mundo. Tenho certeza de que todos os leitores se beneficiarão imensamente com *Ayurveda – Saúde e Longevidade na Tradição Milenar da Índia*."

— **Márcia De Luca**
Fundadora do Ciymam – Centro Integrado de Yoga, meditação e Ayurveda – São Paulo; Instrutora especializada em Yoga e Ayurveda.

"Este trabalho pioneiro do médico Danilo Carneiro, uma das maiores autoridades em Ayurveda no Brasil, será, sem dúvida alguma, uma referência na área. Nos seus mais de 20 anos de pesquisas em Ayurveda e Fitoterapia, Danilo estudou com os melhores médicos indianos (vaidyas) que estiveram no nosso país, razão pela qual *Ayurveda – Saúde e Longevidade na Tradição Milenar da Índia* promete ser um dos melhores livros já publicados em língua portuguesa sobre o assunto."

— **Dr. Aderson Moreira da Rocha**
Presidente da Associação Brasileira de Ayurveda

"Danilo Carneiro consegue, por meio desta obra, revelar a essência do trabalho pioneiro com o Ayurveda no Brasil. Um conhecimento prático, adquirido pela convivência com mais de dez vaidyas ayurvédicos que estiveram em Goiânia repassando esta arte milenar. Este livro certamente mudará a visão de muitas pessoas sobre o que é e como podemos trabalhar com o Ayurveda."

— **Erick Schulz**
Vice-Presidente da Associação Brasileira de Ayurveda;
Diretor do Instituto de Cultura Hindu Naradeva Shala.

EDITORA PENSAMENTO

A BÍBLIA DO AYURVEDA

Anne McIntyre

Com ilustrações coloridas e informações práticas e acessíveis, este guia abrangente explica tudo sobre o Ayurveda, um sistema de cura indiano milenar , originário nas antigas escrituras védicas e praticado até os dias de hoje. Você vai aprender como cultivar sua saúde e bem-estar por meio da alimentação, do estilo de vida e de práticas espirituais, de acordo com seu *dosha* ou tipo de constituição.

Esta obra de referência também inclui instruções detalhadas sobre o tratamento holístico ayurvédico recomendado para as doenças mais comuns, com sugestões de ervas medicinais, alimentos, massagens e meditações, conduzindo você pela sabedoria desse sistema de cura completo, que abarca corpo, mente e espírito.

Anne McIntyre é membro do National Institute of Medical Herbalists e pratica a medicina fitoterápica há mais de 25 anos. Ela estudou o Ayurveda durante mais de vinte anos e incorporou a sabedoria dessa abordagem indiana à sua prática fitoterápica. Atualmente, ela leciona medicina ayurvédica, ginecologia, obstetrícia e pediratria, e dá palestras sobre fitoterapia e o Ayurveda no Reino Unido, nos Estados Unidos e na França.

EDITORA PENSAMENTO

Impresso por :

Graphium
gráfica e editora
Tel.:11 2769-9056